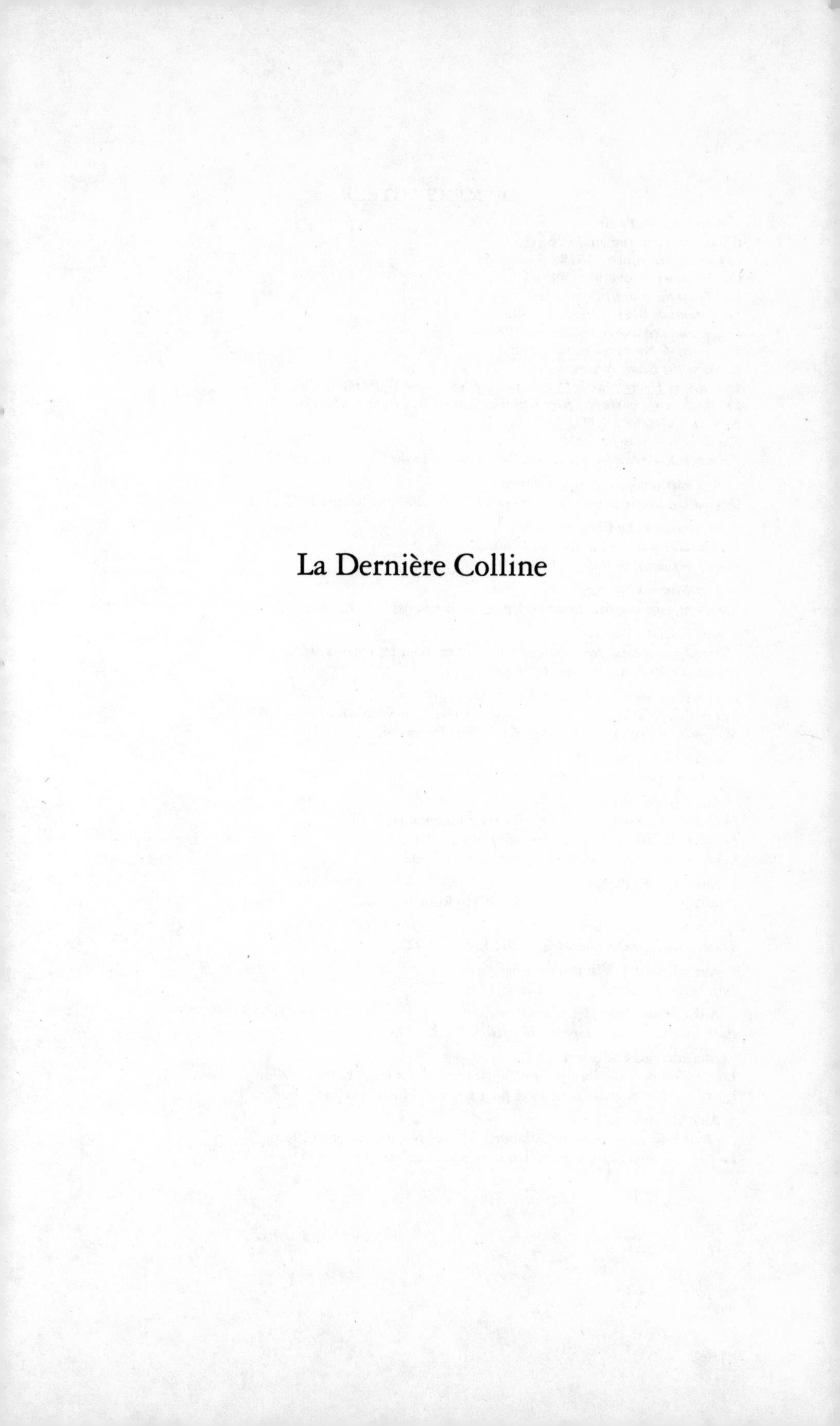

La Dernière Colline

DU MÊME AUTEUR

Aux éditions Fayard :

Blanche et Lucie, roman, 1976.
Le Cahier volé, roman, 1978.
Contes pervers, nouvelles, 1980.
La Révolte des nonnes, Roman, 1981.
Les Enfants de Blanche, roman, 1982.
Lola et quelques autres, nouvelles, 1983.
Sous le ciel de Novgorod, roman, 1989.
La Bicyclette Bleue, roman, 1981.
101, avenue Henri-Martin (La Bicyclette Bleue, tome II), roman, 1983.
Le Diable en rit encore (La Bicyclette Bleue, tome III), roman, 1985.
Noir Tango, roman, 1991.
Rue de la Soie, roman, 1994.
Carnets I. Roger Stéphane ou la passion d'admirer, Fayard/Spengler, 1995.

Aux éditions Jean-Jacques Pauvert :

O m'a dit, entretiens avec l'auteur d'*Histoire d'O,* Pauline Réage, 1975 ; nouvelle édition, 1995.

Aux éditions Le Cherche-Midi :

Les cent plus beaux cris de femmes, 1980.
Poèmes de femmes, anthologie, 1993.

Aux éditions Nathan :

Léa au pays des dragons, conte et dessins pour enfants, 1991.

Aux éditions Ramsay :

L'Apocalypse de saint Jean, racontée et illustrée pour les enfants, 1985.
Ma cuisine, livre de recettes, 1989.

Aux éditions Albin Michel/Régine Deforges :

Le Livre du point de croix, en collaboration avec Geneviève Dormann, 1987.
Marquoirs, en collaboration avec Geneviève Dormann, 1987.

Aux éditions Albin Michel :

Pour l'amour de Marie Salat, roman, 1987.

Aux éditions du Seuil :

Le Couvent de sœur Isabelle, livre illustré pour enfants, 1991.
Léa et les diables, livre illustré pour enfants, 1991.
Léa et les fantômes, livre illustré pour enfants, 1992.

Aux éditions Plume :

Rendez-vous à Paris, illustré par Hippolyte Romain, 1992.

Aux éditions Hoëbeke :

Toutes belles, sur des photos de Willy Ronis, 1992.

Aux éditions de l'Imprimerie nationale :

Juliette Gréco, sur des photos d'Irméli Jung, 1990.

Aux éditions Spengler :

Paris chansons, photographies de Patrick Bard, 1993.

Aux éditions Calligram :

Les Chiffons de Lucie, livre pour enfants, illustré par Janet Bolton, 1993.
L'Arche de Noé de grand-mère, livre pour enfants, illustré par Janet Bolton, 1995.

Aux éditions Stock :

Les Poupées de grand-mère, en collaboration avec Nicole Botton, 1994.
Le Tarot du point de croix, en collaboration avec Éliane Doré, 1995.

Régine Deforges

La Dernière Colline

1950-1954

roman

Fayard

IL A ÉTÉ TIRÉ DE CET OUVRAGE
CINQUANTE EXEMPLAIRES
SUR PAPIER VERGÉ INGRES DE LANA
DONT TRENTE NUMÉROTÉS DE 1 À 30
QUINZE RÉSERVÉS À L'AUTEUR
ET CINQ HORS COMMERCE
NUMÉROTÉS DE H.C. I A H.C. V
LE TOUT CONSTITUANT
L'ÉDITION ORIGINALE

La plupart des propos tenus dans le cadre du roman par Vincent Auriol, Claude Barrès, le général de Lattre, Jean Leroy, Pierre Mendès France, Jean Sainteny, Albert Sarraut, Pham Van Dong, le général Salan et Hô Chi Minh proviennent d'ouvrages, de correspondances ou d'entretiens consacrés par eux à l'Indochine.

À Pierre.

1.

Le jour allait se lever sur Hanoi.

Depuis trois semaines, Léa et François étaient réunis, grelottants de fièvre au fond de leurs lits. La plaie de François s'était infectée. Un médecin militaire envoyé par le haut-commissaire avait prescrit de la pénicilline. Le remède commençait à faire son effet ; un soir, la fièvre tomba et le blessé, pour la première fois depuis longtemps, sentit son esprit se libérer. Il parvint à mettre de l'ordre dans les images confuses envoyées par son cerveau endolori.

– Léa ! cria-t-il en se dressant.

Une brusque souffrance le rejeta sur son lit.

Une forme féminine se pencha tandis qu'une main douce se posait sur son front.

– Calme-toi, elle est là, tout va bien.

– Lien ?... c'est toi ?... Je suis à Hanoi ?... Et Hai ?... Sais-tu ce qui arrivé à Phuong ?

– Oui, je le sais !... Tais-toi !

– Qui t'a prévenue ?

– Un envoyé du président Hô Chi Minh. Oncle Hô, qui n'a pas oublié l'amitié qu'il portait à ma famille. Et puis, je suis la sœur de Hai.

– As-tu de ses nouvelles ?

– Il a juré de te tuer.

– Mais ce n'est pas moi !...

– Peut-être, mais c'est à cause de toi que Trac et Nhi sont orphelines.

– Je n'ai pas voulu cette mort. J'irai trouver Hai... Je lui expliquerai...

– Ce n'est pas la peine. Ta tête est mise à prix par le Viêt-minh.

– Cela m'est égal... J'irai le voir. Dis-moi où il est.

– C'est lui qui te trouvera.

Épuisé, il perdit une nouvelle fois connaissance.

– Lien, murmura-t-il en rouvrant les yeux.

– Tais-toi, tu es encore très mal en point.

– Il sait que je suis chez vous ?

– Je le lui ai dit. Je lui ai aussi précisé qu'ici tu étais sous ma protection, et que, s'il t'arrivait malheur sous notre toit, je me tuerais. Reprends des forces, il ne t'arrivera rien.

François saisit la main de Lien et la porta à ses lèvres.

– Où est Léa ?

– Dans la chambre d'à côté, elle a été très malade. Elle a déliré, parlé de *Gestapo*, de massacres, de Sarah. Elle a appelé son petit garçon, sa mère et toi. Oh, comme elle t'a appelé !

– Elle va mieux ?

– Beaucoup mieux. Kien l'a veillée jour et nuit.

– Kien ?... Que fait-il ici ?

– C'est lui qui vous a trouvés sur le pont Paul-Doumer et qui vous a ramenés ici.

– Je veux la voir, dit-il en se levant.

Mais sa faiblesse était telle qu'il retomba.

– Attends, ne t'agite pas, je vais t'aider. Appuie-toi sur moi.

Le torse nu ruisselant de sueur et barré d'un large pansement, il s'avança, soutenu par la jeune femme, si frêle dans sa tunique claire.

La chambre dans laquelle reposait Léa était dans la

pénombre ; un grand ventilateur y entretenait une relative fraîcheur. Peu à peu, ses yeux s'habituèrent au demi-jour. Assis près du lit, dans un fauteuil, Kien sommeillait. François fut frappé par sa jeunesse et sa beauté. De son côté, Léa endormie lui parut encore plus belle que dans son souvenir. À travers le tulle de la moustiquaire, perdue dans la grande couche blanche, elle avait l'air d'une enfant. Ses bras rejetés de part et d'autre de son visage, les cheveux épars sur l'oreiller, comme elle semblait vulnérable !... Par moments, un froncement de sourcil, le tremblement des lèvres, la crispation d'une main trahissaient ses angoisses. Bouleversé, il se pencha au-dessus de cette femme qu'il aimait, qu'il avait juré de choyer, de protéger, et qui s'était jetée sur les routes à sa recherche, abandonnant leur enfant. Il fut envahi par un sentiment de honte, de colère et de chagrin.

– Léa ! appela-t-il.

Un cliquetis lui fit tourner la tête. Kien s'était réveillé et tenait dans sa main un pistolet braqué sur lui. Tavernier eut un rire sans joie.

– Range ça, petit, tu vas faire mal à quelqu'un.

Sous le ton railleur, Kien blêmit.

– Ne la touche pas !

Malgré sa faiblesse, François bondit et força Kien à se relever.

– C'est ma femme, l'aurais-tu oublié ?

Lien s'interposa :

– Kien, pose cette arme, et toi, François, assieds-toi ! Ne vous disputez pas devant elle.

Depuis quelques instants, Léa avait ouvert les yeux. Il lui semblait entendre une voix lointaine. Comme elle était loin, cette voix ! Elle eut un soupir d'enfant chagrinée et referma les paupières. La voix s'était rapprochée, elle était là...

– François !

La force du cri qui jaillit de ce corps frêle et souffrant les fit sursauter tous trois. Ayant repoussé les draps, Léa se leva, nue. Les cheveux emmêlés ; des gouttes de sueur glissaient entre ses seins. Ainsi dressée, elle était splendide et terrifiante.

– François ! gronda-t-elle.

Enfin ses bras se refermaient sur elle, enfin ses lèvres s'emparaient de ses lèvres, ses mains saisissaient ses hanches. Souffles mêlés, ils tombèrent sur le lit. Kien s'élança vers le couple enlacé. Lien le retint :

– Laisse-les.

Elle parvint à l'entraîner hors de la pièce. Là, ses forces l'abandonnèrent, elle glissa sur le carrelage devant l'autel des ancêtres. Kien la releva et la porta dans sa chambre. Il l'allongea et s'étendit auprès d'elle, envahi par une détresse qu'il n'avait pas connue depuis la mort de son grand-père, et il pleura comme un petit enfant, à gros sanglots. Ses larmes, sur la joue de Lien, la ranimèrent.

– Mon pauvre petit, fit-elle en le prenant dans ses bras.

La nuit était tombée depuis longtemps quand Léa et François sortirent du bienheureux coma où les avaient plongés leurs ébats amoureux. Affamés l'un de l'autre, ils s'étaient donnés l'un à l'autre avec une violence et une impudeur totales. Leurs cris et leurs râles avaient retenti jusqu'aux cuisines où se terraient les domestiques. Les amants ne se lassaient pas de contempler leur corps meurtri, de le toucher, de le palper, de le mordre et de le lécher. Après chaque orgasme, malgré leur épuisement, leurs sexes se recherchaient, s'unissaient dans un bruit de succion, et c'était à nouveau des vagues de jouissance qui les submergeaient. Les plaies de François s'étaient rouvertes, les amants, à l'aube, étaient couverts de sperme et de sang. Debout sur le lit souillé, jambes écartées, Léa regardait son homme avec une férocité de mère tigre.

– Jamais plus nous ne serons séparés, je le jure !

Elle s'enveloppa dans un des draps tachés et quitta la chambre. Goulûment, elle huma l'air frais de la nuit. Dans chaque recoin de son corps elle ressentait une merveilleuse fatigue, ses reins moulus lui procuraient une délicieuse douleur ; elle s'étira, magnifique et sale. Maintenant qu'ils s'étaient retrouvés, plus rien ne pouvait leur arriver, plus jamais ils ne se quitteraient.

Elle s'assit sur le petit banc, face au bassin, là où Lien aimait à s'installer pour donner à manger aux poissons rouges. Il y eut un bruit de branches. Léa se retourna. Près du bosquet, la lueur d'une cigarette.

– Qui est là ?

Personne ne répondit.

– Qui est là ? redemanda-t-elle en se levant.

Une silhouette sombre s'avança.

– C'est vous, Kien ? Vous m'avez fait peur. Avez-vous une cigarette à me donner ?

Il tendit le paquet. À la lueur de la flamme de son briquet, elle remarqua son visage bouleversé. Elle baissa les yeux devant cette souffrance dont elle connaissait la cause. Mais son amour retrouvé, le bonheur de ses sens la rendaient indulgente. Elle s'approcha de Kien et l'embrassa avec tendresse.

– Je vous dois tant, Kien. Vous ne sauriez à quel point je vous suis reconnaissante, et combien je vous aime.

Le jeune homme tressaillit.

– Qu'avez-vous dit ?

– Que je vous aime...

Il l'attira contre lui.

– Redis-le-moi !

– Lâchez-moi, vous gâchez tout. Oui, je vous aime... comme un frère, un ami.

– Ce n'est pas de cette façon-là que je veux être aimé de toi, mais comme tu l'as aimé, lui, cette nuit : comme une folle, comme une fille payée pour cela... Je veux t'entendre gémir sous moi, me dire : « Encore... encore... »

– Taisez-vous !

– Non, je ne me tairai pas ! Je t'aime, tu seras un jour à moi, et tu m'aimeras aussi...

– Jamais !

– Ne dis pas ça. Je le sais... et toi aussi !

– Non ! cria Léa, et pourtant, il s'en était fallu de si peu, sur la jonque, pour qu'elle devienne sa maîtresse...

De son pas souple et silencieux, Kien s'en fut vers la maison. Léa, attristée, se rassit sur le banc. De l'autre côté du bassin, une forme bougea.

– Giau ? appela-t-elle.

Le monstre glissa le long de la margelle.

– Que fais-tu ici ?

– Je monte la garde.

– Mais je ne risque rien.

– Ne crois pas ça. Tu n'as jamais été en si grand danger. Il faut que ton mari et toi quittiez Hanoi au plus vite. Le Viêt-minh a donné l'ordre de vous arrêter.

– Pourquoi dis-tu cela ? Comment le sais-tu ?

– Je t'ai déjà expliqué qu'on ne prête pas attention à des êtres comme moi, on parle devant eux comme s'ils n'existaient pas. Je l'ai entendu chez le commandant viêt-minh de Hanoi.

– Tu racontes n'importe quoi ! Les Viêt-minh ne sont pas à Hanoi.

– Détrompe-toi, ils sont partout. Ils attendent patiemment leur heure, car ils savent qu'elle viendra.

– Dès que François aura vu le haut-commissaire, nous partirons.

– Vous feriez mieux de partir avant car si, par extraordinaire, il échappait au Viêt-minh, il n'échapperait pas à Kien une seconde fois.

– Que veux-tu dire par là ?

– Je veux dire que, cette fois, Kien ne loupera pas son coup. C'est lui qui a poignardé ton mari au bac de Ninh.

– Je ne te crois pas ! hurla Léa.

Au loin, un chien aboya.

– Pourquoi cries-tu, si tu ne me crois pas ?

Léa se laissa tomber sur le banc, la tête entre les mains.

– Mais pourquoi, pourquoi ?

– Tu le sais fort bien : parce qu'il t'aime et qu'il te veut. Il te l'a dit tout à l'heure, et ce n'est pas la première fois.

Accablée, Léa regardait droit devant elle ; toutes les douleurs de son corps s'étaient réveillées. Giau, tel un chien couché à ses pieds, la lorgnait d'un air désemparé. Elle se redressa et lui lança d'une voix involontairement dure :

– Tiens-moi au courant de tout ce que tu apprendras.

– Ne t'inquiète pas, Giau veille, mais suis mon conseil : pars.

– J'ai besoin de réfléchir. As-tu des cigarettes ?

De sa main estropiée, il fouilla dans ses guenilles et en sortit un paquet froissé de *Lucky Strike*, puis une boîte d'allumettes.

– Tiens, garde-les.

– Merci, Giau. Maintenant, laisse-moi.

L'infirme disparut sans bruit.

Ce n'était pas la fraîcheur de la nuit qui faisait frissonner Léa, mais une peur qui lui donnait la nausée. Elle alluma une cigarette tout en essayant de penser de façon cohérente. Devait-elle croire ce qu'avait dit Giau à propos de Kien ?... « Oui », répondait une petite voix en elle. « Non, ce n'est pas possible ! François et lui se connaissent depuis toujours ; ce sont des amis, même s'il leur arrive de se chamailler. Giau se trompe... » « Non, il ne se trompe pas ! » reprenait la voix... « Mais alors, si c'est vrai, Kien risque de recommencer !... »

Léa se leva, marcha de long en large en allumant une nouvelle cigarette. Prise de vertige, elle se laissa retomber sur le banc. Giau avait raison : il fallait quitter le plus vite possible ce pays de haines et de souffrances.

Combien de temps resta-t-elle anéantie, tassée sur le banc ?... Le jour se levait quand elle rentra à l'intérieur de la maison et se dirigea vers la chambre. Dans la pièce toujours plongée dans la pénombre, on entendait la respiration du dormeur. Il y planait une odeur fauve qui la troubla. Elle se glissa contre François dont elle voyait battre le cœur sous le torse décharné. La veille, tout au bonheur de ses retrouvailles, elle n'avait pas remarqué sa maigreur, ni l'importance de ses blessures. Ses lèvres parcoururent le pauvre corps qui tressaillit sous les caresses. Contre son ventre, le sexe dressé se balançait. Léa l'enjamba et s'empala en gémissant. Avec lenteur, elle lui fit l'amour.

Il ouvrit les yeux ; elle fut transpercée par son regard de bonheur. Il saisit ses seins, mais les lâcha aussitôt ; il avait cru revoir ceux, martyrisés, de Hong. L'expression de douleur et de dégoût qui envahit son visage n'échappa pas à Léa.

– Qu'as-tu, mon amour ?

– Rien, rien, je t'expliquerai, dit-il en la serrant contre lui.

Ils ne se réveillèrent qu'à la nuit, quand un domestique vint annoncer qu'un officier français demandait à voir M. Tavernier.

– Demandez-lui de patienter. Trouve-moi des vêtements propres...

– En voici, fit Lien, entrant les yeux baissés, portant un costume de toile blanche soigneusement repassé. Je t'ai préparé un bain.

– Merci, petite sœur.

Il se leva sans cacher sa nudité et alla se glisser dans l'eau tiède qui, très vite, se teinta de rouge. Agenouillée, à l'aide d'une grosse éponge, Lien le lava, attentive à ne pas toucher les blessures vives.

Sorti du bain, il enveloppa son grand corps maigre d'un épais peignoir.

– Veux-tu que je te rase ? demanda Lien.

– Non, je vais le faire moi-même. Merci pour tout, petite sœur.

– Je ne suis pas ta sœur ! répliqua-t-elle avec colère. Ne m'appelle plus jamais ainsi.

– Pardonne-moi, fit-il en se détournant.

Une fois débarrassé de sa barbe, François se contempla longuement dans le miroir. La blancheur des joues et du menton contrastait avec le reste du visage, bruni par le soleil et les intempéries. Comme il avait changé ! Comme il était vieux !

Lien finissait d'attacher le pansement qui lui ceignait le torse quand Léa entra, nue et sale à faire peur. Les deux femmes se dévisagèrent sans aménité. Près de Lien, Léa avait l'air d'une sauvageonne prête à bondir sur sa proie.

– Un officier français m'attend, dit François. Lave-toi et habille-toi. Je te rejoins bientôt.

Une servante s'empressa de nettoyer la baignoire. Léa lui en voulut : c'est dans cette eau qu'elle aurait voulu s'immerger pour se prélasser dans le sang et les humeurs de son mari. Néanmoins, elle éprouva un réel bien-être à s'allonger dans le bain parfumé. Elle ferma les yeux et, aussitôt, le visage de Kien lui apparut : elle se crut à bord de la jonque. Elle rouvrit les yeux avec un cri de rage et, l'espace d'une seconde, entr'aperçut le visage du jeune métis dans le miroir.

« Je deviens folle », se dit-elle en se frottant la tête avec énergie.

Sur une chaise, la servante avait déposé une robe, oubliant les dessous. Le frais tissu glissa sur sa peau humide. Elle brossa ses cheveux mouillés et les tordit en chignon. Pieds nus, elle sortit. La nuit était douce. Tout semblait calme. Bientôt, François et elle repartiraient pour la France, retrouver leur petit Adrien. Un an ! Il y avait bientôt un an que leur fils était né... Des éclats de voix lui parvinrent, la ramenant à la réalité.

Quand elle pénétra dans la bibliothèque, François, pâle et agité, marchait de long en large.

– C'est un ordre, monsieur Tavernier, vous devez attendre le retour du haut-commissaire.

– Je n'ai rien à lui dire !

– Ce n'est pas son avis ni le mien, si vous permettez.

– Je me fous de votre avis !

– Monsieur...

– François, que se passe-t-il ?

– Rien, ma chérie, si ce n'est qu'on prétend nous retenir à Hanoi.

– Oh non !

– Vous voyez, je ne suis pas le seul à vouloir quitter ce foutu pays.

– Monsieur Tavernier... vous ne me présentez pas ?

– Pardonnez-moi, j'ai perdu l'habitude des mondanités. Ma chérie, je te présente le capitaine Lamarck. Mon capitaine, je vous présente madame Tavernier, ma femme.

– Bonsoir, madame... Vous êtes charmante, tout à fait charmante.

– Bonsoir, capitaine. Vous êtes trop aimable. Ainsi, vous voulez que nous restions à Hanoi ?

– Je ne veux rien, moi, madame. C'est le haut-commissaire et le général Alessandri, commandant des forces françaises en Indochine du Nord, qui ont quelques petites questions à vous poser.

– À moi aussi ?

– À vous aussi, oui, madame. Vous avez circulé dans le pays, vous avez dû voir un certain nombre de choses, et peut-être pourriez-vous nous fournir des indications sur l'agression dont a été victime votre mari.

Léa chancela et devint très pâle.

– Qu'avez-vous, madame ? Vous ne vous sentez pas bien ?

– Laissez-la, vous voyez bien qu'elle n'en peut plus. Lien ! appela François.

La jeune femme apparut presque aussitôt.

– Emmène Léa, s'il te plaît.

Une fois dans la chambre, Léa se laissa tomber sur le lit, la tête entre les mains.

– Ce n'est pas le moment de pleurer, vous avez failli nous trahir.

Léa releva le front, l'air mauvais.

– Vous trahir ? Que voulez-vous dire ?

– Vous le savez fort bien. Vous ne trouvez pas qu'il y a assez de morts, dans cette famille, sans qu'on en vienne de plus à arrêter Kien ?

– Pourquoi l'arrêterait-on ?

– Vous ne l'ignorez pas.

– Non, ce n'est pas vrai !

– Si. Il vous aime !... Pour vous avoir, il est capable de tout.

– Comme vous, sans doute, pour l'homme que vous aimez.

– S'il y avait la moindre chance qu'il m'aime, oui !

Comme elle était belle, en disant cela ! Oui, elle tuerait sans hésiter si François... Mais François aimait Léa, et cet amour la protégeait.

– Je ne dirai rien pour Kien. Mais pouvez-vous me jurer...

– Oui, l'interrompit Lien. Il sait que je me tuerais si... François non plus ne doit pas savoir...

Léa acquiesça d'un air las.

– J'ai si peur, Lien, j'ai si peur !

Émue malgré elle, la jeune femme s'approcha de Léa et caressa sa tête inclinée. Ce geste !... Sa mère aussi le faisait souvent. Léa se leva et se jeta en pleurant dans les bras de Lien. Quand François entra, toutes deux sanglotaient, enlacées. Il referma doucement la porte sur elles et rebroussa chemin.

– Alors ? lui demanda le capitaine.

– Elles pleurent.

– Je reconnais que le moment est mal choisi. Je ne sais si vous êtes comme moi, mais je ne supporte pas les larmes d'une femme. Deux, c'est trop ! Je vais laisser un de mes hommes ici, il leur parlera quand elles auront cessé. Venez !

– Ne peut-on attendre le retour du haut-commissaire ?

– Non, cela nous fera gagner du temps.

C'est le lendemain que François rencontra le haut-commissaire, Léon Pignon.

– Laissez-nous seuls, fit-il à l'adresse du planton. Asseyez-vous, monsieur Tavernier.

Pendant quelques minutes, le haut-commissaire lut le dossier établi par les services du capitaine Lamarck, tout en prenant quelques notes. Puis il reposa son crayon, passa sa main sur son front large et dégarni, et dit d'un air songeur :

– Bien sûr, tout ce qui se trouve dans ce rapport est l'exacte vérité ?

– Oui, monsieur le haut-commissaire.

– Vous vous foutez de moi ?

– Non, monsieur le haut-commissaire.

– Vous voulez me faire croire que vous avez longuement

bavardé avec Hô Chi Minh et Pham Van Dong, que vous avez circulé librement dans leur camp, que les Viêt vous ont relâché, comme ça, sur votre bonne mine ? Vous me prenez pour un con ?

– Non, monsieur le haut-commissaire.

– Vous maintenez que le président de la République vous avait chargé de rencontrer Hô Chi Minh ?

– Oui, monsieur le haut-commissaire.

– Et que vous l'avez effectivement rencontré ?

– Oui, monsieur le haut-commissaire.

– Alors, vous devez pouvoir me dire où ?

– Non, monsieur le haut-commissaire.

– Je ne vous crois pas. Vous dites connaître la région...

– Sans doute, monsieur le haut-commissaire, mais j'ai eu les yeux bandés jusqu'à l'arrivée au camp, et, de toutes façons, ils l'ont abandonné après mon départ.

– Comment le savez-vous ?

– Ils me l'ont dit, monsieur le haut-commissaire, et c'était la sagesse.

– Oui, bien sûr... Étaient-ils bien armés ?

– Non, monsieur le haut-commissaire. Comme je l'ai déclaré, ils ne disposent que de mauvais fusils et de quelques mitraillettes. Mais je ne pense pas que cela dure longtemps.

– Que voulez-vous dire ?

– Que la Chine va leur fournir des armes. La victoire des communistes chinois va contraindre le haut-commandement à prendre de nouvelles dispositions. Puissamment armés, les combattants viêt-minh seront redoutables. D'autant plus qu'ils combattent sur leur terrain et pour leur indépendance.

– Indépendance, indépendance... Vous n'avez que ce mot-là à la bouche, comme Leclerc et Sainteny !

– C'est à leur demande que je suis venu ici la première fois, monsieur le haut-commissaire, et leur analyse de la situation était la bonne. L'armée en fait chaque jour la triste expérience.

– Je n'aime pas ces propos défaitistes, monsieur Tavernier.

– Je préférerais en tenir d'autres, monsieur le haut-commissaire.

Léon Pignon compulsa une nouvelle fois le dossier ouvert devant lui. Il paraissait soucieux, indécis.

– Que vais-je faire de vous ? lâcha-t-il comme en se parlant à lui-même.

– Renvoyez-moi en France, monsieur le haut-commissaire.

– S'il ne tenait qu'à moi, je vous mettrais dans le premier avion, mais le haut-commandement souhaite vous entendre.

– Eh bien, qu'attendons-nous ? Allons-y !

– En effet, allons-y.

La rencontre entre le général Blaizot, commandant en chef de l'armée d'Indochine, et François Tavernier fut orageuse. Blaizot n'aimait pas les civils, surtout pas ceux qui se prétendaient mandatés secrètement par le président de la République avec la bénédiction du général Leclerc...

– C'est facile de faire parler les morts ! bougonna-t-il.

François serra les poings, démangé par l'envie de casser la figure à ce chef d'armée confortablement planqué derrière son bureau.

– Monsieur Tavernier, ce sera tout pour aujourd'hui. Ne quittez pas Hanoi sans mon autorisation.

– Bien, mon général.

Une Jeep déposa François devant la porte de la maison Rivière. Assises dans l'entrée, Lien et Léa l'attendaient. Ensemble elles se jetèrent contre lui et le bombardèrent de questions, sans attendre ses réponses.

– Crois-tu qu'ils nous laisseront partir ? Ont-ils demandé à me voir ?

– Nous avons cru qu'ils ne te relâcheraient jamais.

– Ont-ils parlé de Hai et de Kien ?

– Tu dois avoir faim ?...

– C'est la seule bonne question posée depuis mon retour ! Je meurs de faim, parvint-il à articuler.

– Nous t'avons préparé un bon petit repas.

– C'est ça que tu appelles un petit repas ? s'exclama François devant la table abondamment garnie. Et il y a même du champagne... Après le régime viêt-minh, je vais avoir une indigestion ! ajouta-t-il en ouvrant la bouteille. À la santé des deux plus belles femmes de Hanoi !

– À ta santé ! firent-elles d'une même voix.

La fatigue aidant, ils eurent tôt fait de se retrouver ivres et s'endormirent tous trois sur le grand lit bas du salon.

Tard dans la matinée, les domestiques les découvrirent blottis les uns contre les autres, un bienheureux sourire aux lèvres.

2.

Léa et Lien déambulaient rue de la Soie à la recherche d'un bon tissu pour faire confectionner à François un costume convenable. Ce n'était pas une mince affaire : ce genre de denrée avait disparu des magasins, mais le vieux Chang, qui habillait autrefois Martial Rivière, avait fait savoir à sa fille qu'il venait de recevoir de Hong Kong un coupon d'excellente toile de coton. L'échoppe du tailleur était située au bout d'un étroit couloir encombré de ballots et de corps endormis que les deux jeunes femmes durent enjamber pour parvenir jusqu'à elle. Assis, jambes croisées, sur sa table de travail, Chang redressa la tête et leur fit signe de prendre place.

– Comme c'est calme..., remarqua Léa.

Mais il lui sembla que le Chinois n'était pas à l'aise ; ses mains tremblaient, des gouttes de sueur perlaient à son front pâle.

– Allons-nous-en, Lien, fit-elle en se levant.

– Mais pourquoi ?... Hai !...

Après un instant de stupeur, elle se précipita dans les bras de son frère qui venait d'apparaître. Des plis amers barraient les coins de sa bouche, des rides profondes marquaient son front, son regard était chargé de tristesse.

– Comment vont mes filles ?

– Bien, mais tu leur manques beaucoup. Pourquoi es-tu venu jusqu'ici ? C'est dangereux.

– Je suis venu voir François.

– Il est très surveillé par les Français ; chaque jour, le haut-commandement l'interroge ; nous-mêmes, nous sommes constamment suivies.

Il jeta un regard traqué autour de lui.

– Rassure-toi, nous les avons semés, dit Lien.

– Pourquoi interrogent-ils François ?

– Ils attendent qu'il leur indique les endroits où il a été, plus particulièrement l'emplacement du camp où vous vous êtes retrouvés, celui où il dit avoir rencontré Hô Chi Minh. Le général Blaizot refuse de croire à cette rencontre, expliqua Léa.

– A-t-elle vraiment eu lieu ? s'enquit Lien.

– Oui, j'en ai eu confirmation par notre commandant à la suite de la mort de Phuong, ma pauvre femme.

– Tu ne crois tout de même pas qu'il soit responsable de sa mort ? fit Lien.

– Il est responsable, même s'il ne l'a pas tuée de ses mains !

– *Coi chùng, có lính tây dên,* chuchota le tailleur.

– *Nói vói François tôi se doi anh ta trong ba ngày o bò sông Hông. Anh ta se hiêu.*[1].

Hai écarta une tenture et disparut au moment où les soldats faisaient leur entrée. Le tailleur chinois s'inclina devant eux, mains jointes.

– Que puis-je pour ces messieurs ?

D'un geste brusque, l'officier l'écarta.

– Alors, mesdames, vous nous avez semés une nouvelle fois ? Ce n'est pas très gentil, alors que nous ne faisons qu'obéir aux ordres. Ce quartier est dangereux, surtout pour vous, madame.

1. – Attention, voilà des soldats français.
– Dis à François que je l'attendrai pendant trois jours au bord du fleuve Rouge. Il comprendra.

– Vous voyez le danger partout, lieutenant. Laissez-nous tranquilles, nous sommes assez grandes pour nous défendre ! dit Léa.

Puis, tournant le dos aux soldats, elle s'adressa au tailleur :

– Montrez-moi ce tissu.

Le vieil homme s'empressa et déroula le coupon d'étoffe.

– Quand pouvez-vous passer prendre les mesures de mon mari ?

– Dans la soirée, si vous le voulez bien.

– C'est parfait, nous vous attendrons. Au revoir, monsieur Chang. Au revoir, messieurs.

L'étroit couloir était maintenant désert. Un soldat armé d'une mitraillette montait la garde. Elles rentrèrent à pied en longeant le Petit Lac.

Lien transmit à François le message de Hai.

– J'irai, dit-il.

– Comment feras-tu ? La maison est gardée.

– Je profiterai de la visite du tailleur.

– Je viens avec toi ! s'exclama Léa.

– Il n'en est pas question. Tu dois être là pour donner le change.

– Je t'en prie, n'y va pas !

François ne lui répondit pas et s'adressa à Lien :

– Tu as compris ? Empêche-la de sortir, je te la confie. Arrange-toi avec le tailleur : garde-le le plus longtemps possible, remets-lui un de mes costumes afin qu'il m'en coupe un à ma taille.

Puis il prit Léa dans ses bras.

– Ne t'inquiète pas, je n'en aurai pas pour très longtemps.

Boudeuse, elle se dégagea.

Après son départ, les deux jeunes femmes restèrent un moment silencieuses.

– Vous êtes sûre que votre frère ne lui fera aucun mal ?

– Oui, je connais Hai, c'est un homme bon et juste. Ils vont se parler. Ils sont amis depuis l'enfance, il y a entre eux des liens très forts ; je veux croire qu'ils seront suffisants pour apaiser Hai. Reposez-vous, je vais recevoir monsieur Chang.

Restée seule, Léa marcha de long en large dans la chambre, incapable de se poser quelque part. Un grattement à la fenêtre arrêta sa déambulation. Immobile, elle écouta : le grattement, qui s'était tu, reprit. Derrière la vitre se tenait Giau. Léa ouvrit la fenêtre.

– Que fais-tu ici ?

– Viens, ton mari est en danger.

Léa escalada la fenêtre et suivit le monstre.

Giau évita l'entrée principale et se dirigea vers une haie dont il écarta les branches, dévoilant une ouverture basse par laquelle il se faufila. Léa eut du mal à l'imiter, s'égratignant au passage bras et jambes. Un cyclo-pousse attendait devant l'ouverture. Giau s'y hissa, Léa s'installa près de lui.

– *Di ra bò sông*[1], ordonna-t-il au conducteur.

– Maintenant, me diras-tu ce qui se passe ? demanda Léa.

– Le Viêt-minh a tendu un piège à ton mari.

– Hai est au courant ?

– Non, le docteur ne sait rien, mais ils se servent de lui.

– Crois-tu que nous arriverons à temps ?

– Je l'espère. Il faut que tu voies le docteur avant ton mari.

– Mais François a de l'avance sur nous.

– Non, le cyclo qu'il a pris a reçu l'ordre d'emprunter un chemin plus long.

– Tu penses vraiment à tout !

Ils roulèrent en silence à travers les rues désertes. De temps

1. Va vers le fleuve.

à autre, sur le bord d'un trottoir défoncé, la lueur du réchaud d'une cuisine ambulante trouait les ténèbres et on apercevait quelques ombres accroupies, un bol de soupe à la main. L'odeur de vase devint de plus en plus forte ; on approchait du fleuve Rouge. Le long des berges, des cabanes de bois, de tôle ou de carton abritaient des familles entières. Les pleurs d'un bébé, l'aboiement d'un chien, le gémissement d'un malade, le ronflement d'un dormeur montaient par intervalles dans la nuit. Petit à petit, les masures s'espaçaient. Bientôt, ils arrivèrent au bout du quai Clemenceau, entre le fleuve et le lac de Truc Bach, près de l'ancienne manufacture de tabac dont les grilles rouillées avaient été arrachées par endroits.

– *Dùng lai. Dên doi chúng tôi sau nhà máy nuóc. Hay ân núp o duòng Bourrin. Hay báo nhung ngùoi kia biêt nêu chúng tôi không tro lai trông hai giò nua. Doi tôi o gôc duòng và dai lô Grand-Bouddha*[1].

Le cyclo s'éloigna.

– Suis-moi... Baisse-toi...

Courbée, elle le suivit. Le sol jonché de détritus, aux ornières profondes, se révéla plein d'embûches. À deux reprises, Léa tomba. À un moment donné, elle ne put retenir un cri : une troupe de rats lui barrait la route. Giau revint sur ses pas.

– Tu fais plus de bruit qu'un régiment de tirailleurs sénégalais ! Tu veux qu'on nous tire dessus ?

– Excuse-moi, je n'ai pas l'habitude de ramper dans les ordures, répliqua-t-elle d'un ton acide.

– Évidemment, pas comme moi.

Léa s'en voulut de sa réflexion, puis haussa les épaules.

– Qu'est-ce que tu attends, on continue ?

1. Arrête-toi. Va nous attendre après l'usine des eaux. Cache-toi rue Bourrin. Préviens les autres si nous ne sommes pas de retour dans deux heures. Attends-moi au coin de la rue et de l'avenue du Grand-Bouddha.

– Nous sommes presque arrivés.

Une haute porte métallique fermait l'entrée d'un entrepôt. Sous la porte passait un filet de lumière. Soudain, elle s'ouvrit. Giau et Léa n'eurent que le temps de se rejeter dans l'ombre. Cinq hommes à bicyclette sortirent et s'éloignèrent. Un autre resta sur le seuil, tirant sur sa cigarette ; Léa reconnut Hai. Sans réfléchir, elle s'avança dans la lumière.

– *Ai dó ? Tôi bán dây*[1].

– Hai, c'est moi, Léa...

– Léa ! Que faites-vous ici ? Vous êtes folle !

– Il fallait que je vous parle.

– Où est François ?

– Il arrive, mais vos camarades lui ont tendu un guet-apens.

– Que dites-vous là ?

– C'est vrai, docteur, confirma Giau.

– Qui es-tu, toi ?

– Personne, un ami de Léa, répondit l'infirme.

Hai se tourna à nouveau vers Léa :

– Ils sont bizarres, vos amis ! Partez, je n'ai rien à vous dire.

– Je vous en prie, il faut faire quelque chose. Ils vont tuer François !

– Tant mieux ; comme ça, je n'aurai pas à le faire...

– Mais laissez-le au moins vous parler !

– Par où doit-il arriver ? demanda-t-il à Giau.

– Par le Grand Lac.

– Où, selon toi, doit avoir lieu l'embuscade ?

– Sur la rive du lac de Truc Bach.

– Pas mal imaginé : il n'y a là que des marais. Je n'ai aucune chance d'y arriver avant eux.

– Pas si je réussis à les distraire.

1. Qui va là ? Je tire !

– Comment feras-tu ? s'enquit Léa.

– Ne t'inquiète pas, j'ai l'habitude, c'est mon métier de faire le pitre. Suivez-moi d'assez loin.

– Nous sommes fous de nous fier à ce monstre, grommela Hai.

– Moi, j'ai une totale confiance en lui, fit Léa en lui emboîtant le pas.

Après avoir quitté la manufacture, ils marchèrent un certain temps entre des maisons effondrées.

– Sinistre, comme coin, murmura Léa.

– Nous y sommes presque, chuchota Giau. Attendez-moi ici.

Ils le regardèrent s'éloigner en rampant ; bientôt, ils l'entendirent siffloter.

– Il est fou ! gronda Hai.

– *Dưng lai !* fit une voix.

– *Dừng bán, các dông chí, tôi chi là môt ke an xin ngheò khô*[1].

Le pinceau lumineux d'une torche balaya le sol.

– *Mày làm gì o dây, thàng sâu bo ?*

– *Tôi di dên kia.*

– *Chuyên gì thê, Thu ?*

– *Không có gì, môt tên an xin di vê nhà hán.*

– *Dua hán dên dây... Tao biêt mây rôi... Mây di khoi hang ô cua mây o phô hàng Buòm khá xa dây*[2] *!*

1. – Halte !
– Ne tirez pas, camarades, je ne suis qu'un pauvre mendiant.

2. – Que fais-tu par ici, vermine ?
– Je vais par là.
– Que se passe-t-il, Thu ?
– Rien, un mendiant qui rentre chez lui.
– Amène-le... Je te connais, toi... Tu es bien loin de ton trou de la rue des Voiles !

– *Nhung tên an xin khác duôi tôi di. Tôi dói quá...*

– *Mây chon nhâm khách rôi, bon tao không có dên môt nám com nguôi.*

– *Anh có thê cho xin diêu thuôc*[1] ?

L'autre lui jeta un paquet à moitié vide.

– *Bây giò, cút di!*

– *Cám on, tròi se tra on anh*[2].

Sans se faire remarquer, il revint sur ses pas puis dépassa l'endroit où Hai et Léa étaient dissimulés. Ils le suivirent à distance respectueuse. Au bout de quelques minutes, Giau s'arrêta et se remit à siffloter. Plus loin, un sifflement lui répondit. Giau s'élança au milieu de la route en agitant sa cigarette. Le cyclo eut du mal à l'éviter.

– *Di me*[3] *!* s'exclama le conducteur.

François bondit du véhicule, pistolet au poing. Malgré la nuit sombre, il reconnut sa femme et son ami qui s'avançaient vers lui. Il baissa le bras.

– Léa... Hai...

– Plus loin, on t'avait tendu un piège, expliqua Léa en se blottissant contre lui.

– Ah oui, et comment as-tu été mise au courant ?

– Elle dit vrai, fit Hai. Je n'y suis pour rien. C'est elle et son ami qui m'ont prévenu. Mais si tout cela est désormais sans importance, il est très imprudent de moisir ici.

– Le docteur a raison, confirma Giau en sifflant à deux reprises.

Alors la rue se remplit de créatures qu'on eût dit sorties de l'imagination d'un auteur de romans d'épouvante.

1. – Les autres mendiants m'ont chassé. J'ai faim...
– Tu as mal choisi tes clients, nous n'avons même pas une boule de riz froid.
– Vous avez peut-être une cigarette ?
2. – Maintenant, file !
– Merci, le ciel vous le rendra.
3. – Enfant de putain !

– Voici mes troupes ! exposa Giau non sans fierté. Elles feront le guet pendant que le docteur et son ami s'expliqueront. Maintenant que tu es rassurée, je te reconduis chez toi, ajouta-t-il à l'adresse de Léa.

Il fit un signe, un cyclo s'approcha.

– Obéis-lui, ma chérie. Je vous remercie, dit François en tendant la main au monstre.

Dressé sur ses moignons, Giau prit la main tendue.

– J'espère que vous redeviendrez amis, lança Léa aux deux hommes en montant dans le pousse-pousse.

Songeurs, ils la regardèrent s'éloigner.

– Viens, il y a par là un petit temple que les moines ont abandonné. Il n'y vient personne, car on prétend que le *ma qui*[1] y rôde.

Suivis à distance par les mendiants à qui Hai fit signe d'attendre, ils s'arrêtèrent devant une porte basse. Les arbustes et les herbes avaient envahi la cour du temple. Le bassin disparaissait sous une nappe de nénuphars. Les branches d'un arbre laissaient traîner à terre leurs grappes de fleurs. L'air embaumait le jasmin. François s'assit sur un banc à demi dissimulé sous la mousse.

– On se croirait dans le jardin d'Éden. Tu te souviens de nos rêves de jardins enchantés ? dit-il.

– Je m'en souviens, c'était il y a bien longtemps. À cette époque, nous étions innocents et... amis !

– Je ne suis pour rien dans la mort de Phuong. J'aurais donné ma vie pour elle. Thévenet a cru qu'elle allait nous dénoncer.

– Elle l'aurait fait, elle haïssait les Français. Elle s'était engagée à fond dans la lutte contre l'occupant et ne jurait que dans l'avenir du communisme. À mon insu, son père l'avait chargée de missions importantes. Elle, si douce, était devenue d'une dureté... je ne la reconnaissais plus.

La tête entre les mains, Hai se laissa tomber, sanglotant,

1. Fantôme.

auprès de son ami. Après une brève hésitation, François lui entoura les épaules de son bras. Longtemps les deux hommes restèrent enlacés.

– Pardonne-moi, ce n'est pas digne d'un combattant, fit Hai en s'écartant.

– Il n'y a pas de honte à pleurer la mort d'un être aimé. Me pardonnes-tu, Hai ?

– Avec le temps, j'espère oublier que tu as été cause de sa mort. Maintenant, va-t'en. Je dois essayer de savoir qui a donné l'ordre de te tendre un guet-apens. Léa et toi, quittez l'Indochine. Ce pays n'a plus besoin de vous et vous y êtes en danger. Sors le premier. Adieu !

– Adieu, dit François en s'éloignant.

Puis il s'arrêta, se retourna et revint en courant vers Hai qu'il serra contre lui :

– Au revoir, mon frère.

Malgré l'heure tardive, Léa et Lien n'étaient pas couchées. Lien avait réagi avec colère au départ de la jeune femme.

– Vous êtes folle ! Que vous risquiez votre vie, cela vous regarde, mais celle de François, celle de Hai... vous n'aviez pas le droit !

– Tout s'est bien passé. Si je n'avais pas suivi Giau, François serait peut-être mort à l'heure qu'il est.

– Il l'est peut-être à présent, répliqua Lien d'une voix aiguë.

– Oh, taisez-vous, vous allez lui porter malheur !

Dehors, il y eut des bruits de voix. Lien ouvrit. Trois soldats français, dont le capitaine Lamarck, encadraient François.

– Ces messieurs ne veulent pas croire que je buvais un coup avec des amis, dit-il d'une voix pâteuse.

– C'est à cette heure-ci que tu rentres ! s'écria Léa en feignant la fureur. Merci, messieurs, je vais aller le coucher...

– Mais, madame...

– Bonsoir, capitaine. Il est tard. Nous nous reverrons demain, si vous le voulez bien.

La porte refermée, François éclata de rire.

– Bravo ! Tu as vu la tête de ce pauvre Lamarck ?

– Je ne vois pas ce que cela a de drôle ! Lien et moi étions folles d'inquiétude.

– C'est fini... Allons nous coucher.

Quelques jours passèrent en interrogatoires pour François et, pour Léa, en démarches en vue de leur retour en France. Un matin arriva une lettre de Françoise :

Ma petite sœur chérie,

Ton petit Adrien va avoir un an. Il marche depuis quelques jours, il a quatre dents et un tempérament joyeux ; c'est un enfant adorable ; tous, à Montillac, nous en sommes fous. Chaque jour, je lui parle de toi et de son père. Presque chaque matin, il dit en se réveillant : "Partie, maman ?" Reviens vite, tu lui manques comme tu manques à tous, ici. Surtout à Charles, qui a beaucoup grandi. Tu ne le reconnaîtras pas, tant il a changé ; il ne rêve que d'aller combattre en Indochine pour te ramener à la maison.

As-tu retrouvé François ? Nous n'avons, sur ce qui se passe là-bas, que les informations de la T.S.F. et les journaux qui en parlent très peu. Nous avons appris par le père Henri que Jean Lefèvre avait rencontré ton mari et t'avait vue brièvement à Hanoi. Il a mis ses terres en vente ; le savais-tu ?

Ici, tout va pour le mieux ; les vendanges de 49 s'annoncent exceptionnelles, on prévoit une grande année. Nous avons eu la visite des cousins de Bordeaux. Ils n'ont rien perdu de leur morgue ni rien appris de la guerre.

Tous se joignent à moi pour te dire leur affection et attendent avec impatience ton retour et celui de ton mari.

Je t'embrasse. Ta sœur,

Françoise.

Léa pleura en pensant à Adrien. Avec fierté, elle montra à Lien les photos du petit garçon jointes par Françoise à sa lettre.

– Quel bel enfant ! dit-elle. Comme il ressemble à François !

C'est le lendemain que Lien apprit l'assassinat par le Viêt-minh de la femme et de la fille de son frère Bernard.

– Je croyais qu'ils étaient en France ! s'écria François.

– Bernard a voulu passer par Saigon pour mettre ses affaires en ordre auprès de la Banque d'Indochine. Ils ont été arrêtés sur la route de l'aéroport. Après, on perd leur trace... Bernard aurait été conduit à Pham Tiet. Les autorités françaises ont retrouvé les corps mutilés de Geneviève et de Mathilde jetés sur le bord d'une route...

L'horrible nouvelle bouleversa Léa. Elle avait l'impression que les tueurs étaient embusqués partout ; elle revivait les horreurs de l'occupation allemande. Ses cauchemars reprirent. Chaque nuit, elle se réveillait en hurlant.

– Je veux partir ! sanglotait-elle.

Jean Laurent, directeur général de la Banque d'Indochine, vint lui-même présenter ses condoléances à Lien et l'assurer que tout serait mis en œuvre pour retrouver la trace de Bernard. Il profita de sa visite pour s'entretenir longuement avec François. Au cours de cette entrevue, il lui confia que tout était arrangé avec le haut-commandement et qu'il recevrait bientôt l'autorisation de quitter l'Indochine. Laurent ajouta qu'il serait heureux de le revoir à Paris où ils pourraient s'entretenir librement de son avenir.

Le même jour, les grands-parents maternels de Trac et Nhi vinrent chercher les fillettes. Lien les vit partir avec déchirement. Il lui semblait que la famille se désagrégeait peu à peu. François insista pour qu'elle vînt avec eux en France. Léa se joignit à lui – sans succès.

– Mes frères peuvent avoir besoin de moi, je dois rester ici dans la maison de mes ancêtres.

La veille du départ, Giau apporta à Léa une lettre de Nhu-Mai, la jeune violoniste :

Ma chère Léa,

Je voulais encore une fois te remercier de ton aide. Grâce à toi, je peux servir mon pays. La vie dans la jungle est très dure et les exercices fatigants, mais je me repose en jouant pour mes camarades. La musique nous aide à oublier les rudes heures passées.

J'ai appris ce qui était arrivé à la femme et à la fille du docteur Hai. Ici, nous sommes tous révoltés par ce drame et je peux t'assurer qu'aucun d'entre nous n'aurait commis une action aussi monstrueuse. Transmets à Lien mes sincères et respectueuses condoléances.

Je ne sais pas si nous nous reverrons un jour. Mais, la paix revenue, ce serait mon souhait le plus cher.

J'ai été heureuse de te connaître, j'ai pour toi l'affection d'une sœur.

Je t'embrasse comme je t'aime,
Ton amie,

Nhu-Mai.

Giau offrit à Léa un petit bouddha de jade.

– Il te portera bonheur, dit-il en le lui tendant.

Léa se baissa et examina longuement la fragile statuette.

– Je te promets de le garder toujours.

Elle se pencha encore et déposa un baiser sur la joue sale du mendiant qui fit un bond en arrière, comme si on l'avait blessé. La tête levée, il la dévisageait de ses yeux rouges, larmoyants ; de sa main déformée, il se palpait la joue.

– Tu m'as embrassé... dit-il d'une voix incrédule.

Il s'éloigna, rampant à reculons, puis s'arrêta :

– Souviens-toi que ma vie t'appartient.

– Je m'en souviendrai. Prends soin de toi. Tu pourras venir ici chercher à manger, Lien est d'accord.

Contemplant la scène, François lança à Léa non sans ironie :

– Je me demande si je ne préférais pas le jeune Argentin à ton nouvel admirateur vietnamien ! Comment s'appelait ce jeune homme, déjà ?

– Ernesto !

Tenant à veiller, disait-il, sur leur sécurité, le capitaine Lamarck avait souhaité accompagner lui-même M. et Mme Tavernier à l'aéroport. Malgré tout son courage, Lien s'était trouvée mal dans les bras de François. Il l'avait confiée aux soins des domestiques et s'était éloigné avant qu'elle n'eût repris connaissance. Toute à la joie de partir, Léa, qui prenait l'avion pour la première fois, ne s'attarda pas en au revoir mélancoliques.

– Je vous envie, dit le capitaine en serrant la main à Tavernier. Dites bonjour à Paris de ma part !

Le nez écrasé contre le hublot, sa main serrant celle de son mari, Léa regarda sans regret s'éloigner la terre indochinoise. Quant à François, il avait une nouvelle fois l'impression de quitter son pays et se reprochait d'abandonner ses amis. Il voyait s'éloigner le fleuve, les rizières, les forêts et les montagnes avec un chagrin qui lui fit fermer les yeux. « Je reviendrai », se jura-t-il.

3.

Le petit Adrien poussa des hurlements quand François le souleva pour l'embrasser. Dépité, il reposa doucement le bambin qui courut se réfugier dans les jupes de Françoise.

– C'est normal, dit-elle, il ne vous connaît pas. D'ici deux jours, ça ira mieux.

Léa n'eut guère plus de chance. Il fallut que Charles lui dise et redise : « C'est ta maman », pour que l'enfant s'approche, puis s'enhardisse jusqu'à la toucher. Bouleversée, Léa le laissait faire, attentive à ne pas l'effaroucher. Blotti dans ses bras, Charles avait enfoui son visage contre le cou doux et parfumé, le respirant comme on respire une fleur. Adrien, désireux d'imiter son ami, se pendit à son tour au cou de Léa en disant :

– Maman... bon...

Heureuse, Léa serra contre elle le corps de son fils. François la contemplait, radieuse et belle, avec les deux enfants accrochés à son cou. Le soir même, Adrien, juché sur les épaules de son père, ne voulait déjà plus le quitter.

Dans la nuit, Léa se réveilla en proie à ses cauchemars habituels. Cherchant un réconfort, elle se tourna vers François, mais sa moitié de lit était vide. Elle se leva. La lune éclairait la pièce ; dehors, le vent ployait les hauts cyprès bordant la propriété. Léa poussa la porte de la chambre de son fils. François était là, penché sur le petit lit, regardant son enfant dormir. Elle s'approcha doucement et posa la main sur son épaule. Il se retourna ; son visage rayonnait de joie et de fierté. Il y avait longtemps qu'elle ne l'avait vu aussi radieux. Il la serra contre lui.

– Merci, ma petite fille. Quel bel enfant tu m'as fait là ! Pardonne-moi de t'avoir si longtemps privée de lui !

Léa frissonna.

– Viens, tu vas avoir froid.

Il lui fit l'amour avec une tendresse nouvelle. Ils s'endormirent à l'aube.

Le lendemain, un télégramme de Paris demandait à M. Tavernier de bien vouloir se présenter dans les plus brefs délais à l'hôtel Matignon à la demande du président du Conseil, Georges Bidault.

– Que me veut ce sale con ? grommela François.

– Tu es obligé d'y aller ? demanda Léa.

– Hélas, oui !

Cependant, il prit son temps et ne se présenta qu'une semaine plus tard rue de Varennes. Vingt minutes après, il était reçu par le chef du gouvernement.

– Asseyez-vous, monsieur Tavernier. Vous fumez ?

François prit une cigarette dans l'étui tendu par Georges Bidault.

– Merci, monsieur le Président.

– Ainsi, monsieur Tavernier, vous vous êtes vu confier par le président de la République une mission officieuse...

– Oui, monsieur le Président.

– Couronnée de succès, puisque vous avez rencontré longuement, paraît-il, notre adversaire, M. Hô Chi Minh.

– Je l'ai rencontré, en effet, monsieur le Président, et entretenu des vœux de M. Vincent Auriol ; mais sans succès.

– Il ne vous a pas paru désireux de négocier ?

– Non, monsieur le Président ; il est plus résolu que jamais à la guerre.

– En a-t-il les moyens ?

– Oui, monsieur le Président, d'autant plus que la Chine et l'U.R.S.S. ont reconnu son gouvernement. Il va avoir la puissance chinoise et l'armement soviétique comme alliés.

– La situation vous semble à ce point critique ?

– Elle est désespérée, monsieur le Président. Vous auriez été sur le terrain, vous seriez de mon avis.

– Ce n'est pourtant pas celui du haut-commandement.

– Sans doute est-il mal informé.

– Que préconisez-vous ?

– D'abord, permettre au peuple vietnamien de se déterminer par voie de vote, ainsi que cela avait été prévu dans les accords du 6 mars 1946 signés par le général Leclerc...

– Mais ces élections mettront les communistes au pouvoir malgré les concessions faites à l'empereur Bao Dai...

– Sans doute. De toute façon, ils prendront le pouvoir. Autant éviter des centaines de milliers de morts.

– Nous ne pouvons accepter le renforcement de l'emprise communiste dans cette partie du monde.

– Enfin, monsieur le Président, soyez réaliste : depuis la victoire de Mao Tsé-toung, les communistes dominent la politique de l'Asie du Sud-Est.

– Nous devons empêcher que ne s'étende cette lèpre rouge !

– C'est un peu tard, monsieur le Président. Sans l'Union soviétique, aurions-nous gagné la guerre ? Idéalisé par une propagande habile, le communisme sait se rendre attrayant aux yeux des peuples misérables ou colonisés. Regardez, dans nos pays dits civilisés, l'attrait qu'il exerce aussi, notamment sur les jeunes intellectuels. Après l'Occupation, le retour au pouvoir d'hommes usés ou compromis dans la collaboration éloigne une jeunesse qui a besoin d'un autre idéal que celui de ses parents. Le communisme, lui, propose des lendemains qui chantent, l'égalité pour tous, le service de l'humanité. C'est exaltant, ça, quand on a vingt ans ! s'exclama-t-il d'un ton moqueur.

Georges Bidault ne releva pas l'ironie.

– Utopies que tout cela ! Vous auriez vingt ans, feriez-vous ce choix ?

– Peut-être bien, monsieur le Président.

– Vous êtes communiste ?

– Non, et je n'ai plus vingt ans !

– Quels sont vos projets, monsieur Tavernier ?

– Pour l'instant, m'occuper de ma femme et de mon fils, voir l'état de mes affaires, et me remettre au travail.

– Voilà un programme qui ne ressemble guère à l'homme d'action que vous êtes.

– Depuis plus de dix ans, j'ai participé à bien des combats et risqué maintes fois ma vie. Maintenant que je suis père, je me sens d'autres responsabilités.

– Eh bien, monsieur Tavernier, je vous laisse à vos nouvelles responsabilités. Mais je suis sans crainte : d'ici quelques mois, vous serez à nouveau démangé par le désir d'aventures.

– On verra bien, monsieur le Président.

Georges Bidault lui tendit la main et le raccompagna jusqu'à la porte de son bureau.

François Tavernier sortit plus calme du cabinet du président du Conseil qu'il n'était sorti de celui du ministre des Affaires étrangères, quelques mois auparavant. Comme il s'engageait sur le boulevard des Invalides, un homme élancé et élégant le héla.

– Tavernier !

François se retourna.

– Sainteny ! Quel plaisir de vous revoir ! Décidément,

chaque fois que je quitte Bidault, je vous rencontre. Il ne manque plus que Mendès France...

Les deux hommes se serrèrent la main avec une vive satisfaction.

– Alors, ce séjour en Indochine ?

– Dur, très dur.

– Vous avez rencontré mon vieil ami Hô Chi Minh ?

– Oui. C'est grâce à l'amitié qu'il éprouve pour vous et à l'estime dans laquelle il tenait le général Leclerc qu'il m'a reçu, bien que malade.

– Quel effet vous a-t-il fait ?

– C'est un patriote, un communiste convaincu, décidé à nous combattre jusqu'au bout. J'ai vu près de lui un homme qui m'a fait une grande impression : M. Phan Van Dong. Ce doit être un adversaire coriace.

– Je l'ai rencontré lors de la venue du président Hô Chi Minh en 1946, c'est lui qui dirigeait la délégation vietnamienne aux accords de Fontainebleau. C'est un grand ennemi de la France, mais un homme droit. Avez-vous vu Pignon ? demanda Sainteny.

– Il m'a semblé n'avoir guère plus de consistance que son grand corps mou.

– Détrompez-vous, c'est un bon serviteur de la République.

– Je veux bien vous croire, mais il n'est pas à sa place là-bas. Il faudrait quelqu'un d'une autre trempe, qui fasse rêver de conquêtes et capable d'une grande autorité sur l'armée.

– C'est le portrait de Leclerc que vous faites là...

– Oui... Sans doute... L'aviez-vous revu ?

– Assez souvent. Sa perte est irréparable pour la France.

– J'ai beaucoup pensé à lui au moment de la mort de Léon Blum. Ils ne se ressemblaient pas, mais avaient en commun le sens de la grandeur de la France.

Les deux hommes marchèrent quelques instants en silence.

– J'ai appris avec un profond soulagement que Mme

Tavernier avait pu vous rejoindre. Quelle femme obstinée ! Rien ne pouvait la convaincre de rester. Présentez-lui mes hommages...

– Je n'y manquerai pas. Elle est actuellement à Montillac, auprès de notre fils. J'espère qu'elle va enfin pouvoir connaître un peu de repos. Et vous, que devenez-vous ?

– Je me suis lancé dans les affaires, les assurances...

– Et la politique ?

– Je ne veux plus en entendre parler. Mais vous, que comptez-vous faire ?

– M'occuper de Léa et de mon fils. Plus tard, je verrai si je garde ou liquide l'entreprise familiale de Lyon. Si vous descendez dans le Bordelais, venez donc nous voir. J'aurai toujours plaisir à parler avec vous plus longuement de cette terre d'Indochine que nous aimons.

– Je ne veux plus entendre parler de l'Indochine, répondit d'une voix amère Jean Sainteny.

Après quelques banalités, ils se quittèrent.

François fut de retour à Montillac pour l'anniversaire d'Adrien à qui il offrit une boîte de Meccano géante. Françoise se moqua gentiment de lui.

– C'est un cadeau pour un enfant de dix ans !

– Je ne savais pas... dit-il d'un ton vexé.

Devant son air penaud, Françoise et Léa éclatèrent de rire. Charles vint à son aide.

– Donne-la-moi, oncle François, je jouerai avec jusqu'à ce qu'Adrien soit devenu assez grand !

– Je te la donne ; je lui en achèterai une autre quand il sera en âge d'y jouer. En attendant, nous jouerons tous les deux.

– Oh oui ! s'écria Charles en ouvrant la boîte.

Bientôt, le tapis du salon fut jonché de pièces métalliques bleues et rouges qu'ils regardaient, perplexes. Alain les tira d'embarras :

– J'étais très fort à ce truc-là...

Pendant l'après-midi, tous trois s'amusèrent à assembler les pièces. L'annonce du dîner eut bien du mal à les en arracher.

Pour l'anniversaire de la naissance de leur fils, François offrit à Léa une bague magnifique, rubis et diamants.

– Merci, fit-elle. Moi aussi, j'ai un cadeau pour toi.

Elle chuchota à son oreille.

– Non ! s'écria-t-il.

– Si !

– Léa, Léa, ma petite fille..., fit-il en l'emportant dans ses bras.

Il courut en la serrant contre lui jusqu'à la terrasse. La nuit était tombée, on apercevait les lumières de Langon ; en contrebas, la masse sombre des ceps noircis. Le ciel était clair ; quelques étoiles brillaient déjà.

– Quel beau cadeau, mon amour ! Je suis heureux comme jamais je ne l'ai été. Merci, ma chérie... Mais tu trembles ?

– J'ai un peu froid.

– C'est vrai que tu n'as rien sur toi, je suis complètement idiot !

Il ôta sa veste et la mit sur les épaules de Léa qu'il entraîna vers la maison éclairée. Elle le força à s'arrêter :

– Regarde, dit-elle, regarde ma maison, elle ne sera en paix que dès l'instant où nous serons rentrés. Elle me fait penser à maman qui nous attendait, les soirs d'hiver, devant le seuil. Maman n'aimait pas l'hiver, elle n'était tranquille qu'une fois la porte refermée sur ses petites, sur sa famille. En fille des îles, elle était toujours gelée, la maison était surchauffée. Papa grondait, disait : « On étouffe ! Cette chaleur nous anémie ! » Nous vivions entre le chaud et le froid, papa ouvrant les fenêtres, maman les refermant. Heureusement qu'elle n'a pas connu le plus dur de la guerre, elle serait morte de froid. Pauvre maman, elle me manque tellement... Tu vois, là, je ne serais pas étonnée de la voir surgir, portant un châle et me disant : « Léa, tu es folle de sortir en gentil corps, tu vas attraper la mort ! »

– Viens vite ! Elle aurait raison : vous allez attraper du mal, mon petit et toi.

Au dîner, Léa annonça à tous qu'elle attendait un enfant.

– Ce sera une fille, dit Ruth, péremptoire.

– Alors je l'appellerai Camille, fit doucement Léa.

Une profonde émotion s'empara des convives. La douce figure de Camille plana dans la salle à manger. Charles, assis près de Léa, lui prit la main :

– Ce sera ma femme, plus tard.

Chacun rit, sauf Charles et Léa.

Camille naquit le 15 août 1950 au moment où les cloches sonnaient la fin de la messe aux clochers de Verdelais, de Saint-Macaire et de Langon.

– C'est une fille ! C'est une fille ! cria Françoise en courant vers François qui fumait en arpentant la terrasse.

– Comment va Léa ? Elle a beaucoup souffert, n'est-ce pas ?

– Oui, mais maintenant c'est fini. Venez les voir.

Au pied du lit de sa femme, François se tenait, ému et embarrassé. Comme elle était pâle ! et ces cernes sous les yeux !

– François, murmura-t-elle.

Il s'approcha, caressa ses cheveux humides, en désordre.

– Ne parle pas, mon amour, repose-toi.

– Comment la trouves-tu ?

– Je ne sais pas...

– Comment ça, tu ne sais pas ? fit Léa en se redressant et en retrouvant sa vigueur.

Il remarqua alors, près d'elle, un petit paquet remuant. Il se pencha, écarta un linge fin et découvrit la plus ravissante des créatures. Bouche bée, sous le charme, il n'arrivait pas à détacher les yeux du minuscule visage.

– Comme elle te ressemble !

– C'est tout le portrait de sa mère, confirma Ruth en prenant le bébé qu'elle déposa dans les bras de son père.

– Bon Dieu, qu'elle est petite... Je vais la faire tomber !

– Mais non, vous n'êtes pas homme à vous laisser impressionner par trois petits kilos de votre chair...

– Je vous en prie, Ruth, reprenez-la !

Ruth eut pitié de lui et lui retira le léger fardeau.

– Tout le portrait de sa mère... J'espère qu'elle n'aura pas le caractère !

– J'espère bien que si ! s'exclama François en s'asseyant sur le bord du lit. Je suis comblé. Que désires-tu ?

– En échange ?... Des bijoux, plein de bijoux... Des robes, plein de robes... Non, je ne veux rien de tout cela : je veux que l'on ne se quitte plus jamais, tous les quatre. Plus jamais !

– Plus jamais.

– On vous demande au téléphone... fit Alain en entrant.

– Allô, Tavernier ?...

C'était la voix de Sainteny.

– Bonjour ! Ravi de vous entendre, surtout un jour comme aujourd'hui... Je viens d'avoir une fille.

– Félicitations. Présentez mes respects à Mme Tavernier.

– Je vous en remercie. Que me vaut le plaisir de vous entendre ?

– Avez-vous des nouvelles d'Indochine ?

– Pas plus que vous, sans doute. Mon ami le docteur Rivière a été blessé pendant l'attaque de Dong Khé. Il a passé quelques jours de convalescence à Hanoi, chez sa sœur Lien.

Il m'a écrit de là et m'a appris que son frère Bernard avait rejoint l'Armée française où il se montrait d'une grande cruauté envers les combattants viêt-minh qui lui tombaient entre les mains. Vous avez su ce qui était arrivé à sa femme et à sa fille ?

– Oui, je suis au courant... On parle beaucoup, dans les couloirs de l'Assemblée, de la probable nomination du général de Lattre au poste de haut-commissaire...

– On parle aussi de le nommer à la tête de l'Armée.

– Oui, c'est un homme de cette envergure qu'il faut là-bas. Que pensez-vous des événements de Corée ?

– Jamais le monde n'a été aussi près d'une troisième guerre mondiale. Les Allemands s'attendent à une offensive soviétique. La France, elle, à un nouveau gouvernement. Les magasins d'alimentation sont dévastés, les particuliers stockent l'essence jusque dans les baignoires, et, pendant ce temps-là, pour la première fois, des alpinistes français sont montés au sommet de l'Annapūrnā, dans l'Himalaya. C'est beau, le drapeau tricolore flottant sur le toit du monde à plus de 8 000 mètres d'altitude. Ça vaut bien quelques doigts et quelques oreilles gelés...

– Je ne suis pas sûr que Maurice Herzog partage votre opinion au sujet de la perte de ses orteils ! Votre amalgame n'est pas sérieux...

– Ainsi va le monde. Pourquoi me posez-vous toutes ces questions à propos de l'Indochine ? Je croyais que cela ne vous intéressait plus. Et vous ne m'avez toujours pas dit ce qui me vaut le plaisir de vous entendre.

– Le général de Lattre fait appel à moi. Je lui ai parlé de vous, de votre connaissance des problèmes de ce pays.

– Ah non ! Vous êtes trop bon ; je ne vois pas en quoi je pourrais aider de Lattre si d'aventure il était nommé en Indochine.

– On verra bien. Mes respects à votre femme. Au revoir, Tavernier...

Charles et Adrien se disputaient le privilège de pousser le landau de Camille.

– C'est ma sœur ! criait l'un.

– C'est ma fiancée ! hurlait l'autre.

Françoise et Léa avaient bien du mal à leur faire entendre raison.

Camille était un bébé placide et glouton que Léa dut vite renoncer à nourrir, faute de lait. La maternité lui réussissait. Jamais elle n'avait été aussi belle, aussi épanouie.

Un soir qu'ils se promenaient sur la colline de Verdelais, plus d'un mois après la naissance de Camille, François prit Léa avec ménagement sur la mousse, au pied d'un chêne. Un plaisir à la fois doux et violent submergea la jeune femme. Ses cris furent vite étouffés sous les baisers de son mari. La lune éclairait le corps à demi dénudé de Léa, la pose impudique dans laquelle l'avait laissée la jouissance. Au-dessus des amants, les trois croix du calvaire semblaient les protéger. Ils s'assoupirent. Un vent léger les réveilla. Au loin, vers les Landes, quelques éclairs rayaient le ciel.

– Il va y avoir un bel orage, constata Léa.

– Rentrons.

– Non, je veux rester. J'aime l'orage. Quand j'entends le tonnerre, je sens monter en moi toute sortes de désirs.

– Petite païenne !

Les éclairs se firent plus nombreux, le grondement du tonnerre de plus en plus proche. Un coup violent ébranla le sol.

– La foudre n'est pas tombée loin.

Bientôt, de grosses gouttes de pluie tiède se mirent à tomber. Les éclairs se succédaient, blanc, violet, vert, jaune... À chacun d'eux, la campagne surgissait, blafarde. Léa s'était redressée et courait sous la pluie, bras et visage levés. François suivait la silhouette dansante. « Comme elle est belle ! »

– J'ai cinq ans !... J'ai dix ans !... J'ai quinze ans !... criait-elle en tournoyant sur elle-même.

Elle glissa sur la terre détrempée. François s'élança.

– Tu t'es fait mal ?

Mais le rire de Léa, un rire joyeux, le rassura.

– Quand j'étais petite, les jours d'orage, j'étais intenable. Papa disait qu'il aurait fallu m'attacher. Malgré sa surveillance et celle de maman, je réussissais toujours à m'échapper au jardin et à gagner les vignes. Là, je dansais sous la pluie, hurlant des chansons ou des cantiques. Quelquefois, Mathias venait me rejoindre, mais je lui faisais peur. En bon paysan, il craignait l'orage. Il disait que j'étais une sorcière et qu'au Moyen Âge, on m'aurait brûlée. J'aimais bien l'idée d'être une sorcière. Je me glissais entre les pieds de vigne. Longtemps après, on me retrouvait endormie, couverte de boue, dans une rège, la bouche pleine de terre... J'ai toujours aimé le goût de la terre. Pas toi ?

Joignant le geste à la parole, elle porta une poignée de glaise à ses lèvres. François la regardait, si belle malgré ses cheveux raidis par la pluie, son visage maculé de boue, inquiétante et désirable. Léa s'aperçut de l'effet qu'elle produisait sur lui. Elle dégrafa lentement le corsage de sa robe et, saisissant ses seins lourds à pleines paumes, les frotta sur le sol avant de les lui tendre.

Les lèvres de François s'emparèrent d'un mamelon qu'il maltraita. Sa bouche s'emplit d'une âcre saveur de terre, de lait et de sang mêlés. Elle cria :

– Plus fort... plus fort !

Il se laissa tomber sur elle, tordant les seins gonflés. Avec brutalité, il écarta les jambes de Léa et fourra une poignée de boue dans le sexe ouvert.

– Tu aimes la terre, hein, petite salope... Et là, tu l'aimes aussi ?...

Longtemps ils restèrent immobiles sous la pluie tiède qui lavait leurs corps souillés.

Les jours qui suivirent furent ceux de deux animaux en rut. Ils faisaient l'amour chaque fois que le désir les en prenait. Plus d'une fois, ils furent surpris par Alain, Françoise ou Ruth qui s'esquivaient, gênés. On avait l'impression qu'ils voulaient rattraper le temps perdu. Quand ils ne faisaient pas l'amour, ils s'occupaient des enfants et ne se lassaient pas de les contempler. François, fou de sa fille, ne supportait pas le moindre pleur de la petite. Dès qu'elle criait, il la prenait dans ses bras, malgré les reproches de Ruth qui disait :

– Si vous continuez comme ça, monsieur François, elle deviendra aussi capricieuse que sa mère.

– Vous dites des bêtises, ma bonne Ruth ; cette enfant a besoin de caresses. Si elle pleure, c'est qu'elle a peur, et je ne veux pas qu'elle ait peur ! Je souffre assez quand Léa a ses cauchemars ; je ne veux pas de cela pour ma fille.

Quant à Léa, elle devait ménager la susceptibilité de Charles, qui était un peu jaloux d'Adrien. Mais elle avait su lui faire comprendre qu'il était pour elle comme un fils. Aussi le jeune garçon prenait-il très au sérieux son rôle d'aîné et ne cessait-il de pratiquer des conseils au cadet qui n'en faisait qu'à sa tête.

C'est ce bonheur retrouvé qu'un appel téléphonique vint soudain déranger.

– Allô, Tavernier ?

– Oui, qui est à l'appareil ?

– De Lattre.

– Le général ?

– Oui, bougre d'idiot !

– Pardon, mon général.

– Vous êtes bien dans votre Gironde ?

– Oui, mon général.

– Et votre femme ?

– Elle va bien, mon général, je vous remercie.

– Et vos enfants ?

– Je viens d'avoir une fille, mon général.

– Félicitations, Tavernier. Soyez demain à mon bureau 4 bis, boulevard des Invalides. J'ai besoin d'hommes comme vous.

– Mais...

– À demain, Tavernier.

François contemplait d'un air stupide le récepteur. C'était une blague ! Plutôt de mauvais goût... Il raccrocha violemment. Une blague ?... Comme tout le monde, il avait entendu dire que le général de Lattre serait prochainement nommé commandant en chef des forces armées en Indochine. Mais il ne l'était pas encore...

Le téléphone sonna de nouveau. Il décrocha.

– Allô, monsieur Tavernier, s'il vous plaît ?

– C'est moi ! hurla-t-il.

– Je vous passe le président Bidault.

La voix de l'ancien chef du gouvernement lui parvint :

– Tavernier ?

– Oui, monsieur le Président.

– Vous avez eu de Lattre ?

– Ah, c'est donc vous...

– Je vous avais dit que vous ne resteriez pas très longtemps à vous occuper de vos affaires...

– Il n'est pas question que je retourne là-bas !

– C'est votre devoir, monsieur Tavernier. La France a besoin d'hommes comme vous.

– Arrêtez, je vous en prie, épargnez-moi cette pommade ! La France n'a pas besoin d'hommes comme moi. Elle a besoin de paix !...

– Vous pouvez aider à cette paix...

– Trop tard.

– Il faut quand même tout tenter...

– C'est en 45-46 qu'il fallait tout tenter, monsieur le Président. Mais, à cette époque, vous pensiez autrement.

– Monsieur Tavernier !

– M. Pleven, l'actuel président du Conseil, est de votre avis ?

– Oui, tout comme M. Letourneau, M. Queuille, M. Mitterrand...

– Connais pas !

– C'est l'actuel ministre de l'Outre-mer.

– Je lui souhaite bien du courage.

– Qu'avez-vous répondu au général ?

– Il ne m'a pas laissé le temps de lui répondre.

– Cela ne m'étonne pas. Quand je lui ai parlé de vous, il a été enthousiaste.

– Je vous remercie du cadeau !

– Quand vous attend-il ?

– Demain.

– Il va vite en besogne. Je crois que le gouvernement fera un bon choix en lui accordant les pleins pouvoirs en Indochine. Au revoir, monsieur Tavernier ! Mes respects à Mme Tavernier.

4.

François Tavernier fut reçu par le nouveau président du Conseil au mois d'octobre 1950. René Pleven était presque aussi grand que François. D'un flegme tout britannique, ce robuste Breton vêtu d'un sobre costume noir était de ceux qui pensaient que l'affaire indochinoise était décidément mal engagée et que mieux valait s'en sortir avec le moins de dégâts possible.

– Le président de la République m'a fait part de la mission qu'il vous avait confiée. Je pense que votre devoir est de retourner là-bas.

– Monsieur le Président, je n'ai nullement l'intention de repartir pour l'Indochine. Je dois m'occuper de mes propres affaires.

– Je comprends fort bien, monsieur Tavernier, mais il y a des intérêts supérieurs.

– Allez dire cela à ma femme !

René Pleven réprima un sourire.

– Je suis sûr que Mme Tavernier vous encouragera. Durant la guerre, votre femme a montré un rare courage...

– Justement, elle a fait ce que bien peu de Français ont fait à l'époque. Elle a mérité maintenant de vivre en paix.

– Je comprends. Mais elle pourrait vous accompagner.

– Que dites-vous ?

– Que Mme Tavernier et vos enfants, si vous le souhaitez, pourraient partir avec vous.

– C'est de la folie !

– Pourquoi donc, monsieur Tavernier ?

– Mais ce pays est en guerre, une guerre totale contre la France. Chaque jour, des ressortissants français sont assassinés par le Viêt-minh dans l'indifférence générale. Moi-même, je suis recherché par eux...

– Avec le général de Lattre, vous ne risquez rien. Quand devez-vous le voir ?

– Tout à l'heure.

– Je suis persuadé qu'il saura vous convaincre. Avant tout, il s'agit de savoir ce qu'est véritablement le Viêt-minh. Est-ce un mouvement composé de patriotes convaincus qui luttent pour leur indépendance, ou bien constitue-t-il un mouvement interposé entre nous et d'autres pays, qui, pour l'accomplissement d'un grand dessein, ont besoin de fixer en Indochine le maximum de nos forces ? La réponse ne peut venir que du Viêt-minh lui-même.

– Si vous le permettez, monsieur le Président, je puis déjà vous apporter une partie de la réponse : le Viêt-minh est constitué de patriotes convaincus et de membres du Parti communiste tout aussi convaincus. Le problème, en Asie du Sud-Est, est plus politique que militaire. Bien que réelle, mais non déterminante, l'aide de la Chine interdit à Hô Chi Minh une victoire rapide. Une telle victoire permettrait en effet au Viêt-minh de s'affranchir de la tutelle chinoise. La Chine ne mettra le Viêt-minh en mesure de gagner que lorsqu'elle l'aura entièrement colonisé, et cela Hô Chi Minh le sait. De leur côté, les États-Unis se comportent avec la France de la même manière. Leur aide militaire à l'Indochine est dispensée à un rythme qui maintient la France dans une situation de demandeur. Le problème indochinois ôte au gouvernement français toute liberté de décision...

– Monsieur Tavernier !...

– ... Ainsi la Chine, les États-Unis et certains milieux français s'emploient-ils à prolonger la guerre au Viêt-nam dans l'espoir d'assurer demain la victoire – et le pouvoir – de leurs protégés. Alors qu'en fait l'Occident, la Chine, les pays du Sud-Est asiatique ont besoin, pour leur sécurité, d'un Viêt-nam indépendant. Cette indépendance, seule la paix peut aujourd'hui l'assurer. La prolongation de la guerre fera en effet inéluctablement de Hô Chi Minh un vassal de Mao, et de Bao Dai un fantoche américain. La France aura alors tout perdu. La France a reconnu solennellement l'indépendance du Viêt-nam. Elle se doit désormais d'accorder ses actes à ses paroles en laissant le peuple vietnamien choisir librement son destin...

– Ils choisiront le communisme !

– Je vous dirai, monsieur le Président, ce que j'ai dit à M. Bidault : Et alors ?... Si le problème est devenu international, ses données fondamentales demeurent avant tout vietnamiennes. Certains s'étonnent qu'après cinq ans de lutte, aucun résultat décisif n'ait pu être obtenu contre cette « rébellion ». Ils font ainsi la preuve qu'ils n'ont rien compris à la nature exacte du mouvement viêt-minh. On a dit qu'il s'agissait d'un mouvement communiste dont la force reposait sur la terreur. Cela n'explique pas que cinq mille militants du Parti de 1945 aient pu soulever une nation de vingt-trois millions d'âmes, former un gouvernement qui administre des régions entières, et une armée dont tous les témoignages nous disent qu'elle se bat fanatiquement. Cela n'explique pas davantage pourquoi des dizaines et des dizaines de milliers de Vietnamiens, n'ayant aucune attache avec le communisme, ont pris les armes contre nous et sont entrés dans cette lutte. Il faut reconnaître la vérité, même si elle est désagréable pour certains : si les hommes du Parti communiste ont pu garder la direction du mouvement vietnamien d'indépendance nationale, qu'ils sont loin d'avoir créé, c'est parce qu'ils se sont révélés les plus efficaces et les plus clairvoyants.

– Monsieur Tavernier, on vous croirait l'un d'eux !

– Je sais, beaucoup le pensent. Mais je puis vous assurer,

monsieur le Président, qu'il n'en est rien. Je connais les crimes de Staline et l'oppression que le Parti fait peser sur ses membres. Pourtant, la lutte du peuple vietnamien pour son indépendance ressemble à celle de tous les peuples qui combattent pour un libre destin. Il faut comprendre qu'autour du noyau de militants du Parti communiste indochinois, dont une faible minorité seulement a été formée en Russie ou en Chine, s'est d'abord agglutinée la quasi-totalité de ceux qui avaient eu maille à partir avec la Sûreté du Gouvernement général, pour avoir osé rêver d'indépendance sous la Troisième République. On n'imagine guère, en France, le prestige qu'a valu aux nationalistes vietnamiens le fait d'avoir fait de la prison politique ou du bagne. Et ceux qui, en 1945-1946, croyaient rabaisser l'adversaire en le traitant d'« échappé de Poulo Condor » ne se doutaient pas que ce nom sonnait, aux oreilles vietnamiennes, comme Dachau ou Ravensbrück aux nôtres...

– Monsieur Tavernier !

– Eh oui, monsieur le Président. Là où les colons voyaient des bagnards, le peuple vietnamien voyait des patriotes, des hommes qui avaient souffert pour la libération de leur patrie, qui avaient fait leurs preuves, alors que d'autres s'étaient contentés de bavarder. Toutes les propagandes du monde n'ont pu encore amener le peuple vietnamien à mettre en doute la sincérité du patriotisme de ceux qui ont pris le risque du bagne ou de la clandestinité traquée. Sans doute le Viêt-minh s'est-il rendu coupable de terribles excès, violences ou cruautés, mais, depuis 1946, il a toujours su les motiver par des considérations de défense nationale. Il a du reste reconnu ses erreurs « gauchistes » et fini par admettre que la modération était en général très payante. Il est cependant un point inouï dans cette histoire : comment la France a-t-elle pu consentir, pendant cinq ans, à de tels sacrifices ? Comment a-t-elle pu à ce point compromettre ses finances, hypothéquer sa politique étrangère, affaiblir son armée pour une cause pareille ?

– Il suffit, monsieur Tavernier !

– L'opinion française n'a jamais été mise au courant de toutes les données réelles du problème. Chaque parti a présenté ses arguments avant de rechercher les faits. Dans cette affaire où tout dépendait des hommes, on a préféré invoquer les principes, les idéologies, les grands mots, au mépris des faits ; mener dans le secret, à l'abri des regards indiscrets de l'opinion, une politique dont le manque d'ouverture et d'intelligence surprend. L'opinion, bien sûr, était mal préparée à admettre la transformation progressive de l'Union française. Mais l'Angleterre était-elle davantage préparée, en 1947, à accorder l'indépendance à l'Inde, le « joyau de l'Empire[1] » ?

François se tut, le front couvert de sueur.

– Vous avez terminé, monsieur Tavernier ?

– Oui, monsieur le Président.

– Pour un homme qui dit ne pas s'intéresser aux affaires indochinoises, mais aux siennes, vous êtes singulièrement bien informé de ce qui se passe là-bas. Si je ne connaissais l'estime qu'avait pour vous le général Leclerc, je penserais, comme je vous l'ai déjà dit, que vous êtes de nos ennemis. Vous avez une façon de prendre la défense du Viêt-minh qui pourrait sembler suspecte à plus d'un. Je pense que le général de Lattre, s'il est nommé, aura en vous une précieuse recrue qu'il ne sera sans doute pas toujours facile de contrôler. Au revoir, monsieur Tavernier. J'ai été heureux de faire votre connaissance et vous remercie pour ce cours magistral de politique asiatique.

– Au revoir, monsieur le Président...

En quittant la rue de Varennes, François était hors de lui.

1. Philippe Devillers.

Quel besoin avait-il eu de pérorer devant Pleven ? Qui avait-il cherché à convaincre, le président du Conseil ou lui-même ?

Pour se détendre, il remonta le boulevard Saint-Germain à pied et s'intalla à la terrasse du *Café de Flore*. L'automne était doux, les femmes belles ; Paris revivait. Deux jeunes Asiatiques, des étudiants sans doute, vinrent s'asseoir à la table voisine de la sienne. Malgré lui, il écouta leur conversation en vietnamien.

– As-tu des nouvelles de Van Co ?

– Non, il a dû retourner à Saigon.

– Il a eu beaucoup de chance dans cette affaire.

– Cela a quand même coûté trois millions de francs.

– C'est vrai, mais reconnais que le rapport en valait la peine et que l'Armée française a été déconsidérée par ces fuites.

– Oui, heureusement qu'ils n'ont pas mis en application les propositions du général Revers.

– Ce n'est pas faute d'avoir essayé. Revers a rencontré le président du Conseil, différents ministres ; aucun n'a eu le courage de mettre ses propositions en application. Il avait compris qu'il fallait conduire des opérations de contre-guérilla pour mettre nos troupes en échec. Heureusement, il n'a pas été entendu. Mais des hommes comme le général Valluy savaient qu'il avait raison.

– Tu crois que leur de Lattre s'inspirera du rapport Revers ?

– J'espère que non. En attendant, nous gagnons chaque jour du terrain et les offensives qui se préparent vont les chasser du Tonkin.

– Quand rentres-tu ?

– J'attends les ordres et le débat sur l'Indochine à l'Assemblée nationale... Regarde, la Garde républicaine...

Les deux jeunes gens s'étaient levés, comme la plupart des

autres consommateurs. La garde en habit de grand apparat passait au petit trot, précédant une somptueuse limousine.

– C'est le sultan du Maroc, fit quelqu'un près de François.

La foule des promeneurs s'était arrêtée pour regarder défiler le cortège.

– Si c'est pas malheureux, grommela un vieux monsieur décoré, de promener ainsi un bougnoule avec les honneurs dus à un chef d'État !

– Pauvre con ! lâcha François.

Le monsieur décoré devint tout pâle, puis écarlate ; il dut s'asseoir et desserrer le col de sa chemise pour pouvoir respirer.

Les deux Vietnamiens regardèrent François s'éloigner.

Énervé, il entra au bar du *Montana*, rue Saint-Benoît. Là, une jeune femme brune lui sauta au cou.

– François, tu ne me reconnais pas ?

– Viviane !

– Je te croyais mort !... Ça fait combien de temps ?... Non, ne dis rien, on se fout du temps qui passe... Tu es encore plus séduisant qu'avant... Tu as été prisonnier ?... Non, tel que je te connais, tu as dû t'évader... Tu as rejoint de Gaulle ?... Il y a longtemps que tu es à Paris ?... Tu habites le quartier ?... Tu es marié ?... Tu as des enfants ?... Comment me trouves-tu ?... Je n'ai pas trop vieilli ?... C'est que, pendant deux ans, ça n'a pas été drôle... Tu m'offres un verre ?...

Cette brave Viviane n'avait pas changé : pas moyen de placer un mot ! Cela permettait de penser à autre chose. Habituellement, il aurait fui, mais aujourd'hui, la présence d'une jolie femme lui était nécessaire pour oublier son entrevue avec Pleven : il s'accommoderait donc de son bavardage.

– Avec plaisir. Que veux-tu boire ?

– Un whisky.

– Deux, s'il vous plaît.

Assis au bar, François regarda sa compagne. Il y avait quelque chose d'irrémédiablement marqué en elle. Ce n'était pas seulement les quelques années de plus, non. Quelque chose de plus profond, de douloureux. Il fut attendri par les fils blancs courant dans sa chevelure brune. Elle avait vidé son verre d'un trait.

– Michel, un autre, s'il vous plaît.

– Mademoiselle Viviane, vous ne devriez pas boire comme ça.

– Fous-moi la paix ! Ça ne te regarde pas.

Le barman haussa les épaules et posa devant elle le verre demandé.

– Es-tu libre à dîner ? demanda François.

– Pour toi, toujours, mon chéri.

– Où veux-tu aller ? Je ne connais plus les bons endroits.

– Allons chez *Lipp*, c'est le jour du rosbif.

La célèbre brasserie n'avait en rien changé depuis la guerre. Les fresques de faïence du père de Léon-Paul Fargue étaient toujours aussi fraîches, les serveurs en grand tablier blanc toujours aussi agiles, et le père Cazes fidèle au poste.

– Bonjour, mademoiselle Viviane. Votre table est libre.

– Merci, monsieur Cazes.

Un maître d'hôtel les conduisit à une table depuis laquelle on voyait les entrées et sorties des clients.

– J'aime bien venir ici, on est comme au spectacle. Toute la comédie humaine s'y joue. Je fais partie de la pièce tout en étant spectatrice. On prend une bouteille de bon bordeaux ?

Au cours du repas, il dut en commander une seconde.

– Tu ne buvais pas autant, avant.

– Avant ?... fit-elle en riant.

Elle se rejeta en arrière. Son rire sonnait faux. De ses deux mains, elle releva ses cheveux ; les manches de sa légère veste de tailleur glissèrent le long de ses bras, révélant des poignets marqués de cicatrices et de chiffres tatoués. Le cœur de François se serra. Viviane sut qu'il avait compris. Elle rabaissa ses manches.

– Eh oui, avant !... Avant qu'on ne me mette dans un bordel...

– Je sais ce que tu as enduré, n'en parle pas.

– Tu es comme les autres, tu as peur d'entendre la vérité. Ils ont fait de moi une putain. La petite-fille de Monsieur le Duc est une putain ! Mon ancêtre le cardinal doit se retourner dans sa tombe, et ma bonne grand-tante, la sainte carmélite...

François lui prit le bras, qu'il étreignit violemment.

– Arrête, tu me fais mal !

– Alors, tais-toi. Des histoires comme la tienne, j'en ai trop entendu. Les ressasser ne sert à rien. Regarde les choses en face : tu es vivante, et cela n'a pas de prix. Tu es jeune, tu es belle, et, si je me souviens bien, tu es riche. Alors vis, bon Dieu, vis ! C'est ta façon de te venger. Montre, en étant heureuse, qu'ils ne t'ont pas détruite...

– Je suis détruite...

– Ne dis pas cela. Tant que tu vis, il n'y a pas de destruction.

– Tu ne sais pas de quoi tu parles !

– J'aimerais bien, fit-il, soudain très las. Garçon !

– Oui, monsieur.

– Du champagne, s'il vous plaît. Fêtons notre retour à la vie !

– Je te retrouve. Hé ! Juliette ! Anne-Marie ! Venez boire avec nous. Je vous présente un ancien amoureux : François Tavernier. François, voici les égéries de la rue Saint-Benoît, les reines de Saint-Germain-des-Prés : Juliette Gréco et Anne-Marie Cazalis...

Après qu'ils eurent vidé deux bouteilles de champagne,

Viviane avait proposé de finir la soirée dans une cave du quartier.

Dans le sous-sol enfumé, un grand garçon jouait de la trompette les yeux fermés, tandis qu'un Noir au beau visage creusé l'accompagnait à la trompette bouchée.

– Boris Vian et Miles Davis, dit Viviane avec admiration.

Après le morceau, les deux musiciens vinrent les rejoindre. Tout le monde buvait, riait, fumait. La guerre était loin...

Viviane habitait un vaste appartement, rue Bonaparte.

– Viens boire un dernier verre.

Ivre et heureux de l'être, François accepta.

– Installe-toi confortablement, je reviens. Mets un disque. Mes parents m'ont offert un nouvel appareil. Tu appuies sur le premier bouton.

François obéit. La voix rauque d'une chanteuse noire américaine envahit la pièce. Il se laissa tomber sur un immense canapé. Viviane revint avec une bouteille de champagne et deux verres. Elle avait quitté sa tenue de rat de Saint-Germain-des-Prés pour un déshabillé qui ne laissait rien ignorer de son corps.

– Ouvre la bouteille, ordonna-t-elle en la lui tendant.

Il versa le champagne dans leurs verres.

– À nos amours ! clama-t-elle en levant le sien.

Quand il se réveilla, François eut la sensation qu'on lui assenait des coups sur la tête ; sa gorge sèche lui faisait mal. Il souleva péniblement les paupières. La lumière trop vive les lui fit refermer. « Merde ! Quelle heure est-il ? » pensa-t-il. Il rouvrit les yeux avec précaution. Sur les oreillers en désordre reposait une chevelure brune. Il se redressa lourdement et regarda autour de lui.

– Quel con ! murmura-t-il.

Il se leva avec l'impression que sa tête allait éclater. Dans la salle de bains, il se jeta dans la cabine de douche et ouvrit en grand le robinet d'eau froide. Il poussa un rugissement. Peu à peu, il se sentit revivre. Il but à même le jet, puis se sécha et se contempla dans la glace. Quelle sale gueule !

– Oh la la ! quelle biture !

Il découvrit dans le miroir la figure fripée de Viviane.

– Prends aussi une douche, ça te fera du bien.

– Ouais, tu as raison.

Elle s'accroupit dans la cabine comme un petit animal transi. François ouvrit le robinet en grand. Elle hurla.

– Salaud !... C'est glacé !... Ferme ça !... Je t'en prie !...

Elle se mit à pleurer. Il eut pitié d'elle et referma le robinet. Il l'enveloppa dans un peignoir et la frictionna énergiquement.

– J'ai horreur de l'eau froide, bredouilla-t-elle en claquant des dents.

Avec ses cheveux mouillés, ses yeux cernés, elle avait l'air d'un chaton trempé.

– Ne me regarde pas comme ça, je suis affreuse.

On frappa à la porte.

– Entrez. Je ne savais pas ce que tu prenais. J'ai demandé du thé et du café. Ça ira ?

Une jeune soubrette entra, portant un lourd plateau d'argent.

– Merci, Josette, pose-le sur le lit.

– Bien, mademoiselle.

– Il y a du courrier ?

– Oui, mademoiselle. Je l'ai mis sur le plateau. Votre papa a appelé deux fois. Je lui ai dit que vous dormiez. Il demande que vous le rappeliez.

– Qu'il aille se faire foutre, ce vieux collabo !

– Mademoiselle !

– Ta gueule ! Tu étais à peine née, tu ne peux pas savoir. Qu'il crève !

– Il dit que le temps est venu de pardonner.

– Pardonner la déportation des enfants juifs et la mienne, après qu'il m'a fait arrêter pour m'infliger une leçon ? Comment veux-tu que je pardonne ça ?

La jeune fille sortit en s'essuyant les yeux.

– Quelle idiote ! Elle s'imagine, parce que mes parents l'ont recueillie à la mort des siens, que ce sont de braves gens. Thé ou café ?

– Café.

Elle le servit et, pendant un long moment, ils mangèrent en silence.

– Que faisait ton père pendant la guerre ?

– Il s'occupait de bureaux d'achats, tu vois ce que je veux dire ?

– Très bien.

– Il était lié avec Jean Jardin, René Bousquet, Robert Brasillach. Avec quelques copains de Janson-de-Sailly, on faisait un peu de marché noir et on portait des messages pour la Résistance. Mon père l'a su. Il a eu peur que je me fasse arrêter. Alors il a dit à un de ses copains de la Gestapo que sa fille fricotait avec des terroristes et qu'il fallait faire semblant de m'arrêter pour me donner une leçon. Après, il se faisait fort de me faire rentrer dans le droit chemin. Mais ça ne s'est pas passé tout à fait comme il le croyait. La Gestapo est bien venue m'arrêter. Au début, ils m'ont questionnée avec ménagement, puis ils m'ont battue, brûlé les seins, jetée dans une baignoire d'eau glacée... Mon père est venu me voir. Il a été affolé quand il a vu dans quel état ses amis m'avaient mise. Il a crié, joué les grands seigneurs, menacé d'interventions en haut lieu. Les autres le regardaient en ricanant. Quand il est reparti, il avait vieilli de dix ans. Le lendemain, ils m'ont mise dans un train pour Compiègne. J'y suis restée deux mois. Pendant ces deux mois, mon père a remué ciel et terre, sans succès. La dernière fois que je l'ai vu, ma mère l'accompagnait. Ah, ils avaient perdu de leur superbe, les aristos du faubourg Saint-Germain ! Trois jours après, je partais pour l'Allemagne... Quel beau pays !... si accueillant !... Des fleurs, de la musique à l'entrée du camp, un lieu de rêve... J'y suis restée jusqu'à la fin de la guerre, après avoir vu mourir une à une mes compagnes... Il y en avait une que j'aimais beaucoup, Rachel, elle était juive, elle avait quinze ans. Nous partagions tout. Au bordel, je la consolais quand les Allemands avaient été trop dégueulasses. Un jour, on est venu la chercher. Quand elle est revenue, elle était hébétée ; elle avait au ventre une grande plaie qui n'arrêtait pas de saigner. Je l'ai embrassée, lui ai parlé doucement... Elle geignait comme un enfant malade... Les autres disaient qu'on avait fait des expériences sur elle. Je ne voulais pas le croire, elle était si jeune, si jolie... Elle est morte dans mes bras en appelant sa mère... Ça, tu vois, la mort de Rachel, je ne peux pas l'accepter. C'est pour cette mort que mon père doit payer. Seulement pour la mort de Rachel...

Depuis qu'elle s'était mise à raconter, Viviane pleurait. François l'avait écoutée sans l'interrompre ; il pensait à Sarah. Les mêmes mots pour dire l'horreur... Les mêmes mots...

5.

Le général de Lattre marchait de long en large dans son bureau du 4 bis, boulevard des Invalides. Il s'arrêta pile devant François Tavernier, assis à une petite table devant une fenêtre.

– Si je vous entends bien, Tavernier, nous n'avons rien à foutre là-bas, et le mieux que nous ayons à faire est de plier armes et bagages ?

– On peut résumer ainsi mes propos, mon général.

– Je ne m'attendais pas à cela de la part d'un homme tel que celui que m'ont dépeint nos services secrets en Argentine.

– Je redoute le pire, mon général.

– Là-bas, vous n'avez pas hésité à prendre fait et cause pour vos amis juifs contre l'avis de l'ambassadeur de France, et à participer à des actions de commando.

– On a sans doute beaucoup exagéré mon aide aux chasseurs de criminels de guerre nazis, mon général.

– Je croirais plutôt qu'on a minimisé votre rôle pour ne pas gêner les relations entre nos deux pays : malgré l'accueil courtois et déférent des autorités militaires à mon arrivée à Buenos Aires, en octobre 1948, j'ai immédiatement constaté que les relations entre le gouvernement et notre ambassade étaient d'une grande froideur. Rémanence de l'influence allemande et hostilité de l'ensemble des milieux français au régime de Perón en étaient assurément les causes...

– Mon général, vous n'allez tout de même pas m'imputer cette froideur ?

– Non, mais vos exploits avaient pas mal irrité le général Perón et sa charmante épouse...

– Mon général, si j'en crois mes amis argentins présents à la réception que vous avez offerte à l'ambassade au général et à la belle Evita, on ne peut dire que vous ayez vraiment cherché à calmer leur irritation en leur faisant entendre *le Chant des Partisans* par sa créatrice à la *B.B.C.*, Anna Marly...

– Ah, vous êtes au courant ?... Si vous aviez vu leur tête quand toute l'assemblée s'est à nouveau levée, comme pour *la Marseillaise*, pour écouter ce chant de la Résistance ! Un grand moment...

Les deux hommes se regardèrent en souriant d'un air de connivence.

– Tavernier, j'ai besoin d'hommes comme vous. Si j'accepte ces hautes responsabilités, je dois compter sur vous. Vous ferez partie de mon *staff*. Vous verrez Gauthier et Aurillac, ce sont d'anciens collaborateurs de l'amiral Decoux, bien connus là-bas...

– Mais, mon général...

– Au revoir, Tavernier.

François se retrouva sur le boulevard des Invalides, furieux contre lui-même. Dans quel pétrin s'était-il encore fourré ?

Le dôme des Invalides luisait sous le soleil d'automne. Les feuilles jaunies des arbres tombaient en tournoyant ; l'air avait conservé une douceur de fin d'été. Des écoliers traversèrent en se bousculant avec des cris et des rires. Perdu dans ses pensées, François remonta le boulevard du Montparnasse. Devant la gare, des soldats montaient à bord de camions militaires.

« Pauvre petits, dit une femme près de lui, ils partent pour l'Indochine. »

Il s'arrêta pour les regarder. Comme ils étaient jeunes, empêtrés dans leur uniforme trop neuf ! Les sous-officiers qui les encadraient n'étaient guère plus âgés. Cette rencontre acheva de le déprimer. Il entra à la *Coupole* et commanda un cognac. Accoudé au bar, il regardait sans les voir les célèbres fresques des Années folles, celles du temps où Picasso, Modigliani, Aragon et les autres se réunissaient là pour refaire le monde. Au deuxième cognac, il prit conscience qu'il avait faim et se dirigea vers le restaurant. Il commanda deux douzaines d'huîtres et une bouteille de chablis. Il remarqua que beaucoup de femmes élégantes déjeunaient seules. Il songea à Léa. Comment allait-elle prendre la demande du général de Lattre ? Cette pensée lui coupa l'appétit. Il repoussa son assiette.

– Les huîtres ne sont pas bonnes, monsieur ? demanda le serveur.

– Elles sont excellentes, je vous remercie, mais je n'ai plus faim. Apportez-moi un café et l'addition.

– Bien, monsieur.

Il marcha droit devant lui, indifférent aux jeunes femmes qui se retournaient sur cet homme élancé au visage bronzé, aux traits marqués, à la démarche souple, légèrement chaloupée. Il traversa le boulevard en face de la *Closerie des Lilas*. Souvent, étudiant, il y était venu en compagnie de Hai. Le souvenir de son ami acheva de le déprimer. Il entra dans l'établissement, commanda un cognac et un cigare. Comment annoncer ça à Léa ? Au pire, elle tiendrait à l'accompagner...

– Vous avez l'air bien songeur, Tavernier.

– Sainteny ! Vous m'avez mis dans un sacré pétrin en parlant de moi à de Lattre !

– Vous l'avez vu ?

– Ce matin.

– Alors ?
– Il veut que je fasse partie de son équipe.
– Excellent ! Vous êtes un homme très recherché. Mon ex-beau-père, le président Albert Sarraut, souhaite aussi vous rencontrer.
– C'est trop d'honneur !
– Que faites-vous maintenant ?
– Je n'ai rien de prévu.
– Je vous emmène à l'Assemblée, Mendès y fait une intervention au sujet de l'Indochine.
– Va pour l'Assemblée nationale !

Ils s'installèrent au moment où le président, du haut de son « perchoir », disait : « La parole est à monsieur Mendès France. »

Mesdames, messieurs, commença le député de l'Eure, *dans un débat comme celui-ci, il est plus facile de ne pas parler. Mais longtemps, j'en conviens, j'ai cru que le silence était non seulement l'attitude la plus aisée, mais aussi la plus raisonnable, celle qui pourrait le mieux servir l'intérêt national... Aujourd'hui, parlant ici en mon nom personnel, je veux affirmer qu'à mon avis il est devenu plus dangereux de taire la vérité au pays, de le leurrer encore et de le laisser juger sur ses nerfs ou sur ses passions ce qui doit être jugé à la lumière d'une situation générale, intérieure et internationale, de plus en plus préoccupante. Avouons-le franchement, les yeux dans les yeux : il y a des raisons pressantes et angoissantes aussi bien pour nous recommander de persévérer en Indochine...*

– Je ne vois pas lesquelles ! murmura François.
– Chut ! ordonna Sainteny.
– *... que pour nous inciter à nous dégager de cette terrible charge politique, militaire, économique et financière. Aucun homme de bonne foi, lorsque tout à l'heure il déposera dans l'urne un bulletin bleu ou*

un bulletin blanc, ne méconnaîtra en conscience qu'il existe aussi des motifs respectables qui militent contre son opinion.

En faveur de la continuation de la lutte en Indochine, on fait valoir des arguments dont personne ne peut contester la valeur et le poids. On évoque les sacrifices consentis par la France, depuis cinq ans, dans une période où, cependant, tant de ressources lui faisaient défaut pour sa reconstruction, pour son rééquipement, pour le niveau de vie d'un peuple qui avait tant souffert pendant la guerre. On évoque nos intérêts matériels investis en Indochine et que nous désirons sauvegarder. On évoque – et cela nous émeut profondément – l'obligation implicite mais réelle que nous avons contractée à l'égard des Vietnamiens qui nous ont manifesté leur fidélité dans ces années d'épreuves. Enfin, on souligne que la guerre du Viêt-nam n'est qu'un aspect d'un conflit autrement plus vaste et qui se pose, celui-là, à l'échelon mondial.

... C'est un fait que nos forces, même appuyées sur des éléments locaux, ne peuvent obtenir un règlement militaire, surtout depuis que la situation a évolué en Chine ; et c'est un fait que notre politique de concessions insuffisantes, constamment reprises ou révoquées, n'a pas réalisé et pourra, hélas, réaliser de moins en moins, maintenant, le ralliement de la masse du peuple vietnamien. Dès lors, il est un point sur lequel nous devrions tous être d'accord : cela ne peut pas continuer ainsi ! Il faut en finir avec des méthodes qui ne relèvent ni de la puissance, ni de l'habitude, ni de la force, ni de la politique, avec une action constamment velléitaire, équivoque, hésitante, et dont la faillite était éclatante longtemps déjà avant les difficultés militaires de ces derniers jours...

– Enfin des propos réalistes et courageux ! fit Tavernier.

– De la part de Mendès, ce n'est pas pour vous étonner ! chuchota Sainteny.

– *... Ne biaisons pas avec la vérité. Ne disons pas, comme je l'ai entendu dire ou comme je l'ai lu dans certains journaux, qu'en Indochine nous pouvons arracher une victoire militaire avec nos seuls effectifs actuels, avec nos seuls moyens actuels, grâce à quelques réformes,* *à quelques changements de méthodes ou d'hommes. Cela n'est pas vrai.*

Sans aucun doute, il y a eu en Indochine – sans doute y a-t-il encore – des gaspillages, des crédits mal employés, des trafics coûteux qui devraient être réprimés. Qu'on y mette fin, il le faut ; qu'on nettoie les écuries d'Augias ! Mais sachons bien que ce n'est pas avec ces seuls moyens que nous trouverons la solution du problème qui se pose...

... On ne tiendra pas l'Indochine, ses vingt-cinq millions d'hommes, ses huit cents kilomètres de frontières – pour ne parler que de celles du nord – avec les seules troupes, avec les seules ressources dont nous disposons actuellement là-bas, même si l'on opère les réformes administratives, militaires ou financières les plus souhaitables par ailleurs...

... L'autre solution consiste à rechercher un accord politique, un accord, évidemment, avec ceux qui nous combattent. Sans doute ne sera-ce pas facile, puisque nous ne parvenons même pas, si j'en juge par les péripéties de la conférence de Pau, à réaliser un accord avec ceux qui ne nous combattent pas ! (Sainteny et Tavernier échangèrent un sourire.) *Un accord, cela signifie des concessions, de larges concessions, sans aucun doute plus importantes que celles qui auraient été suffisantes naguère. Et l'écart qui séparera les pertes maintenant inéluctables et celles qui auraient suffi voici trois ou quatre ans mesurera la paix que nous paierons pour nos erreurs impardonnables...* (Des applaudissements partirent des bancs de la gauche.) *De même que notre monnaie aurait pu être sauvegardée, au lendemain de la Libération, moyennant des rigueurs relativement légères...* (Nouveaux applaudissements à gauche.) *Par rapport aux souffrances que le pays a endurées depuis, et que l'écart entre ces souffrances endurées et les sacrifices qui nous seront imposés encore, d'une part, et les mesures que nous avons malheureusement écartées à la Libération, d'autre part, représente le prix que nous payons pour la faiblesse persistante de notre politique économique et financière.*

Une voix cria dans l'hémicycle : « C'est un règlement de comptes ! »

– Je vous remercie, monsieur Legendre, d'élever le débat ! Mesdames, messieurs, on peut refuser la solution que j'ai évoquée. Elle est d'application difficile, j'en conviens. Elle consacrera des renoncements pénibles et d'amères déceptions, après tant de sang répandu en vain.

On peut refuser cette solution...

Mais alors, il faut dire la vérité au pays ; il faut l'informer du prix qu'il faudra payer pour faire aboutir l'autre solution. Tripler les effectifs ! c'est l'évaluation de militaires bien informés. Trouverez-vous des volontaires ? Déjà, vous ne pouvez pas assurer la relève. Vous recruterez des unités sur place ? vous l'avez essayé ; mais vous ne trouverez sur place aucun élément d'encadrement. Dès lors – y avez-vous songé ? –, il ne reste que le contingent, les jeunes gens du contingent. Voilà à quoi une solution militaire vous conduit inéluctablement si vous voulez que l'effort soit enfin efficace, si vous voulez arracher une solution par la force.

Qu'on ne s'étonne pas, mesdames et messieurs, de ces perspectives affligeantes. Ce sont les perspectives ordinaires de la guerre ; car les opérations qui se déroulent en Indochine sont une guerre. Il ne s'agit pas d'une de ces petites expéditions coloniales comme nous en avons eu au XIX*e siècle. C'est la guerre.*

Jamais, au cours de l'histoire des peuples colonisateurs, nous n'avons assisté à une expédition lointaine de cette importance.

... N'ayons pas l'illusion – que nous avons tant eue dans ces dernières années, et qui a provoqué tant de déboires – que nous pouvons tout faire à la fois : assurer le réarmement en Europe et faire la guerre en Orient. Une fois de plus, il faut choisir.

J'entends dire qu'à travers le monde il n'y a aujourd'hui qu'un combat, que, sur le front d'Indochine, l'Occident défend encore sa sécurité contre le péril communiste. À ceux qui parlent ainsi, je demande s'il est de l'intérêt européen, s'il est de l'intérêt français que nos forces soient fragmentées, dispersées ; s'il n'est pas, au contraire, nécessaire qu'elles soient rassemblées sur notre sol, pour sa défense. Je leur demande en tout cas si c'est à la France que doit incomber cette tâche lointaine et épuisante, alors qu'elle est déjà si faible, après tant d'épreuves, sur son propre sol métropolitain...

... Si demain, ce qu'à Dieu ne plaise, le pire devait se produire, si la guerre devait nous menacer à nouveau, quelle responsabilité aurions-nous encourue vis-à-vis du pays en éloignant la moitié de ses forces ! C'est alors que retentirait aux oreilles des gouvernants passés l'interpellation accusatrice : « Varus, qu'as-tu fait de mes légions ? Varus, rends-moi mes légions ! » (Quelques applaudissements se firent entendre.) *Je le répète en terminant ; une chose, en tout cas, est sûre : ce serait un crime impardonnable que de poursuivre en Indochine une politique dont l'incertitude, l'équivoque et la médiocrité viennent de nous coûter si cher. Et, en dehors de cette politique, deux voies sont possibles, et rien que deux. Vous devez choisir : vous n'avez pas le droit de ne pas choisir !*

Je me suis demandé – douloureusement – si le devoir, aujourd'hui, à cette tribune, est de dire enfin ou de taire encore la vérité, toute la vérité.

La vérité, dans un moment où tant d'autres soucis nous accablent, c'est que nous n'avons pas les moyens matériels d'imposer en Indochine la solution militaire que nous y avons poursuivie si longtemps alors qu'elle était cependant plus facile à obtenir qu'aujourd'hui. En tout cas, nous n'avons pas le droit de dissimuler plus longtemps au pays une alternative dramatique, parce qu'elle intéresse tout à la fois sa sécurité, son équilibre social et peut-être même la paix du monde...

Cette fois, les applaudissements jaillirent du centre, de la gauche et même de l'extrême gauche. Mendès France descendit de la tribune et regagna son banc, pâle, les traits tirés.

– La parole est à monsieur Girardot, reprit le président.

Tavernier et Sainteny se levèrent.

– Qu'avez-vous pensé de ce discours ?

– Trop long. Surtout, aucune proposition positive, répondit François.

– Je ne suis pas de votre avis, protesta Sainteny. Il faut du courage pour oser dire ce qu'il a dit.

– Quand on n'a pas de courage, on ne fait pas de politique.

– Je vous trouve dur...

– Dur !... Alors que ce sont ces hommes qui sont responsables de la situation dans laquelle se trouvent aujourd'hui la France et le Viêt-nam ? Ce sont des mous, des incompétents.

– Que préconisez-vous ?

– Rien, et je m'en fous. C'est vous et Leclerc qu'on aurait dû écouter, au lieu du « Moine » et de Bidault.

– Il est vrai que l'amiral d'Argenlieu a eu une grande responsabilité dans le déroulement des événements. L'Histoire jugera... J'ai reçu ce matin un télégramme de mon beau-père, Albert Sarraut, qui préside la conférence[1] de Pau. Il sera à Toulouse la semaine prochaine et serait très heureux que vous veniez le voir.

– C'est un grand honneur, mais pourquoi ?

– Je lui ai parlé de vous. Il connaît votre équipée indochinoise et n'ignore pas que de Lattre souhaite que vous l'accompagniez. Je pense qu'il veut parler de l'Indochine et vous recommander auprès des relations tant françaises que vietnamiennes qu'il a conservées là-bas.

– Décidément, tout le monde veut me renvoyer au feu !

– Quelle que soit votre décision, vous devez accepter l'invitation du président Sarraut. C'est un homme exceptionnel, d'une haute intelligence et d'une grande probité. Vous avez tout à gagner à cette rencontre.

– Sans doute. Je verrai... Je dois d'abord rentrer chez moi.

En sortant de l'Assemblée, François Tavernier proposa à Jean Sainteny de dîner avec lui, mais celui-ci n'était pas libre. Pour tuer le temps, il alla au cinéma voir *Les Visiteurs du soir*,

1. Conférence Inter-États, juin 1950.

qui se donnait sur les grands boulevards, au Royal-Haussmann. En sortant, il fredonnait *Les Feuilles mortes*. Il acheta plusieurs quotidiens à un marchand ambulant qui criait : « Évacuation de Lang Son !... »

Il entra au *PamPam,* un bar sympathique de la place de l'Opéra, fréquenté par une clientèle très jeune. Il commanda un whisky. Mais il eut tôt fait d'abandonner la lecture des journaux, déprimé par le récit des événements tonkinois.

– Vous permettez ? demanda un jeune homme assis près de lui en désignant *l'Aurore*.

– Je vous en prie, fit-il en lui tendant le quotidien et en se commandant un second whisky.

– Merci, je veux savoir où en est le procès Henri Martin et Heinberger. Pour moi, Henri Martin est un héros, ajouta son voisin avec une pointe de provocation.

– On peut le voir ainsi.

Perdu dans ses pensées moroses, François sirotait lentement son verre.

– C'est une honte, écoutez ce qu'écrit ce Jean Bernard-Derosne : « Un président qui laisse dire n'importe quoi à n'importe qui. Se complaît dans les discours stupéfiants de conseillers de l'Union française venus chercher à Toulon le public qu'ils n'ont pas à Versailles. Ne s'offusque pas que l'on mêle au nom d'Henri Martin, le second maître saboteur, celui d'Estienne d'Orves. Qu'on fasse parler les morts. Même le général Leclerc, le plus inattaquable de tous. Que des députés, en ce jour de débat à la Chambre sur l'Indochine, aient choisi de venir à Toulon approuver les sous-officiers de marine qui versent de la poussière d'émeri dans l'huile de graissage des bateaux et livrent moralement au passage l'Indochine aux communistes. Ce président qui laisse un ancien amiral faire l'apologie de l'impératif de conscience et de la désobéissance du soldat, et nous annonce la prochaine arrivée au pouvoir du gouvernement du peuple. Et puis aussi cette vice-présidente du Sénat qui, avec d'autres, affirme, ou à peu près, que l'acte de Martin est à verser au crédit de la France. Et puis, il est béat, le président, lorsqu'un ineffable professeur vient nous dire posément : "Ce marin est un élément de rapprochement avec le peuple vietnamien." Pourquoi pas un excellent haut-commissaire en Indochine ? Oui, pourquoi pas ? Je ne serais pas plus incapable que les autres ! Lui est innocent du sabotage qu'on lui reproche, mais il a eu le courage de dénoncer ce qui se passe là-bas ! »

– Vous n'avez pas l'impression qu'il a crié dans le désert ? lâcha François.

Son interlocuteur le considéra d'un air surpris.

– Pardonnez-moi, mais j'ai l'impression de vous connaître... Mais oui !... Vous êtes l'ami de Léa Delmas. Je suis Franck, l'ami de Laure... Franck Lagarde.

– Bonjour. Je croyais que vous étiez en Indochine...

– Je suis en permission, j'ai été blessé.

– Pourquoi vous êtes-vous engagé ?

– Après la mort de Laure, je n'avais plus goût à rien, je ne supportais plus ni la famille ni les copains, tout me paraissait pourri, sans issue. J'avais « besoin d'ailleurs ». C'est comme ça que, rue Saint-Dominique, j'en ai pris pour trois ans dans les paras.

– Pourquoi les paras ?

– Par hasard. C'était eux qui partaient le plus vite...

– Ça vous plaît ?

– On ne peut pas dire, mais ça change les idées.

– Dans quelle région étiez-vous ?

– Au Tonkin.

– Vous avez dû en baver ?

– Oui, pas mal. Voyez-vous toujours Léa ? Comment va-t-elle ?

– Très bien, c'est ma femme. Nous avons deux enfants.

– Félicitations. Cela me ferait plaisir de la revoir.

– Elle est à Montillac. Venez quand vous voulez. Je suis sûr qu'elle sera aussi très heureuse de vous revoir.

– Merci, mais ce sera pour une autre fois. J'embarque demain à Marseille.

– Donnez-nous de vos nouvelles. Vous buvez quelque chose ?

– Non, merci, je suis déjà en retard et je dois encore voir mes parents avant de partir. À bientôt, peut-être. Et souvenez-vous : il faut libérer Henri Martin !

François régla sa consommation et sortit. La foule des employés s'engouffrait dans le métro ; la place de l'Opéra était encombrée de véhicules qui klaxonnaient. Il se faufila et descendit l'avenue. Devant la rue Daunou, il se souvint d'un bar où se réunissaient les amateurs de rugby. Il poussa la porte de l'établissement. Le bruit et la fumée l'assaillirent. Il se glissa en jouant des épaules jusqu'au comptoir. Une sorte de géant roux à gilet écossais s'approcha :

– Vous désirez ?

– Un whisky.

– Écossais ou irlandais ?

– Irlandais.

– Vous connaissez l'Irlande ? s'enquit le barman en posant le verre devant François.

– Non.

– Vous devriez y aller.

François hocha la tête en buvant, puis regarda autour de lui. Il fut surpris de ne voir aucune femme. Quand le barman revint vers lui, il lui demanda :

– Comment se fait-il qu'il n'y ait chez vous aucune femme ?

– Au comptoir, c'est réservé aux hommes. Les femmes qui viennent seules ici sont en général des prostituées. La direction ne les accepte que dans la salle du fond.

François se leva et alla jeter un coup d'œil dans l'arrière-salle. De fait, à trois ou quatre tables étaient installées des jeunes femmes très maquillées croisant haut leurs jambes.

Quelques hommes leur lançaient des regards en coin. François regagna sa place.

– Vous avez vu ?

– Elles sont charmantes.

– Si le cœur vous en dit... Ce sont pour la plupart de braves filles.

– Une autre fois.

En quittant le *Harris Bar,* il se sentit un peu ivre. Une pluie fine s'était mise à tomber. Un taxi s'arrêta, déposant ses clients.

– Vous êtes libre ?

– Pour aller où ?

– Au *Lutétia.*

– Ça va, montez.

À la réception, il trouva un message de Léa. Parvenu dans sa chambre, il l'appela.

– Allô !

– C'est toi !... Je cherche à te joindre depuis ce matin. Que fais-tu ?... Tu me manques... Quand rentres-tu ?

– Demain... Et les enfants ?

– Tu ne vas plus les reconnaître. Camille est une vraie jeune fille... As-tu vu le général de Lattre ?... Son état-major ne cesse d'appeler... J'espère qu'il ne s'est pas mis dans la tête de te faire retourner là-bas... Allô ! Tu m'entends ?...

– Oui, oui, je t'entends.

– Tu as entendu à propos de De Lattre ?... Allô ?... Réponds-moi !... François... Dis-moi que ce n'est pas vrai !... Ils ne t'ont pas demandé de repartir ?... Réponds-moi !... C'est ça, n'est-ce pas ?... Tu n'as pas accepté, dis ?... Parle-moi !... Tu n'oses pas me le dire !... Tu n'es qu'un lâche !... Pourquoi... mais pourquoi ?...

– Léa, calme-toi... Allô... Je t'en prie, ne pleure pas... Rien n'est fait, je serai là demain... Je t'expliquerai... Allô... allô...

Elle avait raccroché. Il contempla l'appareil d'un air stupide. La sonnerie du téléphone le fit presque sursauter.

– Allô... Si tu pars, je pars avec toi !

– Mais...

– Tais-toi ! C'est ça ou je te quitte.

– Léa...

– Tu as bien entendu : si tu pars, les enfants et moi partons avec toi.

Elle raccrocha. Il reposa le récepteur avec un sourire, puis s'allongea sur le lit, mains sous la nuque, toujours souriant. Sacrée bonne femme ! Elle ferait comme elle disait. Mais les enfants...

Il s'endormit.

Le lendemain, il retourna boulevard des Invalides. De Lattre étant absent, il fut reçu par son aide de camp auquel il fit part de sa décision.

– Ma femme et mes enfants m'accompagneront si le général est nommé en Indochine.

– Cela me paraît complètement fou, mais vous êtes seul juge.

6.

– Léa !... Léa !... C'est oncle François ! s'écria Charles en faisant irruption dans la cuisine. Il a une voiture magnifique.

– Une voiture ? s'exclama Pierre, le fils de Françoise.

Les deux garçons se précipitèrent dans la cour, suivis du petit Adrien. Léa, qui donnait le biberon à Camille, s'élança à son tour au-devant de son mari. Devant la maison trônait un magnifique véhicule flambant neuf qui faisait l'admiration des mâles, jeunes et vieux, de Montillac. Alain tournait autour avec respect.

– Une Delahaye 135 ! Je n'en avais jamais vu de près, dit-il, admiratif.

– Cela doit coûter une fortune, fit Françoise en hochant la tête.

– Pourquoi t'as pas pris un cabriolet ? demanda Charles.

– Parce que, maintenant, j'ai une famille nombreuse !

– Alors, fallait prendre la 175, qui mesure cinq mètres. Son moteur fait vingt-six chevaux, comme la 135, mais il en développe cent vingt-cinq avec un seul carburateur. Elle a une bonne tenue de route et, avec ses freins hydrauliques, on peut rouler en toute sécurité.

François considéra Charles avec étonnement.

– Comment sais-tu tout cela ?

– Ça m'intéresse, répondit-il, laconique.

Léa s'approcha, portant sa fille. Elle le regardait avec une intensité qui lui faisait mal. François la prit dans ses bras, déposa un baiser sur le front fragile du bébé, prit les lèvres qui se tendaient. Le corps de Léa trembla contre le sien. Un désir furieux le dressa contre elle. Ils ne parvenaient pas à se détacher l'un de l'autre. Françoise vint à leur secours.

– Donne-moi Camille, je vais m'en occuper...

– Papa ! criait Adrien, accroché à la jambe de son père.

François le souleva.

– Bonjour, mon grand.

Le gamin gigota.

– Veux monter dans l'auto !

– Plus tard, mon chéri. Je vous emmènerai tous faire un tour. Tu viens, Léa ?

Dans l'escalier conduisant à leur chambre, ils s'arrêtaient à chaque marche pour s'embrasser, se caresser. La porte à peine refermée, Léa se laissa glisser sur le tapis tandis qu'il se débarrassait de sa veste et déboutonnait son pantalon.

– Viens, gronda-t-elle.

Il se laissa tomber sur elle, souleva sa jupe, écarta la culotte de soie. Il s'enfonça d'un coup dans le sexe humide avec un *han* animal.

– Salope, tu m'as manqué !

– Tu es à moi, tu entends ?... Je ne te laisserai plus jamais repartir, j'ai trop besoin de toi... Quand tu n'es pas là, j'ai un vide au milieu du corps... J'ai faim de toi...

Elle lui martelait la poitrine de coups de poing, l'enfonçait en elle de plus en plus profondément. Il lui prit les épaules, leurs torses couverts de sueur se collèrent l'un à l'autre. Il roula sur elle, la retourna, la força à se mettre à genoux et, lui écartant les fesses, la pénétra ; elle cria.

– Toutes les parties de ton corps sont à moi...

Solidement tenue, les reins en feu, Léa, le visage couvert de larmes, jouit de souffrance et de plaisir mêlés. Quand il se retira, il y avait du sang sur son sexe.

– Nettoie-moi.

Elle rampa et, à petits coups de langue, lava le membre sali qui se redressa sous l'effet de la caresse. François la releva et la porta jusque sur le lit. Il la déshabilla, se dévêtit à son tour, caressa son beau visage, ses seins lourds, puis la reprit doucement. Ils firent longtemps l'amour et s'endormirent l'un dans l'autre. Quand ils se réveillèrent, il faisait presque nuit.

Ils prirent en riant une douche, puis descendirent au salon. Un grand feu brûlait dans la cheminée devant laquelle jouaient les enfants, cependant que Françoise tricotait et qu'Alain lisait un journal. Trônant sur un guéridon, la T.S.F. ronronnait. Sur le seuil, face à ce spectacle paisible et doux, Léa et François échangèrent un sourire de connivence : jamais ils ne pourraient se satisfaire d'une telle quiétude, même si, très loin au fond d'eux-mêmes, ils gardaient la nostalgie du temps où, enfants, ils partageaient le calme bonheur d'une famille unie.

– Ah, voici nos amoureux, fit Alain en repliant son journal.

Ce fut comme un signal : Charles, Pierre, Isabelle et Adrien se mirent à parler tous en même temps.

– Papa, veux aller en voiture...

– Léa, je vais te montrer mon tableau...

– Tante Léa, veux promener...

– Papa !... Viens !...

– Oncle François, veux venir...

– Moi aussi...

– Moi aussi !

– Nous allons bientôt dîner, fit remarquer Françoise.

– Je les emmène juste faire un tour jusqu'à Saint-Macaire.

– Soyez prudents.

– Je peux venir avec vous ? demanda Alain.

– Allons-y !

Françoise et Léa les regardèrent partir.

– Dès qu'il s'agit d'automobile, Alain redevient comme un enfant, dit Françoise en prenant le bras de sa sœur. Viens, il fait doux, allons jusqu'à la terrasse.

Bras dessus, bras dessous, elles descendirent la pelouse bordée par les rangées de charmes plantés par leur père.

– Tu te souviens quand papa nous chantait : *Allons sous la charmille...* ? demanda Léa.

Au loin, on apercevait les lumières de Langon ; une brume montait de la Garonne. Comme chaque soir à la même heure, un train passa sur le pont, laissant derrière lui un blanc panache de fumée. Un chien aboya, des vaches meuglèrent, l'angélus tinta aux clochers environnants ; l'air arborait sa transparence d'avant la nuit.

– On est bien, ici, soupira Léa.

Une tristesse l'envahissait, comme si elle pressentait que ce bien-être trompeur, cette apparence de paix, cette douceur de vivre n'étaient pas pour elle. Dans son cœur, dans sa tête, dans son corps même, elle éprouvait un écartèlement contre lequel elle ne pouvait rien, comme si elle était contrainte de s'éloigner chaque fois davantage de ce qui faisait partie d'elle-même, de sa propre chair. Cette terre, cette maison qui lui manquaient tant dès qu'elle en était séparée, il lui semblait que quelque chose, quelque part, la forçait à s'en écarter. Là où il lui paraissait que de tout temps était sa place, une sorte de recul, de froideur se substituait au bonheur des retrouvailles. À chacun de ses retours depuis la fin de la guerre, penchée sur la balustrade face à ce paysage familier et aimé, ces pensées mélancoliques étaient venues l'assaillir, la laissant morose et désemparée.

– « ... paysage le plus beau du monde, à mes yeux palpitant, fraternel, seul à connaître ce que je sais, seul à se souvenir de visages détruits dont je ne parle à personne, et dont le vent au crépuscule, après un jour torride, est le souffle vivant, chaud d'une créature de Dieu (comme si ma mère m'embrassait). Ô terre qui respire ! » récita Léa.

– C'est joli, ce que tu dis.

– C'est de François Mauriac parlant de Malagar. Chaque

fois que je lis quelque chose sur Malagar, je crois lire sur Montillac. On dirait que ces deux maisons sont sœurs.

– Normal, c'est la même région. Dans quoi as-tu lu cela ?

– Dans son *Journal* que j'ai acheté la semaine dernière à Bordeaux.

– Tu me le passeras ?

– Bien sûr. Remontons, je crois qu'ils sont de retour.

À cet instant, la cloche annonça l'heure du dîner.

– Dépêchons-nous, sinon Ruth et Germaine vont nous gronder !

– La première arrivée a gagné ! cria Léa en s'élançant.

Léa se leva et ramassa la pile de journaux que François avait laissé tomber sur le gravier de la cour où ils prenaient le café, par ce chaud après-midi du début novembre, pour aller répondre à un appel de Paris. L'arôme du café se mêlait aux émanations provenant des chais et aux odeurs particulières de l'air en automne. Dans son landau, le même qui avait servi à Léa et à ses sœurs, la petite Camille dormait, protégée d'éventuels insectes par un voile de tulle. Adrien et ses cousins faisaient la sieste, Charles et Pierre étaient en classe à Verdelais, Alain dans les vignes, Ruth, Françoise et tante Lisa s'occupaient de la maison. Tout était si doux, si calme...

Les journaux serrés contre elle, Léa ferma les yeux, envahie par un sentiment de bien-être, la conscience aiguë de son corps apaisé. Son cœur s'était mis à battre plus vite, lui semblait-il. Sa sensation d'exister était si forte qu'un frisson de plaisir la parcourut de la tête aux pieds. Le temps était devenu immobile...

Le charme fut rompu par des éclats de voix venant de l'ancien bureau de son père. Léa sourit : François devait encore se bagarrer avec un général ou un ministre. Elle s'assit sur un fauteuil de jardin à la peinture écaillée et posa les journaux sur la table en repoussant le plateau du café. Un grand titre à la une de *Paris Match*, « Ceux qui se battent pour la France en Indochine », arrêta son regard. La photo de couverture représentait un caporal-chef de commando parachutiste qui lui rappela Jean Lefèvre. Le temps avait repris son cours, dissolvant l'espèce de bonheur ébahi qu'elle avait ressenti. Elle lut attentivement l'article de Charles Favrel : « Pour ceux qui tombent dans une guerre ignorée », lequel se terminait sur ces mots : « ... Pourquoi m'avez-vous abandonné ? » D'un geste las, elle reposa l'hebdomadaire : Jean Lefèvre, Nhu-Mai, Lien, Franck que François avait rencontré à Paris, Kien, Giau étaient là-bas, dans cette tourmente où le gouvernement français voulait les renvoyer... Dans son landau, le bébé se mit à pleurer. Elle tendit la main et secoua doucement la voiture ; les pleurs cessèrent. Françoise sortit de la maison en chantonnant, un sécateur à la main.

– Tu as l'air bien gaie, remarqua Léa.

– Pas toi ?... Vois comme il fait doux. Je vais couper les dernières roses, tu viens avec moi ?

– Non, je préfère rester là à lire.

– Tu vas voir, il y a dans *Paris Match* une page sur nos voisins.

– Les Mauriac ?

– Oui, on a joué à Lyon une pièce de François Mauriac : *Le Feu sur la terre,* je crois bien. À tout à l'heure !

Léa regarda s'éloigner la mince silhouette de sa sœur. En dépit de ses maternités, elle avait retrouvé sa démarche de jeune fille. Rien en elle ne rappelait la femme tondue et humiliée de 1944. L'amour avait effacé les vicissitudes des années noires. Sans doute par crainte de ressusciter des fantômes, sinon oubliés du moins enfouis dans les replis de leur mémoire, jamais les deux sœurs n'avaient reparlé de cette époque. Réévoquer ces temps-là, les souffrances endurées par elle-même et les siens, eût semblé à Léa le comble de l'indécence. Mais il n'y avait presque pas de jours où ne revinssent, présentes à son esprit malade, les scènes d'horreur qui s'étaient déroulées dans la propriété. Elle sentait ce qu'il y avait de malsain dans cette habitude, mais il lui était impossible d'y résister. Quelquefois, blottie dans les bras de François, elle se laissait aller à des bribes de souvenirs, de confidences, mais, bien vite, elle se reprenait.

Léa sursauta ; la porte donnant sur la cour avait été refermée avec une telle violence que les vitres tintèrent. À grandes enjambées, François la rejoignit et s'assit, l'air furieux.

– Il faut que je sois à Toulouse pour le dîner.

– À Toulouse, mais pour quoi faire ?

– Le président Sarraut veut me voir.

– Ça ne peut pas attendre demain ?

– Il paraît que non. Pleven dit que c'est de la plus grande urgence.

– Encore lui ! À croire que, sans toi, ils ne peuvent rien faire en Indochine. Car, bien sûr, il est encore question de l'Indochine...

– Comme tu vois, dit-il en prenant des numéros du *Monde* des derniers jours : « Le général Alessandri est arrivé à Lang Son que deux mille civils ont quitté »... « Na Cham évacué par nos troupes »... « Histoire dramatique des convois de la R.C.4 »...

Il jeta le journal dont les feuillets s'éparpillèrent, en prit un autre et continua :

– « Une manœuvre d'enveloppement du Viêt-minh rend précaire la situation de la garnison de Lang Son »... « La défense du delta tonkinois s'organise au débouché des vallées »...

Au fur et à mesure de sa lecture, les journaux volaient à travers la cour :

– ...« L'abandon de Lang Son et de Moncay permettra de constituer des réserves pour un changement de tactique »... On se fout de nous, on instruit le procès du général Revers alors qu'il est le seul à avoir nettement compris la situation !

– Il a peut-être compris la situation, l'interrompit Léa, mais comment expliques-tu que son rapport ultrasecret, tiré à cinquante exemplaires, tous numérotés, ait été retrouvé par la police qui, en une seule matinée, en a saisi soixante-douze exemplaires dans les milieux vietnamiens de Paris, tant chez les partisans d'Hô Chi Minh que chez ceux de Bao Dai ?

L'étonnement peint sur le visage de François était si comique que Léa éclata de rire.

– Tu n'es pas le seul à t'intéresser à l'Indochine ! Ce qui s'y passe est affreux et je comprends ce que tu éprouves.

– C'est parce que c'est affreux que les organes de presse se jettent maintenant là-dessus comme des vautours alors que, depuis des années, cette guerre n'avait droit qu'à quelques entrefilets.

– As-tu pris ta décision ? interrogea Léa en le regardant droit dans les yeux.

Il éluda la question.

– J'en saurai plus quand j'aurai vu le président Sarraut. Pardonne-moi, mon amour, mais si je veux être à l'heure pour le dîner, il me faut partir maintenant.

Il la serra contre lui et l'embrassa longuement.

– Prends bien soin de nos petits.

François Tavernier profita du trajet pour se remémorer ce qu'il avait lu sur la conférence Inter-États qui se tenait à Pau depuis le mois de juin. Présidée par Albert Sarraut, chef de la délégation française, elle regroupait le gouverneur du Sud Viêt-nam, chef de la délégation vietnamienne, Sum Hieng, ancien vice-président du Conseil cambodgien, et Phouy Sananikone, président du Conseil en exercice du Laos. Le Viêt-minh, lui, n'était pas représenté. D'un commun accord, on avait décidé d'examiner les problèmes les moins ardus à résoudre : les transmissions, l'immigration, le plan d'équipement, le commerce extérieur, les douanes, les problèmes financiers, et, malgré les réticences de la délégation vietnamienne, le statut du port de Saigon et de la navigation sur le Mékong, capitale pour les pays en cause. Mais les rencontres ne s'étaient pas déroulées aussi harmonieusement que l'avait escompté le président Sarraut. Le regroupement à l'intérieur de l'Union française des États « indépendants » du Laos, du Cambodge et du Viêt-nam, idée chère au vieux politicien, n'était pas évidente aux yeux desdits États, et, le 14 octobre, l'ancien gouverneur de l'Indochine avait dû préciser bien des points sur le sens de l'Union française dont l'article 60 stipulait : « L'Union française est formée, d'une part, de la République française, qui comprend la France métropolitaine, les départements et territoires d'outre-mer, d'autre part, des territoires des États associés. » L'article 62 précisait : « Les membres de l'Union française mettent en commun la totalité de leurs moyens pour garantir la défense de l'Union. Le gouvernement de la République assume la coordination de ces moyens et la direction politique propre à préparer et à assurer cette défense. » François avait du mal à voir dans ces articles autre chose qu'un maintien sous tutelle des États associés, et le discours d'Albert Sarraut lui avait paru vouloir cacher aux protagonistes les réalités de leur nouvelle condition, malgré l'assurance de la création d'un Haut-Conseil « où chacun des États associés [pourrait] envoyer sa représentation librement choisie, et qui [aurait] pour fonction... d'assister le gouvernement de la République dans la conduite générale de l'Union... »

... Dans les villages traversés, des hommes et quelques femmes, assis sur le pas de leur porte, profitaient de la douceur de cette fin de journée automnale. D'aucuns jouaient aux boules sous les arbres de la place ou bien prenaient un verre de vin au café du coin. Tout était paisible, la dernière guerre paraissait loin. Et celle d'Indochine, plus loin encore... Bien sûr, certains jeunes s'étaient engagés dans cette expédition lointaine, mais c'était le plus souvent de fortes têtes, de celles que le maquis n'avait pas su mater, ou bien de pauvres gars qui s'étaient laissés aller à traficoter avec l'occupant. Des individus auxquels ne pouvait s'identifier aucun de ces braves joueurs de boules, pas plus que leurs épouses ou leurs marmots qui, de toute façon, n'avaient pas leur mot à dire. On n'était pas de ces gens des villes qui avaient perdu le respect dû aux anciens. Vieux et moins vieux voyaient midi à leur porte et avaient assez de soucis quotidiens pour ne pas se préoccuper en plus de ces faces de citrons qui réclamaient leur indépendance. Même les communistes, leurs amis, se faisaient plutôt silencieux.

La nouvelle voiture était agréable à conduire ; le paysage, beau et familier. Mais l'humeur du conducteur restait sombre. Il avait l'impression que cette entrevue avec le leader radical ne lui apprendrait rien. Ses prises de positions, à Pau, étaient trop conformes à celles du gouvernement. François ne croyait pas que la France formerait avec les peuples d'outre-mer « une union fondée sur l'égalité des droits et des devoirs, sans distinction de race ni de religion ». Pas plus qu'il ne croyait à « la mise en commun des ressources et des efforts pour développer les civilisations de chacune des nations, pour accroître leur bien-être et assurer leur sécurité ». Il avait trop vu fonctionner l'esprit civilisateur français, la dureté des moyens employés pour affirmer cette civilisation, le racisme affiché ou sournois des colons, la suffisance des Blancs, leur incompréhension de cultures qu'ils considéraient le plus souvent comme inférieures. Comme il aurait aimé croire dans ces belles paroles d'Albert Sarraut parlant du sens de l'Union française : « Avant tout, la volonté, jaillie du spectacle des horreurs de la guerre, de préserver l'humanité du retour de ces horreurs et de garantir l'avenir de l'être humain contre les massacres, les asservissements, les dégradations, les avilissements et les misères dont les puissances de proie et de mal pourraient encore essayer de les menacer, comme l'avait fait l'abominable entreprise nazie... Toutes les nations dont l'âme n'est pas corrompue par une pensée criminelle d'hégémonie, de domination oppressive des autres peuples, ont senti le besoin impérieux de se rapprocher, de se grouper, de s'accorder pour la sauvegarde du patrimoine humain, et d'élargir les vies nationales jusqu'à la conception d'une coopération internationale qui, en attendant de devenir progressivement mondiale, devait déterminer, dans un stade préliminaire, la création de premiers groupements suggérés par des affinités historiques, politiques et culturelles. »

Ces beaux sentiments avaient donné naissance aux Nations unies et à l'Union française...

D'un brusque coup de volant, François évita un chien. Un jeune berger leva son bâton dans sa direction. Les premières maisons des faubourgs de Toulouse apparurent.

Albert Sarraut reçut François Tavernier dans le bureau de son frère, Maurice, assassiné par les nazis le 2 décembre 1943.

– Bonjour, monsieur Tavernier, asseyez-vous. Je vous remercie d'avoir répondu à mon invitation. J'ai tenu à vous recevoir ici, à *La Dépêche*, dans ce bureau que j'ai occupé peu de temps avant d'être déporté, en 1944, en compagnie de mon ami Jean Baylet, qui était le directeur du journal. Mon frère et moi, nous étions très proches l'un de l'autre ; il est mort dans mes bras sans avoir repris connaissance.

– Ce crime odieux a soulevé en France une profonde indignation.

– Cet homme libre avait su résister aux pressions du gouvernement de Vichy qui lui reprochait, entre autres choses, de conserver son titre de *Journal de la démocratie* et de maintenir dans ses articles l'idéal républicain. À deux reprises, il avait refusé les propositions de rachat de *La Dépêche* pour une somme de cent millions et plus que lui proposaient les sbires de Vichy. Devant les diverses menaces dont il était l'objet, tous ses amis, ses parents lui conseillaient de saborder son journal ou de s'enfuir. « Je n'abandonnerai pas, disait-il, le poste où j'ai à la fois charge d'âmes et charge d'un grand devoir républicain. Je ne mettrai pas à la rue le personnel d'ouvriers, d'employés, d'agents, de rédacteurs que le journal fait vivre, et où la police de Vichy saisirait des militants d'extrême gauche qui ne cachent pas leurs opinions. Mais charge aussi d'un autre devoir, celui de maintenir ici le symbole de notre foi démocratique. Mon départ serait une désertion. Je ne ferai jamais cela ! »

Albert Sarraut s'arrêta, essoufflé, les yeux humides à l'évocation du sacrifice de son frère.

– J'ai voulu vous rencontrer, car j'ai connu votre père en Indochine. C'était un homme intègre et généreux. Il était très lié à l'un de mes collaborateurs, Touzet. D'après mes renseignements, vous êtes un homme d'honneur et votre passé récent parle en votre faveur. Si le général de Lattre est nommé, comme je le crois, il aura besoin d'hommes tels que vous pour redresser la situation en Indochine, et...

– Monsieur le Président, l'interrompit Tavernier, nous ne sommes plus au temps où vous étiez gouverneur de l'Indochine, ni à celui où vous écriviez *Grandeur et Servitude coloniales*...

– Vous avez lu ce livre ?

– Oui, avec beaucoup d'intérêt. J'étais adolescent, je voguais en mer de Chine avec mon ami Hai, et nous avions appris par cœur le passage où vous évoquez la mer. Nous le déclamions debout à l'avant du navire : « La mer ! la mer, souveraine du monde dont elle relie tous les continents ; la mer, immense route jamais rompue, jamais détruite, par où peuvent venir jusqu'au seuil du pays qu'elle baigne l'envahisseur qui le fera captif ou les richesses qui le feront opulent.

Redoutée ou convoitée, quel peuple a pu échapper à son influence ? Lequel... »

– Bravo ! Mais suffit ! Je ne sais si je dois être flatté, en tant qu'auteur, que vous ayez retenu ce passage lyrique, ou, en tant qu'homme politique, humilié que vous n'ayez souvenir que de cette ode à la mer dans un ouvrage qui se voulait le bilan de l'œuvre coloniale de la France !

– Mon ami Hai et moi-même ne partagions pas tout à fait votre point de vue sur la grandeur de la colonisation ni sur les devoirs de l'homme blanc.

Albert Sarraut se leva, l'air soudain las.

– Venez dîner, nous poursuivrons cette conversation à table.

Dans une petite pièce attenante, le couvert était dressé pour deux. Un vieux maître d'hôtel assurait le service. Ils mangèrent leur foie gras en silence. L'ancien président du Conseil vida d'un trait son verre de sauternes.

– J'ai longtemps cru que l'idée de l'indépendance effrayait les peuples indochinois, malgré leur culture et l'existence millénaire de cadres sociaux, et que l'énoncé de l'indépendance apparaissait à l'élite indigène comme une pure absurdité, ou, mieux encore, un non-sens. Il semblerait que je me sois trompé. Et je n'ai pas été tout à fait exact avec moi-même quand j'ai dit à mes collègues vietnamiens, à Pau, que j'avais senti grandir leur désir d'indépendance, que cela ne m'avait pas surpris, car ce sentiment national, je le connaissais de longue date ; que, s'il était exacerbé sous l'effet des commotions qui ont secoué pendant la dernière guerre le monde asiatique, il n'y avait pas pris naissance ; qu'il était bien antérieur, qu'il venait de l'effort séculaire déployé par le peuple annamite pour ressaisir et défendre sa liberté contre l'énorme Chine... Le général de Lattre m'a demandé mon avis. Je lui ai vivement conseillé d'appuyer Sa Majesté Bao Dai, de l'aider dans sa tâche gouvernementale, et surtout dans la formation d'une armée vietnamienne qui, petit à petit, devrait être capable de nous remplacer dans la lutte contre le Viêt-minh.

François écoutait avec curiosité et une pointe d'émotion le vieux radical franc-maçon. Député de l'Aude à trente ans, après des débuts à *La Dépêche du Midi* aux côtés de son frère Maurice, de trois ans son aîné, il s'était battu en duel avec un député bonapartiste qui avait insulté Clemenceau, puis avait démissionné. En 1909, Briand l'avait appelé au sous-secrétariat à la Guerre. Il avait été nommé gouverneur général de l'Indochine en 1911. C'est à ce moment-là qu'il avait fait la connaissance du père de Tavernier, de Lê Dang Doanh et de Martial Rivière. Son mandat avait marqué l'apothéose de la colonisation française ; l'Indochine connut à ce moment-là une grande prospérité, en dépit de la guerre qui ravageait la France... Tour à tour ministre des Colonies, de l'Intérieur, de la Marine, par deux fois président du Conseil, sénateur jusqu'en 1940, personnalité reconnue et contestée, cet homme corpulent, grand amateur de femmes et d'objets d'art, suscitant autant de haines que d'amitiés, restait, à soixante-dix-huit ans, un homme puissant et redouté.

– La conférence de Pau ne débouche sur rien ; les communistes français continuent à nous mettre des bâtons dans les roues, et que dire des représentants des États associés ? Je n'ai pas réussi à leur faire comprendre l'intérêt qu'il y avait, pour eux, à faire partie de l'Union française. J'ai tenté de combattre leurs doutes, de leur montrer la sincérité de la France quant au respect de l'indépendance de chacun des États membres, j'y ai engagé ma parole, je leur ai parlé les yeux dans les yeux, main dans la main, je leur ai dit croire en leur loyauté à l'égard de la République française ; je leur ai déclaré que je ne croyais pas pensable qu'aucun d'eux, Vietnamien, Cambodgien ou Laotien, puisse dire : « Battez-vous pour nous, pour notre indépendance ; continuez à dépenser, comme vous le faites, plus de deux cents millions par an et des milliers de vies françaises pour écarter de nos États la menace de l'impérialisme étranger et la mise en esclavage de nos pays ; épuisez-vous afin de sauver notre liberté et d'assurer notre tranquillité ; après quoi, vous reprendrez le bateau en nous disant un adieu auquel nous répondrons par un rapide coup de chapeau ! »

Il vida son verre de bordeaux et reprit :

– L'impérialisme moscovite, créateur de servitude mondiale, est le suprême péril, leur ai-je dit. Pour vous d'abord, mais pour d'autres aussi tout autour de vous. L'Indochine, votre Indochine est devenue la clef de voûte du grand problème dont la solution stratégique tient en suspens l'indépendance ou l'esclavage de tout le Sud-Est asiatique, depuis la région tonkinoise jusqu'à l'océan Indien. Si le barrage indochinois cède, si la serrure qui cadenasse les portes du Nord Viêt-nam casse, l'irruption communiste peut emporter tous les territoires disséminés de la frontière de Chine à l'ancienne frontière des Indes. Je le répète, le nœud de la résistance de tous ces pays à l'oppression qui les menace est au Viêt-nam ; le Viêt-nam est la frontière de la liberté. C'est pourquoi la France ne saurait l'abandonner, vous abandonner sans se déshonorer. Il fallait qu'après le serment de mourir ensemble, s'affirme la volonté de vivre ensemble !

Le vieil homme avait oublié la présence de son hôte, il parlait comme à la tribune, face à un auditoire qu'il s'acharnait à convaincre. Quelle était la part de sincérité, celle de l'habileté politique dans ses propos ? Son anticommunisme semblait viscéral.

– Vous n'avez jamais cru en la loyauté d'Hô Chi Minh ?

– Non, c'est un homme d'appareil qui prend ses ordres à Moscou. Croyez-moi, aider l'empereur est le meilleur moyen d'aider ce pays que nous aimons l'un comme l'autre.

– Jean Sainteny n'était pas de cet avis.

– Mon gendre avait de grandes qualités, mais c'était un naïf.

– Ce n'est pas l'impression qu'il m'a donnée.

– Vous-même, vous avez rencontré Hô Chi Minh. Quelle impression vous a-t-il faite ?

– Celle d'un homme fatigué, doté d'une grande énergie, patriote convaincu, communiste sincère et adversaire honorable.

– Comme les autres, vous êtes tombé sous le charme de ce vieux malin. Même ma fille, Lydie, le trouvait séduisant... Passons aux choses sérieuses. J'ai tenu à vous voir, avant votre départ, pour vous remettre quelques lettres de recommandation qui pourront vous être utiles dans votre mission. Prenez-en grand soin : certaines sont confidentielles...

Albert Sarraut tira de la poche de son veston trois enveloppes cachetées. François les prit. Les noms qui y figuraient ne lui disaient rien. L'ancien gouverneur le remarqua.

– Vous vous attendiez à des noms plus éminents. Ne vous y trompez pas : leurs destinataires pourront vous sauver la vie, ou pour le moins vous aider à vous tirer d'un mauvais pas. Je sais que vous connaissez bien les mentalités annamites ainsi que certaines parties du pays. Les personnes auxquelles je vous adresse les connaissent mieux encore. Tout cela vous permettra d'accomplir plus sûrement votre mission auprès du général de Lattre.

– Vous êtes donc bien assuré de mon départ...

– Je n'ai aucun doute là-dessus. Je connais les hommes de votre trempe, ils sont faits pour le risque et l'aventure, et, quelquefois, pour la gloire.

François Tavernier eut un rire amer.

– La gloire !... Je sais trop ce que c'est : de la boue et du sang, de la souffrance, du dégoût de soi, l'ennui de l'attente, la peur au ventre et la haine au cœur. J'ai été témoin de trop de combats, de morts et d'atrocités pour rechercher cette chose-là !

Albert Sarraut rit à son tour d'un rire sans joie.

– Vous savez tout cela, et vous partirez quand même... Les

hommes sont de drôles d'animaux, monsieur Tavernier, Raymond, apporte-nous le vieil armagnac.

– Celui de monsieur Omer ? s'exclama le serviteur avec une note de réprobation.

– Évidemment, tu en connais un autre ?

– Non, monsieur Albert, dit le vieil homme en se dirigeant aussi vite qu'il le pouvait vers une bibliothèque grillagée.

– C'est l'armagnac de mon père, vous m'en direz des nouvelles.

Raymond versa le précieux liquide avec tout le respect dû à son grand âge. D'un même geste, les deux hommes portèrent leur verre à leurs narines et, les yeux mi-clos, le humèrent. Après s'être salués de la tête et du regard, ils burent une gorgée. Le visage rubicond d'Albert Sarraut s'épanouit et, derrière ses lunettes, son regard brilla.

– Que pensez-vous de cette merveille ?

– Je suis comblé, monsieur le Président.

Quand ils se quittèrent, la chaleur de l'armagnac avait momentanément éloigné les fantômes de l'Indochine.

7.

Le général de Lattre fut nommé haut-commissaire et chef des armées en Indochine le 6 décembre 1950.

Le *Constellation* avait quitté Calcutta et volait en direction de Saigon. Encore quelques heures de voyage, et la famille Tavernier foulerait le sol indochinois. La tête appuyée contre le hublot, Léa somnolait, tenant contre elle son bébé qui dormait à poings fermés. Malgré la longueur du voyage, les escales fatigantes du Caire, de Karachi et de Calcutta, Léa avait un visage lisse et reposé. François regardait, attendri, la beauté du couple que formaient la mère et l'enfant. De l'autre côté de l'allée centrale, Charles et Adrien jouaient aux cartes, retenant mal leurs cris de joie ou de déception devant les hasards du jeu. Sentant sur lui le regard de son père, Adrien demanda :

– On arrive bientôt ?

Une hôtesse de l'air qui passait entendit la question et comprit l'impatience du garçon.

– Assez vite. Mais, si tu veux, et si ton papa le permet, tu peux venir avec ton ami dans la cabine de pilotage. Le commandant est d'accord.

– Oncle François, dis oui ! supplia Charles.

– Ne vous inquiétez pas, monsieur, je prendrai bien soin d'eux.

Ce n'était pas cela qui alarmait François, mais ce qui les attendait à l'arrivée. Quelle folie d'avoir emmené les enfants, d'avoir cédé au chantage de Léa !

« Si tu pars sans nous, jamais tu ne nous reverras... » Elle aurait été capable de mettre sa menace à exécution. Malgré ce qu'elle avait vu et savait de la situation en Indochine, des risques encourus par elle et les enfants, elle n'avait rien voulu entendre. Quant à Charles, son désespoir avait été tel, à l'annonce de leur départ, que Françoise, qui le connaissait bien, avait craint le pire. Tous, à Montillac, sans oser se le dire, pensaient de même. Le garçon avait maintenant dix ans ; il était courageux et déterminé.

« Je m'occuperai d'Adrien et de Camille », avait-il déclaré. C'est ce qu'il avait fait depuis qu'ils avaient quitté Paris, François n'ayant pas voulu envisager d'emmener quelqu'un pour s'occuper des petits : « Les femmes chinoises sont les meilleures nounous du monde. » Il avait chargé Lien de louer une villa dans un quartier agréable de Saigon, d'engager du personnel et de se montrer particulièrement attentive au choix des femmes qui s'occuperaient des enfants.

Il soupira, agacé par ces évocations domestiques, et tenta de reprendre sa lecture du *Hussard bleu*, d'un jeune écrivain dont on parlait beaucoup, Roger Nimier. Encore un roman qui évoquait la guerre : ils n'en avaient pas marre, ces romanciers, d'écrire et d'écrire encore sur cette sinistre période ?

Une phrase l'arrêta : « Tout ce qui est humain m'est étranger... » Songeur, il laissa tomber le livre, ferma les yeux, et le fin visage émacié du leader communiste vietnamien lui apparut, on ne peut plus réel. Il repensa à cette fausse annonce de sa mort, le 11 novembre précédent, parue dans tous les quotidiens de la capitale. L'angoisse éprouvée ce jour-là lui revint, assortie de cette question : si cela avait été vrai, le Viêt-minh, ayant perdu son chef, perdu son âme, aurait-il été en mesure de poursuivre cette guerre ou bien aurait-il dû trouver un terrain d'entente avec le gouvernement Bao Dai, évitant ainsi la guerre civile ? À cela il n'y aurait jamais de réponse. La dépêche de l'agence Reuter s'était révélée inexacte ; le raid lancé par les chasseurs *King Cobra* et les bombardiers *Junker* contre un village de la frontière chinoise où, croyait-on, Hô Chi Minh conférait avec des conseillers militaires chinois et russes, n'avait tué que de malheureux *nhà quê*[1]. Pauvre pays ! pensa-t-il en rouvrant les yeux.

Sur les genoux de sa mère, le bébé s'agita, plissa son mignon visage, s'étira et bâilla avec volupté. Léa ouvrit les yeux et regarda sa fille avec ravissement.

– Comme tu es belle ! fit-elle en la soulevant et en l'embrassant dans le cou.

La petite grogna.

– On dirait qu'elle n'aime pas les baisers, ce n'est pas comme sa mère, dit François en posant ses lèvres au creux de l'épaule de sa femme.

Léa eut ce rire de gorge qui le troublait tant.

– Tiens, prends-la, je vais me dégourdir les jambes.

Elle se leva, lui planta l'enfant dans les bras, et resta debout à les contempler. Elle ne se lassait pas de le voir en compagnie de ses enfants. Cela lui paraissait merveileux, irréel. François Tavernier était de ces hommes qu'on imagine mal en pères de famille ; lui-même n'avait jamais envisagé vraiment de tenir ce rôle. Celui-ci ne lui déplaisait pas, mais le décontenançait. Les hôtesses de l'air fondaient en voyant cet homme au physique d'aventurier donner le biberon. Les jeunes passagères lui jetaient des regards énamourés, agaçant Léa. François lui faisait remarquer que, de son côté, elle ne se privait pas de tourner la tête du personnel masculin de l'appareil, sans compter celle des voyageurs.

1. Paysans.

– Mesdames et messieurs, veuillez attacher vos ceintures, nous commençons notre descente sur Saigon...

L'avion se posa avec une relative douceur sur l'aéroport de Tan Son Nhut, à quelques kilomètres du centre de Saigon ; il était quatorze heures. Dès que les portes furent ouvertes, une lourde chaleur envahit l'avion. La lumière aveuglante d'un soleil voilé brûlait les yeux. Sur la passerelle, Léa eut l'impression de fondre sur place. D'un foulard de soie, elle protégea la tête du bébé. Quand elle pénétra dans le bâtiment de la douane, elle eut l'impression de sortir d'une étuve. La petite Camille se mit à pleurer.

Grâce au fonctionnaire envoyé par le haut-commissariat, les formalités furent vite expédiées.

– Madame Tavernier, pardonnez-moi, mais je dois emmener votre mari immédiatement auprès du haut-commissaire. Une voiture vous attend pour vous conduire jusqu'à votre nouvelle demeure. Mes adjoints vont s'occuper de vos bagages. Ne vous inquiétez pas, votre mari sera chez lui dès la fin d'après-midi.

Léa regarda François partir, le cœur serré par une vague appréhension. Suivie de Charles et d'Adrien, elle se dirigea vers la voiture. L'intérieur du véhicule était une véritable fournaise. Adrien se mit à pleurnicher :

– Fait trop chaud, maman, fait trop chaud...

– Tais-toi, dit Charles. Bientôt, on sera à la maison.

Le petit se tut, comme chaque fois que Charles le lui demandait, Charles était le seul à avoir de l'autorité sur lui. Adrien lui obéissait sans rechigner.

La chaleur avait cloîtré les habitants chez eux. Quelques marchands ambulants dormaient, allongés à même le sol, à l'ombre des tamariniers ou des flamboyants ; d'autres fumaient, adossés aux murs des maisons. À la terrasse d'un café, des soldats français aux uniformes débraillés, tachés de sueur, buvaient de la bière. Abrités par la capote de leur cyclo-pousse, les conducteurs assoupis attendaient la fraîcheur du soir.

La voiture ralentit devant le Jardin botanique. Les rues étaient bordées de coquettes maisons ; le chauffeur s'arrêta devant l'une d'elles.

– Vous voici arrivée, madame.

– Comment s'appelle cette rue ?

– Rue Pellerin, madame. C'est une rue calme, dans un quartier agréable. Vous êtes à deux pas de la rue Catinat.

Léa était restée trop peu de temps à Saigon pour avoir la moindre idée de l'endroit où elle se trouvait. Mais peu importait : la maison était sympathique, avec son petit jardin devant et sa véranda. La porte s'ouvrit ; Lien vint au-devant des arrivants. « Elle est vraiment belle », pensa Léa avec agacement tout en l'embrassant. Lien recula et salua à la façon vietnamienne. Charles, tenant Adrien par la main, la dévisagea avec insistance. La jeune femme s'approcha en souriant :

– Tu es Charles, n'est-ce pas ?

Le garçon acquiesça.

– Sois le bienvenu dans mon pays. Et toi, tu es Adrien ?

Le bambin se blottit contre son ami, puis, s'enhardissant :

– Pourquoi t'es habillée comme ça ?

Lien sourit.

– C'est le costume des femmes d'ici.

– C'est joli, commenta le petit.

– Venez dans la maison, il y fait meilleur qu'ici.

Un grand dallage bleu et blanc sur lequel se détachaient quelques très beaux tapis chinois donnait une impression de frais bien-être. Les portes ouvertes sur l'arrière laissaient apercevoir un jardin touffu, d'un vert dense. Portant toujours Camille, Léa traversa la vaste pièce et contempla cette oasis au cœur de Saigon. Elle se retourna avec un sourire radieux :

– Quel agréable endroit ! Ce jardin est magnifique...

– C'est ma mère qui l'avait fait planter, mais elle n'en a jamais vraiment profité. Mon père préférait Hanoi. Cette maison était louée à de riches administrateurs ou commerçants. Depuis un an, elle était inoccupée. Je n'ai pas eu le temps de faire faire beaucoup de travaux, mais l'intérieur est propre et confortable.

– Merci, Lien, nous serons très bien ici. Tenez, je ne vous ai pas présenté la sœur d'Adrien, dit Léa en lui tendant sa fille.

– Je peux ? fit-elle en la prenant avec un air de ravissement.

Pour des raisons différentes, les deux jeunes femmes étaient aussi émues l'une que l'autre. Afin de cacher son trouble, Lien appuya son visage contre celui du bébé. La petite s'agrippa à ses cheveux, défaisant le chignon aux épaisses torsades qui se déroulèrent d'un seul coup jusqu'aux chevilles. La masse sombre et luisante arracha un cri d'admiration à Léa et à Charles. La somptuosité de sa chevelure donnait à Lien l'air d'une princesse barbare, et sa beauté en paraissait plus grande. À présent, elle riait en remettant le bébé à une femme d'âge respectable qui venait d'entrer, suivie de cinq ou six personnes.

– Voici votre personnel.

– Mais nous n'avons pas besoin de tout ce monde !

– C'est juste ce qu'il faut pour une telle maison. Voici Thuy-châu, qui s'occupera de surveiller le travail de chacun. Je la connais depuis longtemps, c'est une femme respectable et honnête. Pour les enfants, elle a recruté Lixia[1] et Jiancir[2] ; elles sont chinoises. Le cuisinier s'appelle Luyên. Khoa et Trân s'occuperont du ménage et des courses. Pour ce qui est du chauffeur, je pense que François voudra s'en occuper lui-même...

– Un chauffeur ? Nous pouvons conduire nous-mêmes !

1. « Commencement de l'été ».
2. « Vœux de santé ».

– Je ne vous le conseille pas. Ce ne serait ni sûr, ni convenable. Je vais vous montrer les chambres...

François ne revint qu'en fin d'après-midi, fatigué et de mauvaise humeur. Il retrouva le sourire devant le joli tableau formé par Léa et Lien jouant dans le jardin avec les enfants. Son amie d'enfance vint vers lui en rougissant. Il l'embrassa avec un évident bonheur.

– Que tu es belle, petite sœur !

Contre lui, le corps mince se raidit.

– Cette maison n'était-elle pas à ta mère ?

– Elle est à moi, maintenant. Je suis heureuse que ta famille et toi en profitiez. Je souhaite que vous y soyez heureux.

– Oncle François, viens voir le jardin, on dirait la jungle ! dit Charles en voulant entraîner François.

– Je le connais, j'y venais quand j'avais ton âge. Disons que c'est une jungle à l'échelle des enfants. Crois-tu que tu te plairas ici, ma chérie ? demanda-t-il en prenant Léa dans ses bras.

– Oui, beaucoup. Bien que tout soit on ne peut plus différent, il y a ici comme un air de Montillac. De toute façon, avec toi, je serais heureuse partout. Comment s'est passé ton rendez-vous avec le haut-commissaire ?

– Avec un certain soulagement... L'arrivée de De Lattre lui ôte une grosse épine du pied. Le début des hostilités en Corée a accéléré les livraisons de matériel en provenance des États-Unis. Pignon compte beaucoup, en sus des quarante chasseurs arrivés le mois dernier, sur les huit *Dakota*, les bateaux « *landing-craft*[1] », l'équipement et l'armement de douze bataillons vietnamiens, le tout fourni sous couvert de

1. De débarquement.

la participation de conseillers militaires américains. C'est beaucoup moins qu'espéraient les autorités françaises et le gouvernement de Bao Dai, mais il faut encore y ajouter seize bombardiers qui doivent arriver d'un jour à l'autre.

– Mais pourquoi des chasseurs, des bombardiers ? Ce sont les populations qui vont être les premières touchées... s'exclama Lien.

– Le haut-commandement assure que ne seront bombardés que les points stratégiques.

– C'est ce que disent tous les militaires du monde, dit Léa en lui servant un cognac-soda qu'il avala d'un trait.

– Merci, j'en avais grand besoin. Je vais prendre une douche. Tu m'accompagnes ?

La douche fut prétexte à des jeux qui se terminèrent sur le sol glissant de la salle de bains. Ils venaient juste de se rhabiller quand le gong annonça l'heure du dîner. Les cheveux humides, ils firent leur entrée dans la salle à manger en se tenant par la taille. La table était mise à la vietnamienne, c'est-à-dire avec une profusion de plats. Charles avait beaucoup de mal avec ses baguettes, malgré les conseils de Lien. Quand il parvenait à attraper une bouchée, il s'écriait :

– Que c'est bon !

– Ce repas est somptueux, renchérit François en reprenant des beignets de crevettes. Tu m'avais parlé de pénurie, dans tes lettres. Les choses vont mieux, on dirait !

– Seulement dans le Sud. À Hanoi, c'est la disette. Depuis les défaites de la R.C.4, la plupart des commerçants chinois ont fermé boutique. Tout est à vendre : cinémas, restaurants, hôtels, villas. On se croirait revenu en 46. Le pont Paul-Doumer est gardé par des Bambaras armés de fusils-mitrailleurs ; sur le fleuve Rouge flottent trois barrages de mines. Tous les blindés sont au nord de la ville ; à chaque carrefour, il y a des postes de police protégés par des sacs de sable. Le quartier de la Citadelle est entouré de chars lourds. De fausses informations circulent, affolant les civils. Quant aux chefs de l'armée, leur pessimisme est grand. Après le désastre de la R.C.4, M. Pignon est venu à Hanoi. Avec le général Boyer de la Tour, il a circulé dans une ville en état de siège. Pour rassurer ce qu'il reste de Français, il les a conviés, avec des journalistes de la métropole et de l'étranger, au Palais du Gouvernement, pour leur dire que Hanoi ne serait pas livré aux fanatiques viêt-minh : « Nous connaissons le prix de la défense : du sang et des larmes. Nous nous battrons. Nous défendrons la ville quartier par quartier, rue par rue, maison par maison... »

– Pignon par pignon ! ajouta François en s'esclaffant.

– Tu es déjà au courant ? fit Lien d'un ton déçu.

– Oui, on s'est empressé de me raconter ce ridicule épisode, et les durs propos tenus par le bâtonnier Bona, avec lesquels je suis d'accord. Au haut-commissariat, ils ont l'air de croire que l'arrivée de De Lattre va tout arranger. Qu'en penses-tu, toi ?

– Je suis métisse, ne l'oublie pas. De part et d'autre, on se méfie de moi. D'après Bernard, ce qui s'est passé à Lang Son, à Cao Bang ou à Hoa Binh n'aurait pas dû avoir lieu. La bêtise et l'incompétence des états-majors ont été cause de cette déroute.

– Bernard combat à leurs côtés ?

– Oui, il est sous-lieutenant, peut-être même lieutenant à présent. Il s'est juré de tuer le plus grand nombre de Viêt-minh pour venger la mort de sa femme et de son enfant et empêcher les communistes de prendre le pouvoir. Il est, paraît-il, impitoyable. Quant à Hai, grâce à la protection du président Hô Chi Minh, et bien que métis, il a accédé à un grade important. Il a adhéré au Parti et juré de chasser l'envahisseur français.

– Et toi, lui souffla affectueusement François, où te trouves-tu ?

– Je n'en sais rien, répondit Lien. Je souhaite à la fois la fin de cette horrible guerre et l'indépendance de mon pays...

– Vous êtes également française... observa Léa.

– Française de nom. Rivière, c'est on ne peut plus français, n'est-ce pas ? Française de nationalité, oui, mais vietnamienne de cœur. Regardez-moi : vous voyez bien que je suis vietnamienne !

La jeune femme, qui ne buvait presque jamais d'alcool, tendit son verre.

– Verse-moi du vin, ordonna-t-elle à François qui obéit.

– Après la démission de Nguyen Phan Long, reprit-elle, j'ai cru un moment que l'empereur Bao Dai pourrait rassembler autour de lui le peuple vietnamien non communiste. C'est à un Cochinchinois, citoyen français, Tra Van Huu, qu'il a alors confié le soin de former un nouveau gouvernement. Grâce au nouveau chef de la Sûreté, Doc Phu Tam, il a réussi à établir la sécurité dans les villages du Sud et à Saigon-Cholon. Mais, à mon avis, cela ne peut être que provisoire, et l'aide américaine ne fera que prolonger la guerre face à un Viêt-minh sans cesse renforcé par la Chine.

– Tu crois que la présence française est définitivement condamnée ?

– Oui. Même si tout le peuple vietnamien n'est pas communiste, il se réunira pour chasser tout ce qui, de près ou de loin, lui rappelle le colonialisme.

– Mais l'armement occidental n'est-il pas supérieur aux armements chinois et soviétique ? demanda Léa.

– Et alors ? Pour le moment... Et que peuvent des armes et des bombes contre la volonté de tout un peuple ?

– Elles peuvent le tuer.

– Elles peuvent tuer des milliers, des millions de gens, mais elles ne pourront venir à bout de la volonté d'indépendance du peuple vietnamien. Cela durera peut-être des années, mais, au bout du compte, nous vaincrons.

– On croirait entendre *une des leurs*, comme on me disait en France ! dit François.

– Je le suis par le cœur, parce que leur combat est juste.

Rappelle-toi, quand nous étions adolescents, tu pensais la même chose que Hai et moi...

– Je partage toujours ton sentiment pour ce qui est de l'indépendance. Pas forcément sur les moyens d'y parvenir. Je ne crois pas à la réussite du gouvernement Bao Dai ; il est trop coupé du peuple, en particulier des Tonkinois. Ce n'est pas l'aide américaine qui pourra le maintenir en place. Il n'est qu'un leurre face à la montée du communisme. Beaucoup d'éléments me manquent pour apprécier la situation, mais je ne crois pas non plus à la pacification prônée par le général Carpentier, malgré ses cent cinquante mille hommes. Le désastre de Cao Bang et l'abandon en panique de Lang Son ont démoralisé les troupes. L'armée n'a plus confiance en ceux qui la commandent...

– Le général de Lattre est là pour changer tout cela, fit remarquer Léa.

– Dans un premier temps, sûrement. Mais, à la longue, je n'y crois pas davantage.

– Pourquoi as-tu alors accepté de revenir ici ? s'exclama Léa avec colère.

– Ce n'est pas facile à dire. Même si je pense notre cause perdue, je veux essayer encore une fois d'aider ce pays et le mien.

– Mais c'est en contradiction avec tout ce que tu m'as toujours dit sur l'indépendance, le président Hô Chi Minh, l'histoire du Viêt-nam ! Petite, je trouvais normal l'empire colonial français ; comme tous les enfants de mon âge, je croyais que la France apportait la civilisation au reste du monde. Depuis la guerre, je sais que ce n'est pas vrai, que tous ceux qui portent un uniforme ne veulent qu'une chose : combattre ceux qui ne portent pas le même uniforme qu'eux et soumettre ceux qui n'en portent pas ! Il se passe ici la même chose qu'en France ! s'écria Léa.

– Tu ne vas pas me ressortir ces comparaisons entre la

résistance française et la résistance vietnamienne... C'est complètement éculé !

– Pas pour moi ! Les hommes qui combattent pour leur liberté ont les mêmes droits partout.

Lien posa sa main sur celle de la jeune femme.

– Si vous êtes deux contre moi, j'abandonne ! fit François en remarquant le geste.

Tous trois restèrent un moment silencieux.

– Qu'est devenu Kien ? demanda Léa.

Le délicat visage de Lien s'empourpra.

– Il est devenu un des maîtres de Cholon et fait la loi au *Grand Monde* en compagnie de Bay Vien.

– Je vois, dit Léa. C'est donc un bandit. Il est vrai qu'il avait des dispositions...

Lien baissa la tête, confuse. François vint à son secours.

– Ici, on ne peut pas dire les choses comme ça. Tu es en Asie, les notions de Bien et de Mal ne sont pas les mêmes. Un bandit peut être un honneur pour les siens...

– Je te remercie, François, mais ce n'est pas un honneur pour moi d'être la sœur de Kien, bien que je l'aime tendrement et lui sois dévouée. J'ai honte en pensant à notre père et à notre mère et, surtout, à grand-père. J'en viens à remercier les dieux qu'ils soient morts et ne puissent voir un descendant de nos rois trafiquer de la drogue, de la piastre et des femmes.

– Maintenant, il est proxénète ? Il ne lui manquait plus que ça ! s'exclama Léa.

François esquissa un geste conciliant.

– J'irai le voir. Je suis sûr que ce n'est pas si tragique que Lien a l'air de le dire.

– Oh oui, va le voir ! s'écria la jeune femme, oubliant que Kien avait tenté de tuer François. Toi, il t'écoutera. Moi, sa sœur, je ne suis à ses yeux qu'une femme...

– Sait-il que nous sommes ici ?

– Oui.

– Eh bien, nous irons le voir ensemble. Tu viendras ?

– Tu n'y penses pas ! Une femme convenable ne va pas au *Grand Monde* ! s'exclama Lien en baissant la tête.

François éclata de rire :

– Alors, Léa n'est pas une femme convenable ?

– Je n'ai pas voulu dire cela, balbutia Lien.

– Je sais, je plaisantais ! Je m'en vais fumer un cigare au jardin... Après, j'irai me coucher, je suis crevé !

Elles regardèrent s'éloigner l'homme qu'elles aimaient. Une bouffée d'arôme de tabac arriva jusqu'à elles, mêlée à l'odeur des plantes fraîchement arrosées. Léa alluma à son tour une cigarette et se mit à fumer, pensive, les yeux dans le vague.

8.

Dans le hangar de l'aéroport de Tan Son Nhut transformé en salon de réception, tout ce que Saigon comptait de notabilités civiles et militaires attendait, en cette fin d'après-midi du 17 décembre 1950, l'arrivée du général de Lattre. Le soleil tapait fort sur le toit en tôle du hangar ; les hommes vêtus de blanc ou de beige s'épongeaient le visage ; les robes claires des femmes leur collaient à la peau, la sueur perlait au-dessus de leurs lèvres. Cette foule habituellement caquetante était assez silencieuse ; on l'eût dite dans l'attente d'une mauvaise nouvelle plutôt que dans celle d'un sauveur. Parmi ces gens-là, Léa se sentait étrangère, mais François avait exigé qu'elle assistât, de même que Lien, à l'arrivée de celui qu'on appelait le « roi Jean ». À la dérobée ou plus ou moins ouvertement, chacun examinait ce nouveau visage et celui de la jeune métisse qui l'accompagnait, fraîche et élégante dans sa tunique vietnamienne. L'une était en rouge, l'autre en jaune. La robe rouge de Léa dénudait son dos et ses bras ; son chapeau de paille noir à larges bords, orné d'une rose écarlate, soulignait l'insolence de l'étroit fourreau. Des sandales de cuir noir à très hauts talons, un petit sac assorti complétaient sa mise audacieuse.

– Madame Tavernier.

Léa regarda venir à elle un jeune Vietnamien au costume immaculé. Elle eut l'impression d'avoir déjà vécu cette scène.

– Monsieur Müller !

– Vous vous souvenez de moi ! C'est une grande joie et un honneur pour moi.

– Je n'ai pas oublié que vous êtes la première personne à m'avoir accueillie à Saigon. Lien, je vous présente Philippe Müller, dont je vous ai déjà parlé. Monsieur Müller, voici l'amie d'enfance de mon mari, mademoiselle Lien Rivière.

Les deux jeunes gens se serrèrent la main.

– Et moi, on ne me dit pas bonjour ?

Après un moment d'hésitation, Léa reconnut Lucien Bodard, le journaliste au costume froissé et à la chemise maculée de sueur.

– Ils vont nous faire crever, là-dessous ! souffla-t-il en s'épongeant le front. Vous voici donc revenue, madame, dans notre belle colonie. J'ai appris avec joie que vous aviez retrouvé votre époux. J'aimerais le rencontrer. Où est-il ?

Léa désigna de la main un groupe qui entourait le haut-commissaire, Léon Pignon, et le commandant en chef, le général Carpentier.

– Il fait partie des huiles ! Que vient-il faire dans cette galère ?

– François est ici à la demande du général de Lattre.

– Comme moi... Il a demandé à ses officiers quel était le journal français le plus important. *« Le Monde »,* a dit l'un ; *« le Figaro »,* a dit l'autre. « Vous vous trompez, a tranché le général, c'est *France-Soir* ! » Et il a ajouté : « Dorénavant, je veux que le correspondant de *France-Soir* soit à mes côtés partout où je vais. » Comme c'est moi, le correspondant, me voici !

Un de ses collègues le tira par la manche :

– Lucien, on te cherche partout, l'avion est annoncé !

– J'arrive ! Au revoir, madame Tavernier, à bientôt...

L'appareil se présenta en bout de piste pour s'immobiliser devant l'aérogare. La passerelle fut roulée jusqu'à la porte du quadrimoteur. La porte s'ouvrit, chacun retint son souffle. *La Marseillaise* éclata. Un homme rond, en costume blanc sur lequel se remarquait la rosette de la Légion d'honneur, chapeau à la main, descendit à pas prudents. C'était le ministre des États associés, Jean Letourneau. Il était presque arrivé au bas de la passerelle quand apparut, tout en haut, le héros tant attendu et tant redouté. Le général de Lattre resta un instant immobile dans sa grande tenue blanche que rehaussait une cravate noire et une double rangée de décorations. Sur sa manche gauche, l'insigne de Rhin-et-Danube, les deux galons jaunes des Commandos de France et le liséré vert de 1re classe de la Légion. Puis il descendit lentement, les mains gantées de daim blanc, appuyé sur sa canne. Il regarda devant lui d'un air hautain. Quand il toucha le sol vietnamien, il s'immobilisa au garde-à-vous jusqu'à la fin de *la Marseillaise*. Puis il passa en revue les troupes et salua les drapeaux. Léon Pignon et le général Carpentier le suivaient, mal à l'aise. Il est vrai que le salut du « roi Jean » avait été des plus glacials. Derrière lui étaient descendus, dans leurs uniformes impeccables de grands faiseurs, les hommes de son *staff*, tous officiers prestigieux. Parmi eux, Raoul Salan, surnommé « le Chinois » ou « le Mandarin » pour sa connaissance de l'Asie et de la langue vietnamienne.

Devant les troupes, le général déclara : « Je suis fier de me retrouver à la tête d'une armée française qui se bat. J'apporte et j'offre à cette terre mon plus total dévouement. Je viens en soldat, avec une loyauté entière, tenir la parole de la France qui entend parachever l'œuvre qu'elle a entreprise dans ce pays. »

La voix sèche, l'élégance sévère de la silhouette, la raideur, le nez busqué aux narines pincées, tout en lui fascinait la foule de civils et de militaires rassemblés. C'est que le général de Lattre de Tassigny arrivait précédé d'une réputation de mégalomane ne supportant pas la contradiction. Brutal, souvent injuste, dédaigneux, soucieux de son image, il était exigeant envers les subordonnés, dur envers les officiers supérieurs, mais aussi capable de magnanimité et fidèle à ses amitiés. Pour certains, c'était un satrape ; pour d'autres, un paladin. Il était aimé ou haï sans mesure, craint toujours. Il avait fait charger à bord de l'avion des milliers de colis de Noël destinés aux soldats...

Quand il salua, François Tavernier ne put s'empêcher de penser : « Quel cabot ! » Le général s'installa dans sa voiture, ovationné par la foule. François prit place parmi l'escorte qui roula bientôt à cent à l'heure dans les rues de Saigon. Le soleil couchant faisait étinceler les grilles dorées du palais Norodom, résidence du haut-commissaire ; entre le vert des pelouses et le sable rouge des allées, les sentinelles en chapeau chinois à pointe de cuivre présentaient les armes.

Philippe Müller raccompagna Léa et Lien rue Pellerin. Léa l'invita à prendre un rafraîchissement. Les boys s'empressèrent tandis que les *assam*[1] emmenaient les enfants. L'espace de quelques instants, le jardin retentit de cris et de rires.

– Comment était le général ? demanda Charles.

– Comme un général, répondit Léa en s'éventant avec son mouchoir.

Cette réponse laconique parut suffire au garçon qui se replongea dans la lecture de *Spirou*.

Pendant que Lien passait les consignes pour le dîner, Léa donnait à Philippe des nouvelles de France : de son oncle et de sa tante, Joseph et Myriam Binder, qu'elle était allée saluer et remercier lors de son retour à Paris ; des films *Stromboli* et *La Charge héroïque*, qu'elle avait vus avant son départ ; de la dernière pièce de François Mauriac, *Le Feu sur la terre*, du prix Femina qu'elle n'avait pas encore lu ; de la mort de la journaliste Andrée Viollis qui avait attristé François...

– Je ne savais pas qu'elle était morte. Mes parents l'ont

1. Nourrices.

bien connue quand elle est venue à Saigon en 1931, accompagnant M. Paul Reynaud, alors ministre des Colonies. Elle est restée quelque temps après le départ du ministre. C'est grâce à mon père qu'elle a pu rencontrer le pape des caodaïstes[1], M. Le Van Trung.

– Mon mari m'a fait lire son livre, *Indochine S.O.S.* Il m'a permis de comprendre pas mal de choses sur ce qui se passait ici avant-guerre. Et maintenant, est-ce toujours pareil ? demanda Léa.

– On n'ose plus traiter les indigènes de la même manière, mais les trafics en tous genres vont toujours bon train. Il y a eu quelques attentats qui ont effrayé les Blancs. Vous souvenez-vous de cette soirée à Cholon, lors de votre arrivée ?

– Très bien !

– Bay Vien, qui vous avait reçue, est devenu encore plus puissant. Il commande à une véritable armée et l'on ne sait jamais s'il est du côté français ou du côté viêt-minh. Quant au frère de Mlle Rivière, c'est un jeune homme respecté et... redouté ! Comment s'est-il comporté avec vous ? Je m'en suis voulu de vous avoir laissée partir avec lui.

– Vous n'aviez guère le choix. Il a été très correct, si c'est ce que vous voulez savoir, mais je ne tiens pas à le revoir...

– Ce sera difficile, il a ses entrées au haut-commissariat, et vous demeurez chez sa sœur.

Une sonnerie retentit dans la maison. Peu après, Thuychâu accourut pour dire à Léa :

– Monsieur Kien Rivière vient vous rendre visite, madame.

Léa se leva d'un bond et répondit avec colère :

– Je ne veux pas le voir !

Trop tard : il arrivait en compagnie de Lien. Philippe Müller se leva à son tour :

1. Cao Dai : religion vietnamienne associant bouddhisme, taoisme, confucianisme et christianisme fondée en 1920 par Ngô Van Chiên.

– Permettez-moi de prendre congé. J'espère que nous nous reverrons ; voici ma carte. Cela a été un plaisir...

– Je vous fais fuir, monsieur Müller ? fit la voix de Kien.

– Non, monsieur Rivière. J'ai un rendez-vous.

– Important, sans doute ?

– Très important. Mes respects, mademoiselle. À bientôt, madame...

– Au revoir, monsieur Müller... Je vous reconduis, monsieur Müller, bredouilla Lien.

Tandis qu'ils s'éloignaient, Kien s'assit.

– Vous êtes encore plus belle que la dernière fois, dit-il en s'emparant du verre que lui tendait le boy.

« Lui aussi est encore plus beau... », pensa Léa en rougissant. Furieuse contre elle-même, elle se détourna. Le mélange des races atteignait chez lui, comme chez sa sœur, la perfection. Du côté asiatique, il avait pris les cheveux noirs, le teint ambré, les yeux légèrement bridés ; du côté européen, une haute taille et ce maintien qu'inspire une grande confiance en soi. Les femmes, dans la rue, se retournaient sur lui ; les hommes s'en montraient jaloux. Tous le craignaient. La bonne société européenne le recevait à contrecœur ; même le très sélect *Club sportif* le comptait parmi ses membres. Après tout, n'était-il pas français, issu d'une bonne famille lyonnaise ? Il émanait de lui une force brutale et animale à laquelle Léa se savait sensible, malgré la haine et le mépris qu'elle lui vouait. Mais ce qui la mettait hors d'elle, c'est qu'elle l'en savait conscient. Ces deux-là se jaugeaient comme des bêtes féroces, l'une attendant que l'autre donnât un premier signe de faiblesse. Le jeune homme s'était juré qu'elle serait à lui. Il attendrait son heure. Il ne manquait pas de femmes de colons ou d'officiers désœuvrées ni de splendides Chinoises au corps docile pour lui permettre de patienter.

Riant et se bousculant, les enfants firent diversion par leur arrivée.

– Voici Adrien, mon fils, et Charles, mon fils adoptif.

Le regard reconnaissant que Charles lança à Léa n'échappa pas à Kien qui résolut de séduire le garçon.

– Tu en as, de la chance, d'avoir une mère aussi belle ! Aimes-tu les animaux ?

– Oh oui.

– Si ta mère le permet, je t'emmènerai au Jardin botanique, où il y a un zoo, et je te présenterai *Ong Cop*.

– Qu'est-ce que c'est, un *onco* ?

Kien éclata d'un rire joyeux. « Comme il est jeune... », pensa Léa.

– *Cop,* c'est un tigre, mais ici, au Viêt-nam, on dit *Ong Cop*, ce qui veut dire « monsieur le Tigre ». Cela te plairait de faire sa connaissance ?

Charles se tourna vers Léa avec un tel désir dans le regard que la jeune femme ne put que répondre :

– On ira ensemble.

Le sourire de Charles valait tous les remerciements. Quant à Kien, il détourna les yeux pour cacher sa jubilation.

– Quand y allons-nous ? demanda le petit garçon.

– Demain, si tu veux..., fit Kien.

– Demain, ce n'est pas possible. J'ai encore toutes nos affaires à ranger, dit Léa.

– Je passerai donc vous prendre après-demain. D'accord ?

Léa acquiesça, impatiente de se débarrasser de la présence du visiteur.

– Vous saluerez François pour moi...

– Ce ne sera pas nécessaire, me voici, fit ce dernier qui venait de rentrer.

Les deux hommes se serrèrent la main.

– Je n'aurais jamais pensé que tu reviendrais te jeter dans la gueule du loup ! s'exclama Kien en allumant une cigarette.

Lien et Léa s'entre-regardèrent.

– Avec de Lattre, le loup va avoir du fil à retordre. Le bonhomme n'est pas commode et il est bien décidé à reprendre l'armée en main. Au fait, dans quel camp es-tu : français ou viêt-minh ?

– Dans le mien, fit Kien avec un sourire équivoque. Je ne suis pas très pressé de voir la fin de cette guerre, on y gagne beaucoup d'argent.

– Toujours voyou, à ce que je vois ! laissa tomber François d'un air indifférent.

Kien serra les poings ; il aurait préféré de la colère, voire du mépris à cette désinvolture, à ce désintérêt. Il se sentait rejeté comme il l'était déjà, enfant, des jeux de ses aînés. Refusant de perdre la face, surtout devant Léa, il s'astreignit à son tour à montrer le plus grand flegme.

– Voyou au sens occidental du terme, si tu veux... Mais, ici, à Saigon-Cholon, je suis un caïd.

– Tu m'en diras tant !

Lien s'approcha et posa la main sur le bras de son frère.

– Veux-tu venir un instant ? Je voudrais te montrer quelque chose...

Tandis que le frère et la sœur s'éloignaient, François attira sa femme contre lui.

– J'aimerais qu'il ne mette pas trop souvent les pieds ici. C'est devenu une fripouille dangereuse et très compromettante. S'il continue, il va s'attirer des représailles de l'un et l'autre camp.

– Pourquoi ?

– Il vend des armes au Viêt-minh et de l'opium à l'armée, sans compter le trafic des piastres qu'il pratique à grande échelle.

– Comment l'empêcher de venir voir sa sœur ?

– J'en parlerai à Lien. S'il le faut, nous déménagerons.

– Quoi ? Déjà ! Nous venons à peine d'arriver... Il a proposé à Charles de l'emmener voir les animaux du Jardin botanique.

– Depuis quand s'intéresse-t-il aux bêtes ? Petit, il n'avait qu'indifférence pour les animaux, comme souvent les Asiatiques. Mais assez parlé de lui ! Viens dans la chambre.

– Je croyais que nous devions aller au haut-commissariat, à la réception...

– Ils attendront !

Le matin du 19 décembre 1950, François Tavernier partit pour Hanoi à bord du *Dakota* du général de Lattre qui avait tenu à « prendre possession » de la capitale du Tonkin le jour anniversaire de l'attaque du Viêt-minh, le 19 décembre 1946. Cette attaque, qui avait failli coûter la vie à Jean Sainteny, avait servi de prétexte à l'élargissement du conflit après le bombardement par la flotte française du port de Haiphong, le 20 novembre, lequel avait fait des milliers de victimes parmi la population vietnamienne.

L'arrivée sur Hanoi fut néanmoins retardée, le général ayant envoyé un télégramme à Sa Majesté Bao Dai pour le rencontrer et l'empereur ayant répondu par une invitation à déjeuner pour le jour même. De ce fait, l'avion se posa sur le petit aéroport de Dalat vers 12 heures. Des limousines vinrent prendre de Lattre et sa suite au pied de l'appareil.

– Il va avoir du fil à retordre avec Sa Majesté ! souligna Lucien Bodard qui avait pris place près de François. Le Vieux est furieux qu'il ne soit pas venu l'accueillir à son arrivée à Saigon. Devant moi, il l'a traité de « maquereau », de « gueule de farces et attrapes », de « majesté de merde », et j'en passe... Mais là, il se trompe. Sous ses airs de *play-boy* débauché, Bao Dai n'est pas un idiot. Je suis certain qu'il n'acceptera pas d'aller à Hanoi, comme le désire de Lattre. Ce serait perdre la face devant son peuple.

Le déjeuner fut excellent et dura longtemps. L'empereur et le général firent assaut de politesses. Les yeux cachés derrière des lunettes noires, Bao Dai, vêtu d'un complet-veston impeccablement coupé, souriait et hochait la tête d'un air bonhomme. Mais, comme prévu par Bodard, « le souverain des boîtes de nuit », ainsi que l'appelait son hôte, refusa tout net d'accompagner le commandant en chef des forces françaises prendre possession de ses troupes à Hanoi. Déconfit, celui-ci prit congé, suivi du ministre Letourneau et de son *staff*. Dans l'avion, il laissa exploser sa colère : « Nous nous battons pour le roi de Prusse, un roi de Prusse qui est un mufle et n'a même pas un mot de reconnaissance pour ceux dont les sacrifices couvrent ses amusements ! »

Durant tout le voyage, de Lattre ne cessa de s'entretenir avec le général Salan. « D'ailleurs, "le Chinois" parle le vietnamien, ce qui nous sera bien utile », avait précisé le gouverneur Georges Gauthier, spécialement recommandé par le ministre de la France d'Outre-mer, François Mitterrand. Gauthier, comme Jean Aurillac, nommé conseillé auprès de De Lattre, avait fait partie du cabinet de l'amiral Decoux pendant l'occupation japonaise.

Assis à côté de François, le colonel Beaufre semblait perdu dans ses pensées. Derrière lui, des bribes de phrases lui parvenaient malgré le bruit des moteurs : « Il faut "vietnamiser" l'armée... le "jaunissement" de l'armée s'impose... il faut que les Vietnamiens eux-mêmes s'engagent en masse contre le Viêt-minh... en fait, très peu sont communistes... avec de Lattre, les choses vont changer... Le "Chat-huant[1]" n'a pas dit son dernier mot... »

Le temps était couvert ; on avait froid dans l'appareil.

Le *Dakota* atterrit à 17 heures à Hanoi. Il faisait sombre, un crachin persistant poissait tout. Les notables venus

1. Surnom donné au général de Lattre dans la clandestinité, sous l'Occupation.

attendre le général étaient transis ; ils piétinaient depuis le début de l'après-midi. Dans les phares des véhicules qui éclairaient la piste, l'escorte du nouveau commandant en chef s'avança vers les autorités grelottantes. Il salua avec courtoisie le représentant de l'empereur Bao Dai, le gouverneur du Tonkin, Nguyen Huu Try, dont le visage impassible dissimulait le mécontentement. Impatient de se rendre dans la ville, de Lattre écourta les salutations. Il aspirait à relever le défi lancé, disait-on, par Hô Chi Minh qui s'était promis de défiler à la tête de son armée victorieuse dans les rues de Hanoi ce 19 décembre. Par ailleurs, la radio viêt-minh n'avait-elle pas annoncé la prise de la capitale du Nord avant la fête du *Têt*[1] ?

Le cortège se mit en route. Au loin, on entendait tonner le canon ennemi. On roula à vive allure. Les paillottes et les maisons qui n'avaient pas été détruites semblaient abandonnées de leurs habitants. À l'entrée du pont Paul-Doumer, des troupes présentèrent les armes.

– Plus vite ! ordonna le général.

Les rues qui menaient au Petit Lac étaient désertes. Le quartier chinois lui-même avait l'air mort. Le général, très raide dans son uniforme impeccable, monta sur une estrade dressée à la hâte face aux eaux mornes du lac, salua l'évêque de Hanoi et les quelques personnalités présentes. Le crachin continuait de tomber, il faisait déjà presque nuit. Les officiels se regroupèrent au pied de la petite estrade. Au bas des marches, l'adjudant René Leguéré, choisi parce qu'il était le sous-officier le plus décoré de la garnison, se tenait droit comme un piquet, portant le fanion du 10e bataillon de parachutistes. Sur ordre du général, des troupes, qui la veille encore, combattaient, avaient été convoyées sur Hanoi pour être présentées à leur nouveau chef, lequel n'avait pas hésité à

1. Célébration du début de l'année lunaire, symbole de renouveau et de prospérité.

dégarnir ainsi le front. Certains, parmi les officiers, murmuraient que c'était pure folie, que le Viêt-minh aurait beau jeu d'en profiter pour déclencher l'offensive.

– Tout autre que de Lattre comparaîtrait en conseil de guerre pour inconscience ! s'exclama un colonel.

– Quel panache, le vieux ! bougonna une voix éraillée près de François.

Il reconnut le correspondant de *France-Soir*, Lucien Bodard.

– Vous allez pouvoir vous en donner à cœur joie, dans votre canard !

– Je ne vais pas me gêner ! Quel bonhomme !

« Que mes bataillons défilent ! », lui fera dire plus tard le chantre de la guerre d'Indochine. La fanfare joua les airs martiaux de circonstance et les huit bataillons requis se mirent alors en marche, éclairés par les phares des camions militaires. D'abord les Arabes du groupe mobile nord-africain, maigres comme des loups, conduits par le colonel Edon, colosse tranquille ; puis les Vietnamiens servant sous l'uniforme français. Parmi eux, François reconnut Bernard Rivière, dépassant d'une tête ses compagnons. Malgré leurs tenues misérables, tachées, reprisées à grands points, ces soldats, tête droite et buste fier, ne manquaient pas d'allure.

– Voyez comme ils sont beaux ! s'écria de Lattre.

Quand, de leur pas lent, passèrent les hommes de la Légion dans leurs oripeaux boueux et déchirés, coiffés de chapeaux de brousse cabossés, maculés de sueur, le général, comme fasciné, descendit de l'estrade et s'approcha des combattants qui défilaient sans tourner le regard, presque à le toucher. L'odeur forte qui se dégageait de leurs rangs l'enveloppa, parut le griser, le transfigurer, l'humaniser enfin. De sa main gantée, il salua longuement ces guerriers dont bien peu étaient français mais qui combattaient pour la France dans cette Légion qui les avait accueillis sans leur demander de comptes.

– Comme ils sont beaux ! répéta-t-il en les regardant s'éloigner dans la nuit maintenant tombée.

Autour du lac, de petites lumières s'étaient allumées. On devinait une foule. Vietnamiens et Français, les habitants de Hanoi, étaient sortis de leur tanière. Le panache du « roi Jean » rassurait les deux communautés au point que les marchandes de soupe avaient fait leur réapparition. La ville reprit vie ; on entendit même des rires et des cris d'enfants.

Le général Boyer de Latour, commandant les troupes du Tonkin, vint saluer le général.

– Je veux tout de suite voir le maximum d'officiers et de sous-officiers à la Maison de France, tels qu'ils sont, dit-il sèchement à celui qui avait ordonné l'évacuation des femmes et des enfants.

De Lattre, visiblement, n'avait que mépris pour lui.

La musique et les soldats cantonnés à Hanoi repartirent vers la Citadelle, tandis que les autres remontaient dans les camions qui les avaient amenés en traversant parfois les lignes ennemies. Certains redoutaient leur retour dans la nuit, car chacun savait qu'elle appartenait au Viêt-minh ; mais tous pensaient qu'avec un pareil chef, ce ne serait plus pour longtemps...

À la Maison de France, de Lattre poursuivit sa reprise en main de l'armée en se montrant tour à tour ferme et enjôleur : « J'ai accepté ma mission sans garanties objectives et pour retrouver ceux qui attendaient une poigne et quelqu'un pour les commander. Quoi qu'il arrive, je serai avec vous. Je suis venu pour les lieutenants et les capitaines. Les jeunes officiers supportent tout le poids de cette guerre, c'est par eux que le contact est maintenu entre le peuple vietnamien et la France, c'est eux qui remplissent le fossé qui a pu être creusé par les malentendus entre le Viêt-nam et la France. C'en est fini des abandons. Le Tonkin sera tenu. Nous maintiendrons. Désormais, vous serez commandés ! »

Le regard des jeunes officiers brillait, tous se reprenaient à espérer. Enfin un chef !

Comme tout un chacun, François Tavernier était sous le charme. « Quel culot !... Quel comédien ! » pensait-il.

9.

Un câble venu de Haiphong annonça à Léa que François ne serait pas auprès d'elle pour les fêtes.

Léa s'était pourtant fait une joie enfantine à l'idée de passer ce Noël en famille. Grâce à Lien, elle avait déniché chez un marchand chinois de Cholon des santons grossièrement sculptés dans du bois, des boules et des guirlandes de couleur. Lien avait même réussi à dégotter un arbre ressemblant, si l'on n'y regardait pas de trop près, à un sapin. Charles s'était chargé de le décorer, aidé par Adrien.

– C'est joli, avait fait le petit garçon en battant des mains.

« C'est affreux », avait pensé Léa.

De fait, l'arbre de Noël avait l'air tristounet avec ses maigres guirlandes sans éclat et ses boules aux teintes passées. La déception de Léa était si évidente que Charles la remarqua. Aussitôt, ses yeux s'emplirent de larmes.

– Pardon, murmura-t-il.

– Pardon pourquoi, mon chéri ? Tu as fait ce que tu as pu ; il est très beau, ton arbre.

– Tu dis ça pour me faire plaisir. Je sais bien que ce n'est pas vrai... Oh, Kien, tu dois pouvoir m'aider !

Que faisait-il là encore ? Chaque jour, il trouvait un prétexte pour venir rue Pellerin. Rien à lui reprocher : il était charmant, couvrant les enfants de cadeaux, faisant envoyer des fruits et des fleurs.

Il avait été un très bon guide lors de leur visite au Jardin botanique et au zoo. L'endroit était mélancolique ; on sentait qu'il restait bien peu de chose de sa splendeur passée. Les jardiniers se contentaient d'un minimum d'entretien.

Les volières étaient à moitié vides, trois jolies loutres s'ébattaient dans un bassin verdâtre, un ours énorme somnolait dans son coin. Quant à *Ong Cop,* il avait l'air familier d'un gros chat. Créé en 1864 par l'agronome Pierre, le parc était un des plus beaux d'Extrême-Orient. Autrefois lieu de promenade, les Saïgonnais de la colonie aimaient à se réunir autour de son kiosque à musique pour écouter l'orphéon municipal ou les fanfares militaires. Ce n'était plus à présent qu'un grand jardin désenchanté qui disait mieux que tout le reste la fin d'une époque.

Ce jour-là, Kien était accompagné de ses gardes du corps, deux vieilles connaissances de Léa : le Français Fred et son comparse Vinh. Les trois hommes portaient des costumes de toile blanche ; si celui de Kien était admirablement coupé, ceux de ses amis sortaient visiblement de chez un modeste tailleur de Cholon. Ils avaient les bras encombrés de paquets.

– Vous jouez les Père Noël ? s'enquit Léa d'un ton peu amène.

– Cela me va bien, n'est-ce pas ? Il ne me manque que la robe rouge et la barbe blanche !

– Cessez de faire le pitre. Qu'y a-t-il dans tous ces cartons ?

– Vous le verrez bien : c'est à mettre au pied de l'arbre. Il n'est pas très beau. Heureusement que tonton Kien pense à tout. Charles, prends ce sac, il contient de quoi décorer ton arbre.

Le garçon obéit et s'exclama à chaque colifichet clinquant, clochette, étoile ou boule multicolore. Kien et Charles décorèrent le « sapin » qui finit par ressembler à l'un de ces mâts qu'aiment à agiter les Chinois au cours de leurs processions. Le plaisir des enfants était tel que Léa consentit à sourire :

– Vous les gâtez trop.

– Un enfant n'est jamais trop gâté. Chez nous, les enfants sont rois. Irez-vous à la messe de minuit, demain soir, comme le font la plupart des Européens de Saigon ?

– Je ne suis pas de Saigon, et je ne suis pas allée à la messe de minuit depuis bien longtemps. La dernière fois, c'était avant la guerre, à la basilique de Verdelais, avec mon père, ma mère et mes sœurs...

Ce souvenir voila son regard. Elle baissa la tête. Ainsi, elle avait l'air d'une gamine triste. Charles s'en aperçut et lui prit la main, qu'il porta à ses lèvres. Elle se pencha et déposa un baiser dans les cheveux du garçon.

– Si vous n'allez pas à l'église, peut-être accepterez-vous de réveillonner avec moi en compagnie de quelques amis, puisque François n'est pas là ?

– Comment le savez-vous ?

– Les nouvelles vont vite, en Asie.

– Non, merci. Je préfère rester ici avec Lien et les enfants.

– Vas-y, Léa, ne t'inquiète donc pas pour nous : il y a Lixia et Jiancir pour nous garder.

– Tu es gentil, Charles ; je préfère rester ici.

– Mais...

– Suffit. Va dans ta chambre et emmène Adrien.

Léa alluma une cigarette. Kien s'approcha d'elle :

– Vous lui avez fait de la peine. Cet enfant vous adore. Il pensait que cela vous ferait du bien de vous distraire.

– Kien, fichez-moi la paix ! Je suis ici depuis moins d'une semaine, j'ai eu suffisamment à faire pour n'avoir pas eu le temps de m'ennuyer. Ce n'est pas avec vous que j'ai envie de réveillonner, mais avec mon mari.

– Un mari qui n'est pas là quand vous le désirez

– Cela ne vous regarde pas !

– Que se passe-t-il, Léa ? Kien vous ennuie ? demanda Lien en entrant dans le salon.

– Pas du tout, grande sœur. Je souhaitais simplement

l'inviter pour demain, puisque François n'est pas là. D'ailleurs, je voulais t'inviter également.

– Mais c'est une très bonne idée, à condition que tu nous emmènes dans un endroit convenable.

– Je sais le respect que je dois aux dames, et à ma sœur en particulier, fit-il en s'inclinant très bas.

– Vous devriez accepter, dit Lien à Léa. Je suis certaine que François serait désolé que vous passiez cette fête seule, enfermée à la maison.

L'insistance affectueuse de la jeune métisse rappela fugacement à Léa celle de la mère de Charles, Camille, dont elle avait donné le prénom à sa propre fille. Ce souvenir la décida.

– Je ne veux pas jouer les rabat-joie. C'est d'accord. Mais je tiens à ce que Philippe Müller soit des nôtres.

– Comme vous voudrez. Je passerai vous prendre vers 23 heures. Je veux que vous soyez les plus belles, et que tout Saigon m'envie ! N'oubliez pas vos cadeaux ; vos noms sont sur les paquets. À demain !

Sur le seuil de la salle de bal de l'hôtel Continental, le nouveau propriétaire, M. Franchini, accueillait en smoking le gratin de Saigon venu réveillonner dans son établissement en ce 24 décembre 1950. Une foule élégante se pressait, bavardant debout, un verre de champagne à la main, sous les pales des grands ventilateurs qui brassaient l'air moite cependant qu'au fond, sur une estrade, un orchestre jouait en sourdine. Des maîtres d'hôtel conduisaient les clients jusqu'à leur table après un signe d'approbation de M. Franchini. Pour la circonstance, la direction avait sorti son plus beau linge, sa plus précieuse argenterie, sa porcelaine la plus fine. Les verres de cristal étincelaient sur les nappes blanches aux plis marqués. Au centre, des roses de France mettaient une note de couleur qui faisait concurrence à celle des petites lampes aux abat-jour de soie saumon. Les femmes en robe du soir surchargées de rubans ou de dentelles faisaient des mines. Toutes étaient trop maquillées. La colonie française avait espéré la présence du général de Lattre, mais celui-ci avait préféré rester auprès de ses troupes, à Hanoi, et assister à la messe de minuit avec ses fidèles dans la vilaine église des Martyrs, proche de la Citadelle. Aussi ne voyait-on dans l'assemblée que quelques rares uniformes. Bientôt, chacun et chacune eut gagné sa place. En bordure de piste, non loin de l'orchestre, une table demeurait vide. Les commentaires allaient bon train. Tout ce qui comptait à Saigon était là : à qui pouvait-elle être réservée ? Les *boys* circulaient déjà parmi les convives, quand un groupe de quatre personnes se présenta à l'entrée. Les têtes se tournèrent ; peu à peu, les conversations cessèrent. L'orchestre continuait de jouer. M. Franchini s'avança vers les derniers arrivants :

– Vous êtes en retard, mais, aux jolies femmes, on pardonne tout, dit-il en baisant la main que Léa lui tendait. Madame Tavernier, c'est un honneur pour moi de vous accueillir dans mon établissement en compagnie de mademoiselle Rivière et de mes amis, messieurs Müller et Rivière, pour fêter avec vous votre premier Noël indochinois. Quel dommage que M. Tavernier ne puisse être des nôtres ! Il est avec le général, je crois ?... Venez, je vais vous conduire moi-même.

Un murmure parcourut la salle : qui étaient ces gens – dont trois métis – pour que Franchini se montrât aussi empressé avec eux ? Chez la fraction féminine de l'assemblée, les deux jeunes femmes suscitèrent des sentiments d'envie dénués d'indulgence. Quant aux hommes, ils auraient volontiers plaqué leurs compagnes pour prendre la place des deux métèques. Beaucoup retinrent des sifflements d'admiration ; peu retinrent leurs murmures de désapprobation. En s'asseyant, Léa et Lien sentirent peser sur elles la tension haineuse de la « bonne » société.

– Nous n'aurions pas dû venir, soupira Lien, ravissante dans une longue robe de crêpe blanc dont le savant drapé mettait en valeur son corps magnifique.

– Bien sûr que si ! s'emporta Léa, superbe dans un fourreau noir qui dénudait ses épaules et ses seins, les faisant paraître plus clairs encore.

Quant aux deux jeunes gens en smoking immaculé, leur élégance naturelle mettait en valeur la beauté et la jeunesse de leurs compagnes.

Après les avoir installés et avoir bu un verre de champagne avec eux, Franchini regagna sa place, assailli de questions au passage par ses invités. Visiblement, ses réponses ne faisaient qu'attiser leur aversion et leur mépris. Léa faisait connaissance avec le racisme colonial.

– Ils sont toujours comme ça, les Français de Saigon ?

– Pour nous autres métis, à de rares exceptions près, oui, répondit Philippe Müller. Sauf quand ils ont besoin de nous ou que nous sommes très riches...

– ... ou très puissants, enchaîna Kien.

– Pourtant, vous êtes en partie français...

– Je suis étonnée par votre propos. On dirait que c'est la première fois que vous mettez les pieds sur notre sol ! observa Lien avec une pointe d'agacement.

– Pardonnez-moi, je suis sotte, s'excusa Léa. Mais, n'éprouvant pas de tels sentiments, je suis toujours surprise par leur manifestation.

– C'est une preuve de la grandeur de votre caractère et de la bonté de votre cœur...

– Mon cher Philippe, ne vous méprenez pas : tous ceux qui me connaissent bien vous diront que j'agis plus par instinct que par réflexion.

– Ce qui nous rend semblables l'un à l'autre ! fit Kien.

– Voilà un point de vue que je ne partage pas : je ne veux rien avoir en commun avec vous !

Kien se contenta de sourire en s'inclinant, les poings

crispés sous la table. Pour faire diversion, Philippe leva son verre à la fin de la guerre.

– À la fin de la guerre ! reprirent en chœur ses compagnons.

Avec des gestes de circonstance, le maître d'hôtel leur présenta une grande coupe de caviar reposant sur de la glace.

– Du caviar ! s'exclama Léa. J'adore ça.

– Je vois, fit Kien en riant.

– Oh, pardon.

La jeune femme rougit de s'être si abondamment servie.

– Ne vous gênez pas. Si nous mangeons tout, il y en aura encore.

Embarrassée, Léa regarda autour d'elle. Aux autres tables, les portions étaient plutôt congrues.

– Question de moyens, chuchota Kien à son oreille.

« Quel mufle ! » pensa-t-elle en avalant une pleine cuillerée de petits œufs noirs.

– Vous ne trouvez pas étonnant que nous soyons à plus de quinze mille kilomètres de la France, en pleine guerre, et que nous dégustions des mets rares et coûteux comme si de rien n'était ? dit Philippe Müller.

– N'en a-t-il pas toujours été ainsi ? hasarda la douce voix de Lien.

Léa reposa sa cuiller. Le souvenir des restaurants du marché noir, sous l'Occupation, lui revint en mémoire avec une précision angoissante. Oui, il en allait toujours ainsi, et ce n'était pas pour autant normal. Une bouffée de rage muette l'envahit. Pourquoi devrait-elle passer sa vie à se culpabiliser ? N'avait-elle pas gagné le droit de se gaver de caviar et de se saouler au champagne si cela lui faisait plaisir ? La guerre, toujours la guerre ! Elle n'avait connu que cela, depuis son adolescence. « Tu aimes la guerre », lui avait dit un jour Sarah, peu de temps avant de mourir. Léa se remémora sa stupeur, puis sa colère. « Beaucoup de gens sont comme ça, mais très peu le reconnaissent. François et toi, vous êtes pareils. – Mais François s'est toujours battu contre ! s'était-elle écriée. – Comme tu viens de le souligner, il s'est toujours battu... – C'est idiot ce que tu chantes là ! Et toi, qu'est-ce que tu fais ici, en Argentine, à poursuivre tes criminels nazis ? – Ce ne sont pas *mes* criminels, mais des assassins du genre humain. Je ne leur fais pas la guerre, je les exécute... » Elle croyait réentendre la voix froide et implacable de Sarah. Un profond désarroi la submergeait et un bref sanglot la secoua. « François, pourquoi n'es-tu jamais là quand j'ai besoin de toi ? » pensa-t-elle.

Tous remarquèrent sa figure défaite.

– Qu'avez-vous ? questionnèrent-ils en chœur.

– Ce n'est rien, mes amis. De mauvais souvenirs. Philippe, servez-moi à boire, je ne veux vivre que cet instant !

Le jeune homme fit signe au maître d'hôtel qui remplit les verres.

– Une autre, s'empressa d'ordonner Kien.

Quand arriva la bûche traditionnelle, une grande gaieté régnait à leur table. Lien avait les yeux brillants ; ceux de son frère ressemblaient à deux fentes inquiétantes. « Les yeux de monsieur *Cop* », pensa Léa qu'un début d'ivresse embellissait encore. Quant à Philippe, un sourire béat étirait ses lèvres.

– J'ai envie de danser, lâcha-t-elle.

Les deux hommes se levèrent en même temps. Kien, plus rapide, saisit la main de Léa. Ils s'avancèrent sur la piste où tournaient déjà quelques couples d'âge respectable qu'ils écrasèrent de leur jeunesse et de leur beauté. Comme Kien l'enlaçait, la musique s'arrêta puis repartit, différente.

– J'adore la rumba, dit Léa en tendant les bras à son cavalier.

Elle avait oublié que le frère de Lien dansait fort bien et avait une façon brutale et experte de serrer contre lui sa partenaire et de la faire onduler. Léa s'abandonna et, très vite, leurs corps s'accordèrent.

Lien et Philippe les eurent bientôt rejoints. Rien de semblable dans leur manière de bouger. Ils dansaient comme des Asiatiques, à distance l'un de l'autre. Tous deux avaient même l'air gênés par la sensualité des évolutions de leurs amis. Chacun, dans la salle, n'avait d'ailleurs d'yeux que pour eux. « Choquant, obscène », grinçaient les femmes. « Le salaud, j'aurais plaisir à lui casser la gueule », grondaient les hommes. Chez tous, une hostilité grandissante se faisait jour. Insouciants, rivés l'un à l'autre, Léa et Kien enchaînaient danse sur danse, et on eût dit qu'ils n'avaient fait que danser ensemble toute leur vie tant leurs pas s'accordaient. L'orchestre s'arrêta ; ils regagnèrent leur table en riant.

– Il y avait longtemps que je n'avais pas dansé comme ça, dit Léa en tendant son verre vide.

Franchini s'approcha d'eux.

– Vous êtes la reine de la fête, chère madame. Vous faites beaucoup de jalouses et vous, monsieur Rivière, beaucoup d'envieux. C'est un plaisir de vous voir évoluer. Permettez-moi de vous offrir de mon meilleur champagne.

Une nouvelle fois, il but en leur compagnie avant de regagner sa place. Léa dansa un slow avec Philippe Müller, lequel s'excusa de n'être qu'un piètre danseur. Ce n'était pas vrai, mais, de fait, cela n'avait rien à voir avec ce qu'elle éprouvait dans les bras de Kien.

Tôt le matin, Charles et Adrien firent irruption en se bousculant dans la chambre de Léa.

– Maman, maman, lève-toi ! Le père Noël est passé !

– Léa, viens vite, on a plein de cadeaux !

Un grognement leur répondit. Adrien se hissa sur le lit, écarta la moustiquaire et, de ses petites mains, secoua sa mère.

– Lève-toi, maman, lève-toi !

Léa entrouvrit un œil. Pourquoi lui cognait-on sur la tête ?

Dans une sorte de brouillard, elle découvrit le visage de son fils penché sur elle. Derrière lui, elle entrevit celui de Charles. Que faisaient-ils si tôt dans sa chambre ? Un mot atteignit son cerveau : « Noël... Noël... » C'était Noël !... Vite, il fallait se lever avant Françoise et Laure, être la première à trouver les cadeaux... Elle et ses sœurs ne croyaient plus vraiment au père Noël, mais, d'un commun accord, faisaient semblant, car, d'après une de leurs amies, plus âgée, dès que les enfants n'y croyaient plus, il n'y avait plus rien dans leurs souliers. Une nuit, les petites Delmas avaient entendu des bruits et des chuchotements dans le couloir des chambres. Léa s'était levée en catimini et avait entrebâillé sa porte. Le couloir n'était pas éclairé. Elle avait aperçu deux formes blanches à la lueur de l'ampoule de l'escalier. « Des fantômes », avait-elle pensé en refermant la porte, le cœur battant. Mais la curiosité avait été plus forte que la peur. Des fantômes, Léa rêvait d'en voir ; c'était le moment ou jamais ! Elle avait rouvert et, s'étant avancée vers l'escalier, avait cru reconnaître la voix de son père, le rire de sa mère. Doucement, elle avait descendu les marches. Le grincement de la cinquième l'avait immobilisée. Au même instant, les ombres monstrueuses des fantômes avaient gesticulé sur le mur. Terrifiée, elle s'était agrippée à la rampe. Dehors, le vent s'était mis à souffler en rafales et le vieux chien de Mathias à hurler. La petite fille était remontée en criant, cherchant refuge dans son lit, sous l'édredon de satinette rouge. Peu après, ses parents étaient entrés dans sa chambre et avaient allumé la petite lampe. Elle leur en avait voulu de se moquer de son histoire de fantômes. Ah, c'était bien des grandes personnes qui ne croyaient à rien ! Puis, sous les caresses de sa mère, elle s'était rendormie.

– Maman, lève-toi, c'est Noël !

Pourquoi repensait-elle à ses chers fantômes ? Comme ils lui manquaient ! Et voici qu'à son tour elle était « parent », et il fallait toujours faire semblant de croire au père Noël. « Et s'il existait pour de bon ? » se dit-elle en se levant.

– Tu es toute nue, maman !

Elle s'en fichait. Elle avait si mal à la tête. Sans se soucier de la présence des enfants, elle se dirigea vers la salle de bains en se tenant le front. À tâtons, elle chercha le tube d'aspirine. Puis elle se jeta sous la douche en ouvrant grand le robinet d'eau froide. Sous le ruissellement, les brumes de l'alcool se dissipèrent peu à peu. Quand elle regagna sa chambre, enveloppée dans un ample peignoir d'éponge et la tête enturbannée d'une serviette, elle était fraîche et ravissante. Sa migraine s'en était allée.

Escortée par Charles et Adrien, elle passa dans le salon où était dressé l'arbre au pied duquel s'alignaient les chaussures de la maisonnée, toutes remplies de cadeaux. Lien était déjà là, vêtue d'une tunique verte sur un pantalon de soie blanche. La soirée de la veille n'avait laissé aucune trace sur son joli visage.

– Pardonnez-moi, je n'ai pas pu retenir les enfants.

– C'est normal, ce jour-là. Ma beauté, c'est ton premier Noël, dit-elle en prenant la petite Camille des bras de son *assam*. Joyeux Noël, mon bébé ! Joyeux Noël, mes chéris ! Joyeux Noël, Lien !

– Pourquoi papa il est pas là ? demanda Adrien.

Léa se rembrunit et redonna sa fille à l'*assam*. Charles vint à son secours.

– Oncle François est avec le général de Lattre.

– C'est qui, le général qui me prend mon papa le jour de Noël ?

Le cœur de Léa se serra.

– C'est un grand soldat qui va se battre pour garder l'Indochine à la France.

– Ah bon, fit le petit garçon en se précipitant sur son soulier.

Léa eut envie d'expliquer à Charles que ce n'était pas aussi simple, mais, paresse ou lassitude, elle remit à plus tard ses explications sur l'histoire des rapports franco-indochinois...

Les enfants poussaient des cris de joie en ouvrant leurs paquets. Les serviteurs furent invités par Lien à venir prendre les leurs.

– Vous ne regardez pas vos cadeaux ? fit-elle à Léa.

La jeune femme sourit, s'assit sur le tapis et défit le ruban d'un gros paquet. Un flot de soie d'un rouge sombre s'en échappa et glissa sur ses genoux.

– Quelle merveille ! s'exclama-t-elle.

– Cela vous plaît ? J'en suis très heureuse.

– Je n'ai jamais vu une étoffe aussi belle. Mes cadeaux sont bien modestes à côté du vôtre.

– Comment pouvez-vous dire cela ? Des livres ne sont jamais de modestes cadeaux. Des cadeaux indiscrets, tout au plus.

– Indiscrets ? Comment cela ?

– Ils dénotent les goûts de celui qui les offre et l'idée qu'il se fait de celui à qui il les destine.

– Je n'y avais pas réfléchi. J'ai pensé qu'ils pouvaient vous plaire, tout simplement.

– Je vous le dirai quand je les aurai lus. Merci de tout cœur.

Kien avait offert à sa sœur et à Léa deux magnifiques colliers de corail et de jade très différents l'un de l'autre.

– Quelle drôle d'idée a eue mon frère de vous choisir un collier aussi baroque. On dirait un bijou barbare.

– Je le trouve très beau, au contraire, fit Léa. Croyez-vous que je puisse accepter un tel présent ?

– Si vous ne l'acceptez pas, il est tout à fait capable de le jeter à la mer, ce qui serait dommage. Portez-le, il vous ira très bien.

Elles continuèrent à ouvrir leurs paquets : éventails peints, boîtes incrustées de nacre, broderies...

– Jamais mon petit frère ne m'a fait autant de cadeaux..., sourit Lien.

Quoique légère, l'ironie n'échappa pas à Léa.

– Je suis d'autant plus gênée par sa générosité que je n'ai plus rien à lui offrir.

– Cela n'a pas d'importance. Vous devriez aller vous habiller. M. Müller et lui doivent venir déjeuner.

– C'est vrai, j'avais complètement oublié !

L'entrée d'un des *boys* les interrompit :

– Madame, il y a un militaire qui demande à vous voir.

Les deux femmes échangèrent un regard. Elles pensaient de même : est-il arrivé quelque chose à François ?

– Fais-le venir.

Un jeune soldat se présenta avec un large sourire. Incrédule, Léa le dévisagea.

– Franck ! s'écria-t-elle en se jetant dans ses bras.

– Qui c'est, lui ? demanda Adrien en s'accrochant au peignoir de sa mère.

– C'est un ami, un vieil ami... Je savais que vous étiez reparti pour l'Indochine, mais je n'espérais pas vous revoir de sitôt...

– Tu me vouvoies, maintenant ?

– Je te demande pardon, je suis si heureuse ! Comment as-tu trouvé mon adresse ?

– C'est ton mari qui me l'a donnée.

– Quand ?

– Hier soir, et il m'a chargé d'une lettre pour toi.

– Donne, donne vite !

Elle lui arracha l'enveloppe des mains et la déchira avec impatience. Tout en la lisant, elle se dirigea vers le jardin.

Mon amour,

Je sais que tu m'en veux de n'être pas auprès de toi et des petits. Il m'a été impossible d'échapper au général qui a insisté pour que

je l'accompagne dans sa tournée des popotes. Instructif, mais lassant. Je te souhaite néanmoins un joyeux Noël et te promets que le prochain, nous le passerons ensemble. D'ores et déjà, je t'attends à Hanoi pour le 31 décembre. Le général tient à ce que les femmes de « ses » gens soient au Tonkin pour le moral des troupes et la tranquillité d'esprit des quelques Français encore présents ici. J'ai commencé par lui dire qu'il n'en était pas question, mais le désir de te revoir a été le plus fort. J'espère que tu ne m'en voudras pas. J'ai chargé Franck, qui partait pour Saigon, d'être mon messager. Fais vite, l'avion qui l'a amené repart à midi ; tu as tout juste le temps de jeter quelques robes dans une valise et d'embrasser les enfants. Dis à Lien toute ma tendresse et prie-la de m'excuser de t'enlever en lui laissant ainsi la garde de ce que j'ai de plus cher après toi. Va, dépêche-toi, j'ai une envie folle de te faire l'amour.
Ton vieux mari qui t'aime,

François.

– François me prie de le rejoindre pour quelques jours à Hanoi. Il vous demande si vous pourriez garder les enfants.

– Bien sûr, répondit Lien.

Léa l'embrassa avec spontanéité, puis se tourna vers Charles :

– C'est toi l'homme de la famille, je sais que je peux compter sur toi, dit-elle en le prenant dans ses bras.

– Je te le promets... Mais ne pars pas trop longtemps... Je suis malheureux quand tu n'es pas là, chuchota-t-il.

10.

Le *Morane* dans lequel Léa avait pris place, se posa sur le terrain de Bach Mai au milieu d'une pluie battante ; il faisait presque froid. Au bas de la passerelle, sous un grand parapluie, se tenait François. Dans sa hâte de le revoir, Léa glissa sur les marches mouillées et se retrouva assise dans une flaque. François se précipita ; mais déjà elle s'était levée en contemplant d'un air piteux sa robe trempée.

– Ça va ? Tu ne t'es pas fait mal ?

– Non, pas trop... Je vais sûrement avoir les fesses toutes bleues !

– On va s'en occuper ! dit-il en l'enlaçant.

À quelques pas de l'avion, une traction attendait. Frissonnante, Léa monta dans la voiture. Le chauffeur alla chercher les bagages. Quand il revint, il détourna la tête, gêné par la vision d'une cuisse longue et nue posée en travers des jambes du patron. Au premier poste de contrôle, Léa rabattit sa jupe ; au deuxième, elle s'écarta de son mari.

– Il y en a encore beaucoup comme ça ?

– Encore un. L'ennemi est tout près...

– Il faut que nous soyons fous pour avoir remis les pieds dans ce maudit pays ! J'ai peur, François...

– Tu ne vas pas être moins courageuse que les femmes des généraux !

– Mais je ne suis pas femme de général et tu n'es pas général, que je sache ! Où allons-nous loger ?

– À l'hôtel *Métropole*. J'ai eu bien du mal à obtenir une chambre. J'ai même dû employer des arguments irrésistibles.

– Je te fais confiance, murmura-t-elle en se blottissant contre lui au moment où ils s'engageaient sur le pont Paul-Doumer.

Tous deux revoyaient la même scène : lui, cette femme aux cheveux dénoués, en costume vietnamien, qui courait, butant contre les rails, en lui tendant les bras ; elle, cet homme en loques, sale, épuisé, ensanglanté, qui titubait d'une traverse à l'autre. Et puis, ce moment d'émerveillement quand, enfin, leurs mains s'étaient touchées...

Durant la traversée du fleuve Rouge, ils ne dirent pas un mot ; leurs doigts noués parlaient pour eux. Ils longèrent le Petit Lac où stationnaient des camions autour desquels des soldats bavardaient tout en fumant, assaillis par les petits marchands de bière et de cigarettes. À quelques pas, les inévitables marchandes de soupe accroupies devant leurs braises. À part cette légère animation, toute vie paraissait avoir déserté les rues de Hanoi. Quelques ombres, rue Paul-Bert, deux ou trois véhicules militaires passant lentement boulevard Henri-Rivière : c'était tout ce qui bougeait encore dans l'élégante capitale du Tonkin où le général de Lattre installait à grands frais la Maison de France parmi un groupe de villas du centre ville appartenant aux Brasseries et Glacières d'Indochine : « Ces limonadiers, ces marchands du Temple n'ont rien à redire ; ils profitent du Corps expéditionnaire, car ils vendent leur bibine à mes soldats qui ne paient pas seulement en piastres, mais aussi en sang. Chez moi, je veux la vraie France ! »

La « vraie France » s'installait ; on n'attendait plus que « Monette », l'épouse du « roi Jean ».

Au *Métropole*, François fut accueilli en habitué. Dans le hall, au bar, au restaurant, beaucoup de monde ; presque uniquement des hommes, officiers ou correspondants de presse. Lucien Bodard était parmi eux. Il vint au-devant du couple, verre à la main, cigare aux lèvres.

– Madame Tavernier, quelle heureuse surprise ! Qu'est-ce qui vous amène ici ?

– Moi, répondit François en prenant le coude de sa femme.

– Vous êtes le mari ?

– J'ai ce plaisir.

– Félicitations. Venez, je vous offre un verre pour fêter vos retrouvailles.

– Plus tard, monsieur Bodart. Je suis fatiguée et je voudrais me changer.

– Je vous accorde une heure, pas plus !

Dans l'escalier qui menait aux chambres, François demanda à Léa :

– Comment connais-tu cet énergumène ?

– Je te l'ai déjà dit : je l'ai rencontré en coup de vent, lors de ma première venue en Indochine. Il a tenté de m'aider à te retrouver.

– Le général s'est entiché de lui comme de la plupart des journalistes, photographes, correspondants de presse et autres envoyés spéciaux. Hier, il nous a tenu ce discours : « Messieurs, cinquante pelés et tondus de journaleux sont plus importants pour l'issue de la guerre que tous les colonels rassemblés ici... »

– Tu n'es pas colonel !

– Fais attention, je pourrais bien le devenir ! fit-il en l'embrassant. Je continue ?

Léa inclina la tête.

– « ... Ma victoire ou ma défaite dépendent autant d'eux que de mes soldats. Sans eux, mon expédition d'Indochine resterait une petite guerre coloniale, une médiocre entreprise artisanale. Eux seuls peuvent porter mon aventure à l'échelle du monde. Il me les faut avec moi. Si je suis poli avec eux, malgré leur "touche" et leur conversation, soyez-le aussi. Tenez-vous-le pour dit. »

– Je n'aime pas ça. Il ne pense qu'à lui, à sa gloire, à son prestige. À ceux qui combattent, à Franck, à Jean, à toutes ces femmes et enfants massacrés par « ses soldats », quand trouve-t-il le temps d'y penser ?

– Que tu es belle, en colère !

Le *boy* ouvrit la porte de la chambre en jetant un regard à Léa. Visiblement, il n'avait pas perdu un mot de la conversation.

La porte à peine refermée, François bouscula la jeune femme sur le lit.

– Non, attends !

– J'ai trop envie de toi.

Quand ils redescendirent pour dîner, deux heures s'étaient écoulées.

– Monsieur Tavernier, je vous ai réservé une table près de la fenêtre, dit le directeur.

Ils passèrent devant le bar où Bodard gesticulait en compagnie d'une bande de soiffards à l'accoutrement hésitant entre le broussard et le mercenaire. Le journaliste les aperçut et, écartant ses frères, les interpella :

– Vous en avez mis du temps ! Venez donc trinquer à la naissance du Petit Jésus et aux futures victoires du « roi Jean » !

Il était difficile de refuser une pareille invitation. Bodard les présenta à la fine fleur du camp de presse : Américains, Anglais, Néerlandais, Canadiens, Italiens... Un homme retint l'attention de Léa ; il ne ressemblait pas aux autres : grand, élégant, très beau malgré ses cheveux ras, les traits réguliers, un regard tendre et mélancolique abrité par de longs cils, une belle bouche au sourire peut-être un brin condescendant. Il s'inclina pour lui baiser la main.

– Je vous présente Jean-Pierre Dannaud, notre chef à tous : il est directeur des services français d'Information en Indochine. Faites attention, lança-t-il à l'adresse de François, c'est un tombeur !

– Ça ne m'étonne pas, fit Léa en lui abandonnant sa main.

Dannaud sourit, ce qui le rendit encore plus séduisant.

Assise dans un fauteuil club, Léa regarda, amusée, ces hommes qui faisaient la roue devant elle.

– Joyeux Noël, madame ! dirent-ils en chœur en levant leur verre.

– Joyeux Noël à vous tous !

Ils burent en silence. Pensaient-ils aux Noëls de leur enfance, à leur pays lointain, à leurs parents et amis restés là-bas, ou, plus simplement, au dernier papier qu'ils avaient câblé ou à la prochaine cuite qu'ils allaient prendre ?

Les conversations reprirent :

– Le général va arrêter l'évacuation des civils du Tonkin.

– Avec lui, les Viêts vont avoir du fil à retordre.

– Il a demandé à Vanuxem de venir le rejoindre.

– Ça ne manquait pas d'allure, cette messe de minuit dans la vilaine église des Martyrs, avec le brave Letourneau[1].

– Pour une fois, de Lattre avait fait dans la simplicité. Les murs en ciment armé n'avaient rien de gothique, les lumières étaient blafardes, la crèche brillait par son absence, l'harmonium avait un son aigrelet que dominaient les voix criardes des Vietnamiennes chantant les cantiques. À part quelques fleurs blanches sur l'autel, c'était spartiate !

– Et le petit curé à la figure de saint qui ne l'avait pas attendu pour commencer l'office...

1. Ministre des États associés.

– Comment se fait-il, messieurs, que vous ne soyez pas auprès du général ? interrogea François Tavernier.

– Il n'avait pas besoin de nous. Il nous a donné rendez-vous demain à Dong Triêu. N'en êtes-vous pas aussi ? fit le correspondant du *Monde*.

– Oui, départ à six heures.

– Oh non, tu ne vas pas déjà repartir !

– Elle a raison : c'est un crime d'abandonner une si jolie femme.

– Je suis le premier à en souffrir ; mais vous connaissez le général...

– Pourquoi m'as-tu alors fait venir ?

– Viens, ma chérie, nous continuerons cette conversation à table. À demain, messieurs.

Forçant Léa à se lever, François l'entraîna vers la salle à manger en la tenant par le coude. De mauvaise humeur, elle tenta de se dégager. Les doigts de François se resserrèrent.

– Je t'en prie, pas de scène devant eux ! Ce sont de vraies pipelettes.

L'œil mauvais, elle s'assit devant la table où rafraîchissait une bouteille de champagne. Le maître d'hôtel s'avança.

– Bonjour, madame Tavernier. Bienvenue chez nous ! J'espère que vous apprécierez notre modeste cuisine. Nous avons de grands problèmes de ravitaillement. La plupart des commerçants ont fui. Heureusement que quelques paysans continuent à nous apporter leurs récoltes et leurs volailles.

– Je suis sûre que tout sera très bien, dit gentiment Léa.

– Merci, madame, fit le maître d'hôtel, visiblement soulagé.

– Par contre, ajouta-t-il en ouvrant la bouteille, je suis sans inquiétude pour le champagne. Monsieur Tavernier a choisi le meilleur.

François, qui connaissait le goût de sa femme pour la cuisine vietnamienne, avait fait confectionner par le chef tonkinois quelques-unes de ses plus fameuses spécialités.

– Je bois à ta beauté, mon amour.

À son tour, Léa leva son verre.

– Et moi, je bois à la fin de cette guerre et à l'indépendance du Viêt-nam !

Dans son menton levé, sa voix un peu trop forte, il y avait de la provocation. Quelques dîneurs européens relevèrent la tête et regardèrent, étonnés, cette ravissante jeune femme qui venait de porter un toast à l'indépendance de leurs ennemis. Mais l'un d'eux, sans doute un partisan de Bao Dai, se méprit ou voulut infliger une leçon de patriotisme à cette nouvelle venue. Il se dressa et, à son tour, leva son verre :

– À la défaite du Viêt-minh et à l'indépendance dans le giron de la France !

Léa reposa son verre et, comme si de rien était, se mit à manger, poussant de petits gémissements de satisfaction entre chaque bouchée.

– C'est bon, dit-elle la bouche pleine.

François sourit, heureux du spectacle de sa sensualité gourmande. À la table voisine, le dîneur s'était rassis, mortifié, le visage cramoisi, tandis que ses compagnons chuchotaient en leur décochant des coups d'œil dénués de sympathie.

Pendant un moment, ils mangèrent en silence. En attaquant le deuxième plat avec autant d'entrain que le précédent, Léa lança avec un petit rire de bonheur :

– N'avait-il pas parlé de restrictions ?

– Tu sais bien que les restrictions n'existent pas pour tous.

Léa reposa ses baguettes.

– Je me suis déjà fait la réflexion, et cela me choque autant qu'à l'époque du marché noir.

– N'y pense pas. Pense que nous sommes là tous les deux, vivants, et que nous avons de beaux enfants...

– ... avec lesquels tu n'as pas été fichu de passer les fêtes. Tu sais pourtant à quel point j'y tenais, à ce Noël...

– Ne joue pas à la petite fille. Moi aussi, j'y tenais. Mais tu oublies que je suis délégué général du gouvernement de la République française auprès du gouvernement vietnamien...

– Je suis impressionnée. Alors, comme ça, on doit t'appeler Monsieur le délégué général du gouvernement de la République française auprès du gouvernement...

– Arrête, tu n'es pas drôle ! dit-il sèchement.

Léa le regarda, interloquée. Jamais il ne lui avait parlé sur ce ton. Elle sentit les larmes lui venir aux yeux. Elle se maîtrisa et choisit de lui répondre sur un mode ironique :

– Pardon, mon cher, je ne te savais pas à ce point sensible à ton nouveau titre. Mais le gouvernement vietnamien en question est bien celui de Bao Dai, le Bao Dai que tu as toujours considéré comme le moins vietnamien des Vietnamiens, qui a toujours préféré ses plaisirs au bien-être de son peuple... Jusqu'à un temps tout récent, tu pensais que seul Hô Chi Minh pouvait être le rassembleur de ce peuple...

– L'endroit est mal choisi pour parler politique, d'autant plus que tu n'y entends rien.

Incrédule, Léa dévisagea cet homme qu'elle aimait et qui, quelques instants auparavant, s'était montré, comme à son habitude, fou amoureux d'elle. Puis elle détourna la tête. Le regard vague, elle mit quelques secondes à remarquer un certain remue-ménage derrière la porte-fenêtre du restaurant donnant sur le jardin de la place ; une vilaine figure s'écrasait contre la vitre, une main difforme s'agitait dans sa direction.

– Giau, murmura-t-elle.

Il répondit par un sourire qui le rendait encore plus effrayant. La présence du monstre apaisa sa colère, elle se sentit soudain en paix. À ce moment, un des *boys* s'aperçut de la présence du monstre et s'élança pour le chasser. Giau disparut aussitôt.

Le *boy* parlait maintenant avec animation au maître d'hôtel. Tous deux sortirent sur la terrasse. Peu après, quand ils réapparurent, le maître d'hôtel avait l'air plus soucieux qu'il eût dû l'être à la simple vue d'un mendiant. Léa le remarqua et se promit de savoir pourquoi. Pour une raison ignorée d'elle-même, elle ne souffla mot à François de la présence de Giau et choisit d'oublier leur querelle.

– Dong Triêu, ce n'est pas loin des Sept Pagodes ni du temple de Kiêp Bac... C'est là que j'ai prié le génie de la fontaine miraculeuse pour te retrouver...

François la regarda, attendri, et lui tendit la main à travers la table.

– En effet, tu t'étais arrêtée avec Kien dans ce vieux sanctuaire...

– ... où des soldats français avaient tiré dans la foule des pèlerins.

– Je sais. Toi-même, tu m'avais dit que des viêt-minh se cachaient parmi eux.

– Et alors, quoi de plus normal ?

– Pour les Vietnamiens communistes, peut-être. Mais les populations catholiques sont pour la plupart aux côtés des Français qui combattent pour elles. Tout comme les minorités ethniques Nung des plateaux du Nord-Tonkin, les Muong au Nord-Annam, les Tho au nord du fleuve Rouge, sans compter les Méos, farouches ennemis du Viêt-minh...

– ... et les sectes du Sud de l'Indochine, auxquelles on sait pourtant ne pas pouvoir faire confiance, comme les Hoa-hao qui ont dans leurs rangs des combattantes non moins féroces que les hommes, les caodaïstes, très hostiles à la présence française, mais qui se servent d'elle contre le Viêt-minh, les bandits Binh Xuyen que connaît bien notre ami Kien et qui sont tour à tour proviêt-minh ou profrançais, selon leurs besoins...

Léa éclata de rire devant l'air ahuri de son mari.

– Je vois que je t'étonne, pour quelqu'un qui n'y connaît rien !

– Comment sais-tu tout cela ?

– Je n'ai ni mes yeux ni ma langue dans ma poche. Avant de te retrouver, je m'étais fait raconter par Kien et Lien un peu de l'histoire récente de ce pays. J'avoue n'avoir pas tout compris, tant c'est compliqué. Sans compter qu'à tout cela se mélangent le bouddhisme, le confucianisme, et, dominant le tout, le culte des ancêtres.

– Tu devrais rencontrer le général Salan. Il est imbattable sur toutes ces questions. Et puis, n'est-ce pas lui qui a conduit l'opération « Léa » ?

– C'est lui qu'on surnomme « le Chinois » ?

– Oui, ou « le Mandarin ».

– Il paraît que c'est un grand fumeur d'opium, de même que sa femme...

– Possible. Tous ceux qui ont passé quelque temps en Asie en ont plus ou moins fumé. N'est-ce pas, ma belle chérie ?

La douceur des nuits passées en mer de Chine à bord de la jonque de Kien, le lent cérémonial de l'opium lui revinrent en mémoire. À son retour à Hanoi, elle avait eu du mal à s'en passer.

– Emmène-moi dans une fumerie...

François la regarda d'un air amusé.

– Tu n'as pas eu le temps de remarquer combien l'ambiance a changé. La ville est en état de siège. Tous ceux qui ont pu fuir sont partis. S'il reste des fumeries ouvertes, elles ne peuvent être que dans les quartiers les plus miséreux et les plus dangereux.

– Autrefois, tu ne détestais pas t'encanailler, comme aurait dit mon père !

– Autrefois, je n'avais ni femme ni enfants. Cela impose une nouvelle façon de voir la vie.

Nerveusement, Léa tendit son verre. Le maître d'hôtel prit la bouteille des mains de François et la servit.

– Pardonnez-moi, Monsieur, il n'y en a plus...

– Apportez-en une autre.

– Bien, Monsieur.

– Du feu, s'il vous plaît.

Léa aspira la fumée avec volupté, les yeux mi-clos. Brusquement, elle les rouvrit, se pencha vers son mari et lâcha d'une voix dure :

– Ne nous mets jamais en avant, les enfants et moi. Je veux que tu restes l'homme que j'ai connu : aventurier, idéaliste, cynique, jouisseur, drôle, généreux... Je ne veux pas que le mariage fasse de toi un fonctionnaire étriqué. Je veux que tu sois mon amant avant d'être mon mari et le père de mes enfants.

– Mais c'est bien ce que j'ai l'intention d'être et de rester, ton amant ! Quant aux enfants, ils sont le prolongement de toi. Je les aime parce que ce sont *tes* enfants. Tu me blesses en m'assimilant à celui qui, dès le premier ennui, proteste : « J'ai une femme et des enfants, moi, monsieur... » Tu as raison, rien n'est plus méprisable. On peut le penser, mais pas le dire...

– Tu m'as fait peur. J'ai cru que ton général de Lattre t'avait tourné la tête.

Ils se portèrent un toast sans cesser de se sourire.

Quand Léa se réveilla, le lendemain matin, il y avait déjà beau temps que François était parti pour Dong Triêu. Sur l'oreiller près du sien, il avait laissé un mot : « N'oublie jamais que je t'aime et que tu es la femme de ma vie. »

– Moi aussi, je t'aime, murmura-t-elle en serrant la feuille de papier à l'en-tête de l'hôtel.

Quand elle descendit, après sa toilette et un petit déjeuner frugal, le hall et le bar, bruyants et animés la veille, étaient vides. Hormis les *barmen* qui essuyaient nonchalamment les verres, les *boys* qui se dandinaient d'un pied sur l'autre, il n'y avait personne. Léa se dirigea vers la sortie dans l'intention d'aller faire un tour du côté du Petit Lac. À peine avait-elle descendu les marches qu'un jeune soldat se précipita vers elle en tenant son fusil à hauteur de sa poitrine.

– Où allez-vous, mademoiselle ?

Interloquée, elle recula avant de répondre :

– Je vais me promener...

Ce fut au soldat d'avoir l'air stupéfait.

– Mais c'est très dangereux ! Personne ne se promène dans les rues en ce moment !

– Pourquoi dites-vous que personne ne se promène dans les rues, soldat ? Moi, je m'y promène bien, lança un militaire au beau visage hautain.

– Vous, peut-être, mon lieutenant. Mais une femme...

– Sans doute, madame, vouliez-vous faire les boutiques ? Malheureusement, elles sont fermées... Ou acheter quelques babioles rue de la Soie ? dit le nouveau venu avec un sourire ironique.

« Il n'est pas mal, ce parachutiste, pensa Léa, mais ce n'est pas une raison pour le laisser se moquer de moi. »

Elle lui tourna le dos, sortit de l'abri de sacs de sable qui entourait le bâtiment et s'engagea boulevard Henri-Rivière.

– Mon lieutenant, on ne peut pas la laisser partir seule !

– Tu as raison, je vais l'accompagner.

– Mais, mon lieutenant...

En quelques enjambées, il eut rejoint Léa.

– Excusez-moi, madame, je ne puis vous laisser aller ainsi à l'aventure. Ce serait dommage qu'une aussi jolie femme que vous se fasse enlever par les Viêts ou manquer de respect par une de nos patrouilles. Permettez-moi de me présenter : lieutenant Claude Barrès, pour vous servir.

– Je suis ravie, lieutenant, mais je n'ai nul besoin de vos services. Je connais Hanoi, je n'ai pas besoin de guide.

– Oh, ce n'est pas comme guide que je me propose, mais comme garde du corps... que vous avez d'ailleurs fort beau, il me semble...

Tout en parlant, il la détaillait de la tête aux pieds.

– Je n'aime pas votre façon de me regarder, lieutenant.

– Dans ce cas, il ne faut pas montrer trop de beauté au pauvre célibataire que je suis.

– Arrêtez, vous allez me faire pleurer !

Tout en se chamaillant, ils étaient arrivés boulevard Francis-Garnier, n'ayant croisé que quelques gamins qui détalaient à leur approche. Deux Jeeps de la police militaire ralentirent, mais un geste du lieutenant Barrès les éloigna.

– Oh non ! s'écria Léa.

Immobilisée au bord du Petit Lac, elle contemplait avec colère le minuscule temple du Ngoc Son en partie effondré sur l'îlot de Jade.

– Même le pont où repose le Soleil levant est cassé !

– On dirait que cela vous fait de la peine...

Léa se détourna du triste spectacle et jeta à l'officier un regard haineux.

– Évidemment, ce n'est pas à une brute de parachutiste que l'on peut demander de voir ce qui est beau.

– Vous croyez ? fit-il avec ce sourire dont il ne s'était pas départi depuis le début de leur rencontre.

– Ce n'est pas parce que vous portez le même nom que Maurice Barrès que vous pouvez vous vanter d'avoir sa sensibilité et son talent !

Il éclata de rire.

– Pour le talent, je suis tout à fait d'accord avec vous. Pour la sensibilité, il faut voir : c'était mon grand-père.

– Oh !... Mais alors, que faites-vous là ?

– Je me suis engagé en 47.

– Quelle drôle d'idée ! Vous n'aviez rien de mieux à faire ?

– Je n'aime pas la vie civile et je n'avais aucune envie de prendre la suite de mon père à la tête de *Paris-Presse.* Je n'ai jamais aimé cet univers de mensonges et de compromissions...

Pendant qu'il parlait, une idée germait dans la tête de

Léa : retrouver l'endroit où habitait Nhu-Mai, la jeune violoniste qu'elle avait naguère aidée à rejoindre le Viêt-minh.

– M'accompagneriez-vous du côté de la Citadelle ?

– Que voulez-vous aller faire par là ? Ce n'est pas tout près.

– Je sais. Ne pouvez-vous arrêter une de ces Jeeps et demander qu'on nous y conduise ?

– Vous ne manquez pas de culot ! fit-il d'un ton admiratif. D'accord, si vous me dites pourquoi vous tenez à aller là-bas.

– Je voudrais avoir des nouvelles d'une de mes amies vietnamiennes, une violoniste. Elle habitait avec ses parents entre la rue du Maréchal-Foch et le boulevard Henri-d'Orléans.

– Le quartier est pratiquement inhabité, et c'est tout à fait imprudent de s'y aventurer sans escorte.

– C'est bien pour cela que je vous demande de m'y emmener !

Ils étaient arrivés place de Négrier. Des barbelés fermaient l'entrée du quartier chinois. Des soldats montaient la garde. L'un d'eux reconnut Barrès.

– Bonjour, mon lieutenant. Que puis-je faire pour vous ?

– Bonjour, sergent. Pouvez-vous me trouver un véhicule et trois ou quatre gars pour faire un tour du côté de la Citadelle avec madame ?

– Vous avez un ordre écrit, mon lieutenant ?

– Entre nous, on n'a pas besoin de ça. En échange, je vous donnerai l'adresse d'un boui-boui où la bière est fraîche et les filles sont jolies. Ça va comme ça ?

– Ça va, mais je vous accompagne. Parent, amène l'engin ! Mouillot et Roussel, magnez-vous. On va se balader.

Léa prit place derrière le sergent, encadrée par Roussel et Mouillot, tandis que Parent leur tournait le dos, surveillant les alentours. Claude Barrès s'assit près du conducteur.

– Laquelle des deux rues voulez-vous prendre pour commencer ? demanda-t-il à Léa.

Après avoir hésité, elle répondit :

– La rue du Maréchal-Foch. La maison de mon amie était située, je crois, au milieu...

– Vous croyez, ou vous en êtes sûre ?

– Je n'y suis allée qu'une fois, avoua-t-elle d'un air penaud.

– Eh bien, avec ça pour tout renseignement, on est bien partis ! bougonna le sergent.

Ils furent arrêtés au croisement du boulevard Félix-Faure et de la rue du Maréchal-Foch par un barrage. Le lieutenant Barrès descendit pour parlementer avec les sentinelles qui finirent par accepter d'écarter les chevaux de frise. Pendant quelques instants, ils roulèrent au pas et en silence.

« Jamais je ne reconnaîtrai la maison, pensa Léa. Je suis complètement folle d'avoir entraîné ces pauvres garçons jusqu'ici avec moi ! »

Soudain, elle cria :

– C'est là !

Surpris, le sergent freina brusquement. Léa sauta à bas du véhicule.

– Attendez-moi, je n'en ai pas pour longtemps.

Tous les hommes la regardèrent d'un air incrédule.

– Quoi, elle veut entrer seule là-dedans ? s'exclama le sergent. Votre amie est complètement dingue !

– Chère madame, je crains que notre aimable conducteur n'ait raison. Attendez !... Qu'est-ce que vous faites ? s'écria Barrès.

Léa avait poussé l'étroite porte et s'était retrouvée dans le sombre couloir débouchant sur la cour où des femmes lavaient du linge à la fontaine, le jour où elle était venue avec Nhu-Mai. Barrès la rattrapa au moment où elle atteignait cette même cour. Moins nombreuses, des femmes y faisaient leur lessive. Elles s'enfuirent en braillant quand elles virent cette jeune Blanche accompagnée de soldats en armes.

– Partons, mon lieutenant, fit le sergent. C'est un repère de Viêts, ici. Je les sens.

– Arrêtez de débiter des conneries. Faites déployer vos hommes, et vous, dit-il en prenant le bras de Léa, montrez-nous où habite votre amie.

Plantée au milieu de la cour désertée, Léa regardait en tournant sur elle-même les deux étages où s'ouvraient des loggias. Quatre escaliers y conduisaient. Lequel était le bon ? Un chat galeux s'approcha d'elle en miaulant. Sur sa droite, un autre miaula plus fort. Elle alla dans sa direction, au bas d'un des escaliers. Tapi sous les marches, Giau lui fit signe de monter en dressant l'index. Puis il dressa quatre doigts de son autre main.

« Premier étage, porte quatre », se dit-elle tout en se demandant comment l'infirme avait su qu'elle allait venir ici.

– Par là, fit-elle à ses compagnons qui, l'arme au poing, la suivirent.

Devant la quatrième porte, Léa s'arrêta et frappa.

– Madame Pham, appela-t-elle. Je suis madame Tavernier, une amie de votre fille. Nous nous sommes vues lors du récital de Nhu-Mai, chez Mlle Rivière...

Personne ne répondit. Le silence se prolongeant, le sergent perdit patience :

– Poussez-vous, on va enfoncer la porte !

– Je vous interdis ! fit Léa en se plaquant, bras en croix, contre l'entrée. Madame Pham, répondez-moi, je voudrais des nouvelles de Nhu-Mai...

La porte s'ouvrit si brusquement que tous reculèrent. Une femme aux cheveux gris, mal coiffée, vêtue d'une tunique sale, déchirée par endroits, surgit tel un diable de sa boîte.

– Je n'ai plus de fille ! dit-elle en français. Madame Tavernier, c'est à cause de vous que ma fille est partie. Soyez maudite ! Mon mari est mort sans avoir revu son unique enfant.

Maintenant, je suis seule avec ma mère que la douleur a rendue folle...

– Je suis vraiment désolée, madame Pham. Mais Nhu-Mai, comment va-t-elle ?

– Je n'en sais rien, je n'ai plus de fille. Partez, vous avez fait assez de mal. Maudite ! Maudite !

La femme s'écroula sur elle-même, agitée de convulsions. Les portes donnant sur la loggia s'ouvraient une à une.

– Mon lieutenant, il faut partir. Ça sent mauvais !

Immobiles et silencieux devant leur logement, les habitants considéraient les Français avec hostilité tandis que, sur le sol, la mère de Nhu-Mai était toujours secouée de spasmes. Léa se pencha et lui soutint la tête ; de la bave coulait sur le menton de la malheureuse.

– On ne peut pas la laisser comme ça. Aidez-moi à la rentrer chez elle.

Les yeux levés au ciel, Claude Barrès haussa les épaules et, désignant Mouillot et Parent, leur fit signe de soulever la femme. Posant leur arme, ils obéirent à contrecœur.

– Faites vite !

Léa les guida dans la pièce mal éclairée devant laquelle Barrès et le sergent montaient la garde, fusil et pistolet pointés vers la petite foule de vieillards, de femmes et d'enfants. Les soldats allongèrent la malade sur un lit bas couvert de détritus. La grand-mère en pyjama noir, portant le bandeau des veuves, se balançait devant l'autel des ancêtres où brûlaient de l'encens et de petits lumignons rouges qui jetaient une lueur tremblotante. La vieille se retourna et sourit de ses dents noires. Indifférente, elle reprit ses *lai*[1]. Barrès entra, poussant devant lui une femme aux cheveux blancs.

– Elle dit qu'elle sait ce dont souffre votre madame Pham. Maintenant, partons ; cela devient très dangereux. C'est votre

1. Salutations, mains jointes.

amie ? demanda-t-il en désignant une photo de Nhu-Mai tenant son violon.

– Oui, fit Léa en s'emparant du cadre.

– Prenez-le, cela vous fera un souvenir de notre équipée.

– Vous croyez que je peux ?

– La mère en a certainement d'autres. Maintenant, vite ! Il faut sortir de là.

Quand ils quittèrent le logement, un murmure grandissant s'éleva de la foule.

– Mon lieutenant, laissez-moi tirer dans le tas. Ils sont trop nombreux, ils vont nous lyncher ! souffla le sergent.

– Vous tireriez sur des gens désarmés ? s'écria Léa.

Elle le bouscula et descendit lentement les marches tout en regardant droit devant elle. Le grondement augmenta. À leur tour, les soldats descendirent, prêts à tirer au moindre mouvement suspect. Devant la fontaine se tenaient Giau et une dizaine de mendiants plus ou moins estropiés.

– Charmant endroit ! s'exclama Claude Barrès. On est en pleine Cour des miracles !

Giau hurla comme un ordre en direction des étages. Quelques-uns des habitants répondirent d'un ton coléreux en tendant le poing vers les Français, mais nul ne bougea. Léa comprit qu'il protégeait leur retraite et lui sourit. Ils purent regagner sans encombre le véhicule gardé par Roussel.

– Ah, vous voilà ! N'entendant aucun coup de feu, j'ai cru qu'on vous avait tous égorgés... J'allais partir chercher du renfort.

Jusqu'à la place de Négrier, ils roulèrent en silence.

– Mon lieutenant, il va falloir que je fasse un rapport.

– Faites-le, sergent. C'est votre devoir.

– Où dois-je vous déposer ?

– Au *Métropole*. Cela vous va, madame ?

– C'est parfait, merci.

Devant l'hôtel, Léa remercia le sergent et les trois soldats.

– C'était un vrai plaisir, madame. Mais, la prochaine fois, ne comptez pas sur nous : on n'a pas la baraka tous les jours !

Dans le hall, cinq ou six personnes discutaient. Léa prit congé de Barrès :

– Merci, lieutenant. Je me rends compte que c'était très imprudent et que je vous ai fait courir de grands risques, dit-elle en lui tendant la main.

L'officier la retint :

– C'est mon métier. Mais nous ne serons quittes que si vous acceptez de déjeuner avec moi.

– Avec plaisir, lieutenant. Où voulez-vous ?

– Assez d'aventures pour aujourd'hui ! Nous allons rester ici, si vous le voulez bien.

– Je monte faire un brin de toilette et redescends dans un quart d'heure.

Elle le retrouva accoudé au bar devant un cognac-soda.

– La même chose ?

– Non, merci. J'ai très soif, je préfère un citron pressé.

– Nous n'avons plus de citrons, madame. Pas d'oranges non plus.

– Tant pis. Donnez-moi un cognac-soda.

Ils trinquèrent en souriant.

– Comment se fait-il que je ne vous aie jamais rencontrée dans Hanoi ?

– Je suis arrivée hier.

– Vous n'êtes pas d'ici ? Vous semblez pourtant bien connaître la ville.

– Je ne suis pas d'ici et je ne connais pas très bien la ville. J'y ai séjourné il y a plus d'un an, puis je suis retournée en France.

– Pourquoi êtes-vous revenue ? Le mal du pays ?

– Non, pour accompagner mon mari.

– Votre mari est militaire ?

– C'est un interrogatoire !...

– Pardonnez-moi, je trouve que vous êtes non seulement une très ravissante femme, mais également une bien étrange personne.

Léa haussa les épaules sans répondre.

– Vous ne manquez pas de courage. Je ne connais qu'un autre spécimen du beau sexe qui ait autant de cran que vous.

– Est-elle belle ?

– Elle est superbe, grande, blonde avec un corps magnifique... On l'appelle la « Fière Cavale ».

– Quel nom se cache sous un tel surnom ?

– C'est la femme de mon commandant. Elle s'appelle Geneviève, Geneviève Vaudoyer, surnommée « la Paluche » par les parachutistes de la Haute-Région. Quel tempérament !

Il y avait quelque chose d'admiratif et de tendre à la fois dans la façon dont Claude Barrès parlait de son amie.

– Nous nous ressemblons, ajouta-t-il fièrement.

– J'ai faim, trancha Léa. Si nous passions à table ?

Le maître d'hôtel de la veille s'avança à leur rencontre.

– Bonjour, madame ; bonjour, mon lieutenant. Choisissez votre table. Comme vous le voyez, il y a peu de monde. Madame, je compte sur votre indulgence : le repas d'aujourd'hui ne sera pas à la hauteur de celui d'hier.

– Cela ne fait rien, donnez-nous ce que vous avez, fit Barrès. Et trouvez-moi une bouteille de bordeaux.

– Bien, mon lieutenant, je vais faire de mon mieux.

Pendant un moment, leur conversation roula sur des sujets culinaires. Puis, changeant brusquement de propos, Claude Barrès demanda :

– Vous connaissiez le chef des mendiants de la rue du Maréchal-Foch ?

– Qu'est-ce qui vous fait dire cela ? Je n'ai pas pour habitude de fréquenter ces misérables.

– Vous lui avez souri pour le remercier...

– De quoi, mon Dieu ?

– De nous avoir permis de sortir vivants de ce guêpier. D'autre part, qu'a voulu dire cette femme à propos de sa fille ? Où est-elle partie à cause de vous ?

– Je n'en sais rien. Vous l'avez constaté comme moi, cette femme est une malade... Et puis, vous m'agacez avec vos questions !

– Pardonnez-moi, je ne puis m'empêcher de trouver cet épisode très étrange. Cependant, grâce à vous, j'ai passé une agréable matinée qui s'annonçait bien monotone. Je déteste cette période de Noël. Heureusement, je dois rejoindre, demain, la région de Moncay et mon patron, le colonel de la Bollardière, qui commande tous les paras en Indochine. Je l'ai vu hier, on a discuté en copains. Cela console de pas mal de choses.

– De quelles choses avez-vous besoin d'être consolé ?

– De la vie, du vide dont j'ai fait mon élément, de l'ennui que sécrète le monde d'où je viens et que j'ai fui, les lieux de luxe et de plaisirs où je ressens, « devant ces carcasses d'hommes enrichis, finis, mais qui en écrasent encore d'autres, l'amertume au souvenir de mes amis tués, avec l'incompréhension d'être encore là à côtoyer ces prétentieux humains accouplés à des prostituées de la société ». Il n'y a pas d'avenir. « Notre avenir, c'est six pieds de boue sur la poitrine ! »

– L'optimisme ne vous étouffe pas ! Goûtez le vin, que nous puissions le boire ; le maître d'hôtel attend.

– Pardonnez-moi, dit-il en obtempérant. Pas mal... J'espère qu'il vous plaira.

Léa porta son verre à ses narines.

– Il a un léger parfum de terre humide qui me rappelle Montillac après la pluie.

Elle but une gorgée et demeura songeuse, le verre à la main. Il y avait peu de temps qu'elle avait quitté son Bordelais natal et pourtant, le goût et le bouquet de ce vin lui sautèrent au cœur, suscitant la crainte de ne plus le retrouver. Une angoisse irraisonnée l'envahit. Elle se leva brusquement.

– Excusez-moi, je dois aller téléphoner. Je reviens.

Un peu surpris, il se leva à son tour, courtois.

– Je vous attends.

Il attendit longtemps, car l'opératrice n'arrivait pas à obtenir Saigon. Enfin, la communication fut établie.

– Allô ! Ici madame Tavernier, passez-moi mademoiselle Rivière.

Elle dut attendre encore deux ou trois minutes.

– Allô, Léa, vous allez bien ?

– Bonjour, Lien. Comment vont les enfants ?

– Je vais vous passer Charles, qui est auprès de moi. Pendant ce temps-là, j'irai chercher Adrien. Mais soyez sans inquiétude : ils se portent tous trois très bien.

– Merci, dit-elle soulagée. Charles, mon chéri, comment vas-tu ?... Je t'entends très mal... Oui, je vais rentrer bientôt... Prends bien soin des petits... Je t'aime aussi, mon grand... Adrien ? mon bébé... C'est vrai, pardonne-moi, tu n'es plus un bébé... Maman t'embrasse très fort... Je vais bientôt revenir... Avec Papa, oui... Gros baisers, mon amour... Allô !... Allô !...

– La communication a été coupée, madame.

Elle revint, souriante, l'air plus détendu, sous l'œil ouvertement admiratif de Claude Barrès qui se dressa à son arrivée.

– Excusez-moi de vous avoir fait attendre. Les communications avec Saigon sont difficiles. J'ai quand même réussi à joindre mes enfants. Ils vont bien.

– Combien en avez-vous ? interrogea-t-il avec une pointe de déception dans la voix.

– Trois.

– Trois !...

– Oui... Non... Enfin, deux plus un que je considère comme mon fils.

– C'est de la folie d'avoir amené des enfants ici !

– Peut-être, mais je ne voulais me passer ni d'eux ni de leur père.

– Je crains que, comme la plupart des civils, vous ne perceviez pas très bien ce qui se passe ici.

– Je vois que vous allez me dire, vous aussi, que je n'y connais rien en politique, que c'est une affaire d'hommes ! Pendant l'Occupation, en France, on ne s'est pourtant pas demandé si la Résistance était une affaire d'hommes ou de femmes. Nous courions les mêmes risques que vous !

Toujours avec ce sourire qui le rendait si séduisant pour certaines et si agaçant aux yeux de certains, Claude Barrès dévisagea sa compagne de ses yeux bleus, soudain attentif.

– Vous étiez dans la Résistance ?

– Et alors ? Je ne vais pas passer ma vie à en parler. Trop de mes amis sont morts, j'ai vu trop de tués, de torturés, de gens bien qui ont perdu leur âme et de salauds que l'on a décorés. Je n'aime pas me rappeler cette période. Et vous, où étiez-vous ?

– Je me suis engagé dans les paras de la France libre, en 42.

– Vous avez vu de Gaulle ?

– Oui, à deux ou trois reprises.

– Moi, je ne l'ai vu qu'une fois, dans un placard[1].

– Dans un placard ?

1. Voir *Le Diable en rit encore.*

– Oui. Mais ce serait beaucoup trop long à vous expliquer. Je suis fatiguée, je vais aller me reposer. Merci pour ce déjeuner... et le reste. Au revoir !

– Dans un placard... Sacrée garce !, s'exclama-t-il en la regardant s'éloigner.

11.

Les 27, 28 et 29 décembre 1950, l'hôtel *Métropole* servit de plaque tournante aux correspondants de guerre, photographes et journalistes de retour du périple où les avait entraînés de Lattre à bord de ses *Morane*. François Tavernier était parmi eux. Pas pour longtemps, car le général avait exigé sa présence auprès de lui, à Saigon, pour saluer M. Letourneau avant son départ pour la France. C'est à peine s'il avait eu le temps de prendre une douche et de faire l'amour à une Léa qui lui labourait le dos de ses ongles tant de colère que de jouissance.

– Salaud !... Salaud !... ne cessait-elle de répéter.

– Je serai de retour dans deux jours, je te le promets.

– Tu ne m'emmènes pas avec toi ?

Un vase de porcelaine de Hué manqua, de peu, lui fracasser la tête. Il ne dut son salut qu'à la fuite. Penchée, nue à la fenêtre, elle le vit monter dans un *half-track* qui démarra aussitôt.

– Et les enfants !...

Elle avait oublié de lui parler des enfants ! Elle se jeta sur le lit, pleurant de rage. Ah, il commençait bien son séjour en Indochine ! Épuisée, elle s'endormit.

En fin de journée, le 31 décembre, François revint à Hanoi

avec le général de Lattre qui, après s'être arrêté à Tien Yen dans la matinée et avoir passé en revue les troupes commandées par le colonel Beaufre à Haiphong, avait donné l'ordre à ses proches collaborateurs de le rejoindre à la Maison de France où l'attendait le général Salan. François crut comprendre que cet ordre ne le concernait pas et se fit déposer au *Métropole* où régnait une ambiance plutôt gaie, malgré les nouvelles alarmantes qui circulaient en ville : des combats autour de Viêt Tri et de Bac Ninh et la capture par le Viêt-minh d'un bataillon sénégalais tombé dans une embuscade à une soixantaine de kilomètres de la capitale. Le bar était pris d'assaut. Trois jeunes A.F.A.T.[1] assez jolies riaient fort, serrées de près par des mâles aux gestes et aux propos cavaliers. Il y avait, chez tous, un besoin frénétique de se sentir en vie et d'enterrer au plus vite cette année 1950 qui avait vu tant de désastres. Maintenant qu'on avait un vrai chef, ça allait changer, les victoires feraient oublier les humiliations et les défaites.

Un rire joyeux domina le tumulte. Que faisait Léa au milieu de cette troupe, trônant dans un fauteuil club, jambes croisées, vêtue d'une robe bustier noire qui la dénudait audacieusement, les cheveux relevés sur sa nuque fragile, un verre à la main, entourée d'hommes sous le charme ?

Léa le vit venir, mais fit celle qui ne le voyait pas. Son manège amusa François et l'agaça à la fois. N'en aurait-elle jamais fini avec ses mines de coquette ? Le temps avait passé, c'était une femme mariée, mère de famille ! « Vieux con ! » pensa-t-il. Comment osait-il cantonner cette créature faite pour séduire, éprise de liberté, aux activités ménagères et aux enfants ? La prenait-il pour ces femmes d'officiers, sèches et bien-pensantes, vouées aux bonnes œuvres et aux thés chez mesdames les générales ?

Cette idée le fit sourire, de ce sourire – mélange d'ironie,

1. Auxiliaires féminins de l'Armée de terre.

d'indulgence et de tendresse – auquel Léa ne savait pas résister. Elle se leva malgré les protestations de ses soupirants et vint vers lui. Bon Dieu, qu'elle était belle ! Il n'était pas le seul à le penser. À sa démarche, il devina qu'elle était un peu ivre ; il ne l'en trouva que plus désirable. Son sexe se durcit. Il l'attira. Léa sentit son désir et ondula doucement en levant la tête vers son visage avec un sentiment de puissance. « Comme il est grand ! » pensa-t-elle en tendant ses lèvres. Pendant un bref instant, ils oublièrent ce qui n'était pas leur étreinte. Autour d'eux, les conversations s'étaient ralenties. Chacun enviait ce couple harmonieux que l'on devinait follement épris.

– Pardon, monsieur... S'il vous plaît ?... Excusez-moi...

– Qu'y a-t-il ? demanda François de la voix de quelqu'un que l'on réveille.

– On vous attend à la Maison de France.

– Vous plaisantez !

– Non, monsieur, le général m'a lui-même donné l'ordre de venir vous chercher.

– Dites au général que vous ne l'avez pas trouvé ! s'exclama Léa.

– Mais, madame, je l'ai trouvé...

C'était énoncé avec un tel ton d'évidence qu'ils éclatèrent de rire, ce qui fit piquer un fard à la jeune estafette.

– Pardonne-moi, mais je dois y aller, dit François.

– Il commence à m'énerver, ce général. Vous n'allez tout de même pas passer la nuit ensemble !

– N'aie aucune crainte là-dessus, ce n'est pas mon genre... Ne bois pas trop d'ici mon retour.

– Je ferai comme je voudrai... Les enfants ? Comment vont les enfants ?

– Très bien ! J'ai pu faire un saut pour aller les embrasser. Oh, j'allais oublier...

Il tira de sa poche une enveloppe un peu froissée.

– Ils m'ont chargé de te remettre ça.

Léa l'accompagna jusque dans le hall, puis monta dans la chambre pour lire la lettre.

Tu nous manques, reviens vite, avait écrit Charles qui avait glissé dans l'enveloppe des pétales de fleurs. *Le dessin, c'est Adrien qui l'a fait ; ça représente* Ong Cop. *Je te le dis pour le cas où tu ne l'aurais pas reconnu...*

De fait, sans la précision de Charles, elle n'aurait pas identifié, dans le gribouillis jaune et noir de l'enfant, le fameux tigre du Jardin botanique de Saigon. Quelqu'un avait enfin dû tenir la menotte de Camille dont le prénom s'étalait en lettres malhabiles.

– Mes petits, murmura-t-elle en portant les feuilles à ses lèvres.

Allongée sur le lit, elle alluma une cigarette et prit un des livres qu'elle avait emportés. Confortablement installée, elle entreprit de lire le roman de Paul Colin qui venait d'obtenir le Goncourt. Le titre était prometteur : *Les Jeux sauvages.*

François (Tiens, ça commençait bien !) *s'aperçut brusquement que la nuit tombait, et d'un geste large repoussa devant lui tout ce qui encombrait sa table. Comme d'habitude, il avait travaillé jusqu'à ce que l'ombre soit venue dissoudre les caractères imprimés et éteindre l'éclat des pages blanches ; ainsi, sur ses feuillets manuscrits, pouvait-il reconnaître la fin de son travail de chaque jour aux dernières lignes qu'il y avait tracées, celles du crépuscule, légèrement de travers et souvent arrêtées sur un mot inachevé, d'une écriture plus large et plus appuyée. Cela suffisait pour aujourd'hui. Demain, il reprendrait au mot interrompu sa traduction pour l'*American Naturalist *de la très précise "Étude cytologique sur l'hybridation chez les Anoures" du professeur Chou-Su ; demain... car maintenant c'était la nuit, à laquelle il fallait qu'il cédât...*

Le livre glissa des mains de Léa ; elle dormait.

– Ah, vous voici enfin ! s'exclama de Lattre en voyant François entrer dans son bureau de la Maison de France. Qu'est-ce que vous foutiez, bordel ? J'ai besoin de tout le monde, ici. La situation est mauvaise. Il me faut des troupes fraîches, sinon les Viêts vont nous baiser. Dites-leur, Salan, ce qu'ils préparent, ces salauds !

Le général Salan, que de Lattre avait nommé, la veille, commandant de la zone opérationnelle du Tonkin et commissaire de la République au Nord Viêt-nam, se pencha sur une carte étalée sur la table.

– Les rebelles préparent, de Viêt Tri à Luc Nam, une campagne appelée « Tran Hung Dao », commandée par Vo Nguyen Giap en personne. Nous allons donc nous trouver face à face... Pourquoi « Tran Hung Dao » ? Giap, au début de sa carrière, a enseigné l'histoire et connaît bien les annales historiques de sa patrie. Sous la dynastie vietnamienne des Tran, qui régnait au Tonkin, le général Tran Hung Dao, après avoir chassé l'envahisseur du pays, avait poussé ses troupes très au sud, jusqu'au col des Nuages qui domine la baie de Tourane...

– Salan, tonna de Lattre, ce n'est pas un cours d'histoire du Viêt-nam que j'attends de vous, mais un exposé stratégique ! Vous connaissez ce putain de pays, paraît-il, mieux que personne. Montrez-le, que diable !

Le visage de Salan, habituellement figé, se crispa, ses lèvres s'amincirent encore, ses yeux s'étirèrent ; plus que jamais il méritait son surnom de « Chinois ». D'une voix blanche, il continua :

– Le Viêt-minh veut isoler Hanoi de Haiphong et nous placer de la sorte en position intenable. Ses meilleures unités y sont consacrées, dont la fameuse Division 308, appuyée par trois régiments. Sur les fronts secondaires, six régiments. En réserve, la Division 304, celle qui nous a bousculés sur la R.C.4 et qui est encore en cours de réorganisation. Voilà le tableau, dans son exactitude brutale, que Giap a su créer. C'est impressionnant.

– Vous avez entendu, messieurs ? Voilà la situation. En face de ça, je n'ai qu'une bande de pauvres bougres mal chaussés, mal vêtus, habitués à la défaite. Il me faut de bons officiers pour les commander. Il faut récupérer l'armement partout où il se trouve. On manque de munitions, de tanks, de canons. Il me faut tout cela, vous entendez ? Il me le faut !

Rouge, le général de Lattre marchait de long en large en gesticulant. Tous se tenaient raides, redoutant d'être pris à partie.

– Salan, il me faut du monde et, pour le moment, je ne puis que prélever des unités en Cochinchine. Très vite, je dois repartir pour la France. Voudront-ils me comprendre ? Il me faut du monde, beaucoup de monde...

La voix du général devait porter bien au-delà du jardin de la Maison de France.

– Je veux les meilleurs à mes côtés : Vanuxem, Erulin, Linarès. Je vais écrire au ministre de la France d'outre-mer, François Mitterrand, il ne peut pas me refuser son aide et son appui auprès du ministre de la Défense nationale[1]. Mes soldats ont besoin de chefs, ils les auront. Je ferai voir à ces bandits communistes que je ne suis pas « un glorieux débris historique », « un général de théâtre aimant écouter Chopin »...

François Tavernier eut du mal à retenir un sourire en se souvenant des épithètes avec lesquels la radio viêt-minh avait salué la venue du commandant en chef en Indochine. C'était excessif, mais pas si éloigné de la réalité. « De Lattre, disait la propagande ennemie, a l'habitude de faire déchausser ses soldats pour vérifier la propreté de leurs pieds... Les soldats viêt-minh courent pieds nus derrière les soldats français qui fuient ! »

– Depuis Noël, poursuivit le commandant en chef, les harcèlements viêts n'ont pas cessé. Chu a été évacué. Nous avons pu redresser la situation à Viêt Tri et à Vinh Yen. J'ai

1. À l'époque, le socialiste Jules Moch.

dû moi-même téléphoner à Viêt Tri pour faire arrêter l'évacuation des civils et des soldats. Je ne veux plus d'évacuations ! Nous devons faire face à un ennemi maintenant puissamment armé. Il faut que les États-Unis augmentent leur aide ; l'issue des combats d'Indochine est aussi importante que celle de la guerre de Corée pour l'avenir de l'Occident face au communisme.

Appuyé sur le rebord de la table où étaient déployées des cartes, ce chef de soixante-trois ans, adulé ou haï, à qui le gouvernement français avait confié de si lourdes responsabilités, se redressa, le regard dur et fier.

– Vous pouvez partir, messieurs. J'ai à parler au général Salan. À demain pour la cérémonie des vœux.

– Qu'avait-il besoin de me faire venir ? soupira Tavernier en quittant la Maison de France.

La nuit était sombre et froide, les rues désertes. Hanoi ne ressemblait plus à la cité vivante qu'il aimait, mais à une ville assiégée. Se croyant à l'abri derrière les sacs de sable, l'hôtel *Métropole* se préparait à fêter malgré tout le Nouvel An.

Après avoir fait un tour au bar et vérifié que Léa n'y était pas, François monta dans la chambre. Dans le couloir, il croisa un *boy*.

– Tout est prêt, Monsieur, mais Madame dort, dit-il en le saluant.

François le regarda d'un air étonné.

– Je peux vous ouvrir...

Sans attendre la réponse, le *boy* glissa son passe dans la serrure et s'effaça pour le laisser entrer.

Léa avait bien fait les choses : elle avait profité de son absence pour commander un souper.

– Voulez-vous que je vous serve ? demanda le *boy*.

– Non. Tout est très bien.

– Merci beaucoup, Monsieur, fit le garçon en empochant le pourboire. Je vous souhaite une très bonne année.

– Bonne année.

Le *boy* avait raison : Madame dormait. Le livre qu'elle lisait avait glissé par terre. François s'assit sur le bord du lit. « Comme elle est jeune encore, se dit-il ; elle a l'air d'une petite fille. » Mais la jupe relevée montrait l'attache retenant les bas et la peau tendre des cuisses. Il glissa la main entre elles. Ses doigts se réchauffèrent à leur chaleur. Dans son sommeil, Léa frissonna. Il remonta jusqu'à sa culotte, qu'il écarta, et doucement la caressa. D'abord il ne se passa rien ; elle dormait vraiment profondément. Puis, peu à peu, son sexe s'humidifia, ses cuisses s'ouvrirent, son souffle se précipita... Comme il aimait ce corps facile !

Il interrompit sa caresse.

– Continue !

Il la contemplait, impudique et offerte, gémissante.

– Continue, je t'en prie...

Prenant son temps, il retira la culotte qu'il fourra dans sa poche, et posa ses lèvres sur le sexe de sa femme.

– Oh oui !

... Peu après, enveloppés dans les peignoirs de bain de l'hôtel, les cheveux en broussaille, Léa et François levaient leur verre :

– Bonne année, mon amour ! se dirent-ils d'une même voix.

Le 1er janvier 1951, Léa rencontra le général de Lattre dans la grande salle de la Maison de France où le général Salan lui présentait ses vœux ainsi que ceux des civils et militaires du Tonkin dont il avait la charge.

« Vous pouvez, mon général, compter sur nous. Chacun à

notre poste, nous serons dignes de la confiance et de l'affection que vous nous portez. Puisse cette année réaliser notre vœu le plus cher : la paix entre les nations et l'union indéfectible du Viêt-nam et de la France dans une Union française harmonieuse et forte !

– Je venais pour réconforter ici mes soldats, répondit de Lattre, et c'est moi qui ai été réconforté par leur énergie et leur ardeur combative. Je vous répète ce que je vous ai déjà dit : confiance et résolution. Nous ne lâcherons plus un pouce de terrain ! Il n'y a plus de problème entre la France et le Viêt-nam, dont l'union est maintenant totale et dont les fils combattent coude à coude l'ennemi commun. Ma femme arrive aujourd'hui même à Saigon, elle me rejoint ici. Pour vous tous, civils et militaires, voici mon cadeau de Nouvel An : toute évacuation est arrêtée, vos familles demeurent avec vous. »

Une explosion de joie salua cette déclaration : enfin un chef digne de ce nom, qui croyait en la victoire finale puisqu'il n'hésitait pas à faire venir sa femme, sa chère Monette, à Hanoi, et dont le propre fils, Bernard, occupait le poste de Nhu Guynh. Avec un tel homme, les Viêts allaient voir ce qu'ils allaient voir ! Chacun leva son verre en l'honneur du commandant en chef dans un joyeux brouhaha.

Léa et François se tenaient un peu à l'écart de la liesse ; le commandant en chef s'en aperçut.

– Eh bien, Tavernier, tout cela n'a pas l'air de vous réjouir ? Aurais-je dit quelque chose qui vous a déplu ?

Le ton ironique, démenti par le regard perçant, ne laissait présager rien de bon.

– Et vous, jolie madame, n'êtes-vous pas heureuse de demeurer auprès de votre mari ?

– Très heureuse, général. Mais, depuis que mon mari est auprès de vous, je ne l'ai pratiquement pas vu. Vous l'avez entièrement accaparé.

Surpris par le ton agressif, de Lattre haussa légèrement les sourcils. Il était rare qu'on lui résistât, mais, venant de cette ravissante personne, ce n'était pas pour lui déplaire.

– Vous m'en voyez désolé, mais j'ai besoin d'un civil qui ne soit ni un fonctionnaire de l'État, ni détenteur d'intérêts locaux trop importants, ayant des attaches profondes dans ce pays, connaissant sa culture et sa langue, sans négliger ses relations avec nos ennemis... Vous conviendrez, chère madame, que votre mari m'est éminemment précieux. Cependant, je vous promets de ne pas abuser de lui !

– Merci, général.

Un lieutenant au regard sombre, aux traits marqués, s'approcha du couple.

– Bonjour, François.

– Bernard !... C'était donc bien toi que j'ai vu défiler l'autre jour ?

Les deux hommes s'embrassèrent en se serrant la main.

– Léa, je te présente mon ami Bernard Rivière.

– Bonjour. À présent, je connais toute la famille Rivière. Lien m'a souvent parlé de vous.

C'est vrai qu'il n'avait rien d'asiatique ; il fallait le regarder attentivement pour remarquer que ses yeux étaient un peu plus étirés que ceux d'un Européen, et ses cheveux châtain complétaient l'illusion.

– Vous avez pu constater combien nous sommes différents les uns des autres... Comptez-vous rester longtemps à Hanoi ?

– Cela dépendra de François. Mais j'ai hâte de retrouver mes enfants à Saigon.

Au mot « enfants », le regard de Bernard Rivière se voila ; il songeait évidemment à sa fille massacrée par le Viêt-minh. Léa s'en voulu d'avoir ravivé sa peine.

Pour éloigner les fantômes, François prit le bras de son ami et l'entraîna vers le buffet. Ils levèrent leur verre en silence, les yeux dans les yeux, séparés par la pensée de Hai qui combattait dans les rangs ennemis. C'est pour des raisons finalement opposées que l'un et l'autre mettaient leurs espoirs dans la venue du général de Lattre en Indochine.

Très entourée, Léa répondait par un sourire, un hochement de tête aux propos badins qu'on lui tenait. Peu à peu, une grande lassitude la prit. La chaleur dégagée par l'assemblée, la fumée des cigarettes, la tiédeur du champagne lui tournaient la tête. Sans cesser de sourire, elle se dirigea vers la sortie.

Quelques personnes l'avaient précédée et bavardaient au jardin. Suivie par leurs regards, elle franchit le portail devant lequel deux sentinelles se tenaient en faction. Elle marcha lentement sur le trottoir défoncé, gênée par ses trop hauts escarpins, attentive à ne pas buter contre les racines des banians qui bordaient l'avenue. Les passants étaient rares en ce premier janvier. Sous un porche à demi écroulé se rencognait une famille de misérables serrés les uns contre les autres. Un petit garçon nu, le visage mangé par de grands yeux noirs, lui emboîta le pas un moment ; il devait avoir l'âge d'Adrien. Le souvenir de son fils lui étreignit le cœur. Que faisait-elle ici, loin de lui ? L'absurdité de sa présence dans cette ville déserte, puant la peur et mort, lui apparut si puissamment qu'elle s'arrêta net. Ce geste lui sauva sans doute la vie. Un cycliste venait de la dépasser. Une dizaine de mètres plus avant, une grenade explosa dans l'entrée d'un local réquisitionné. De la fumée émergèrent des hommes en armes. L'un d'eux, muni d'un fusil, tira en direction du cycliste qui zigzagua puis tomba.

Au bruit de l'explosion, Léa n'avait pas bougé. Elle courut vers le groupe qui s'était élancé vers l'homme tombé. Pourquoi courait-elle ainsi, elle ne le savait pas, mais elle devait impérativement arriver auprès de l'homme à vélo avant les soldats. Elle y parvint à l'instant où, de la crosse de son fusil, le tireur retournait le corps. Léa jeta un cri et repoussa les militaires. Ceux-ci, tous très jeunes, regardèrent, interdits, sans un geste, cette Blanche élégante et belle s'agenouiller, le visage bouleversé, à côté du jeteur de grenades.

– Nhu-Mai !

Doucement, Léa lui souleva la tête, la fit reposer sur ses genoux. Ses cheveux se dénouèrent.

– Une femme ! s'écrièrent les soldats.

On leur avait bien dit que des femmes combattaient dans les rangs viêt-minh et qu'elles s'y révélaient pires que les hommes, mais aucun d'eux n'avait encore été confronté à cette réalité.

À l'appel de son nom, la violoniste avait ouvert les yeux. Malgré sa souffrance, elle eut un sourire lumineux en reconnaissant celle qui était inclinée sur elle.

– Léa... c'est toi ?

La courte veste blanche s'imprégnait de sang. Déjà, un militaire se penchait vers elle.

– Mademoiselle ! fit un soldat en se baissant.

Vite, trouver quelque chose... Léa le repoussa :

– Pourquoi avez-vous tiré sur mon amie ?... Dépêchez-vous, allez chercher un médecin.

– Mais, mademoiselle, c'est une terroriste !

– Comment osez-vous ? C'est une très grande violoniste.

– Elle vient de jeter une grenade.

– L'avez-vous vue faire ?

– Non.

– Alors, taisez-vous !... Elle se trouve mal !... Vite, un médecin !

– Laissez-moi passer.

Un soldat portant une boîte métallique marquée d'une croix rouge s'approcha de la blessée.

– Écartez-vous, dit-il en découpant la blouse ensanglantée.

Un sourd murmure s'éleva à la vue de la frêle poitrine découverte.

– Elle a eu de la chance. Un centimètre plus bas et le cœur

était atteint... La balle est ressortie. Ce ne sera pas très grave...

– Que s'est-il passé ? fit un lieutenant qui arrivait en courant.

– Villemin a tiré sur cette femme qui venait de jeter une grenade, mon lieutenant.

– C'est faux ! s'écria Léa, la tête de Nhu-Mai toujours posée sur ses genoux. Je marchais dans la rue, je l'ai vue passer à vélo, mais je n'ai pas remarqué qu'elle ait jeté quoi que ce soit.

– Mademoiselle, ce que vous dites est très grave. Vous êtes bien sûre de ne l'avoir rien vu jeter contre l'immeuble ?

– Tout à fait sûre, lieutenant.

Durant cet échange, la main de Nhu-Mai s'était glissée dans la sienne, y déposant quelque chose. Le cœur de Léa battit plus fort en refermant ses doigts sur un morceau de carton.

Une ambulance s'arrêta à leur hauteur. On coucha la blessée sur un brancard sans qu'un instant sa main lâchât celle de son amie. Léa se tourna vers l'officier :

– Lieutenant, prévenez mon mari, M. Tavernier ; il est à la Maison de France avec le général de Lattre. Dites-lui que je suis à l'hôpital.

– Bien, madame.

Pendant tout le trajet, les deux jeunes femmes restèrent silencieuses. L'hôpital Lanessan était entouré de barbelés, de chicanes et de murets de sacs de sable. L'ambulance passa sous le porche gardé par des sentinelles. Dans la cour, des hommes arborant des pansements à la tête, aux bras, au torse, déambulaient. D'autres, atteints aux jambes, étaient poussés dans des chaises roulantes par des infirmières tandis que certains restaient seuls, comme abandonnés, le regard vague. Il y avait là des Marocains, des Algériens, des Sénégalais, des Vietnamiens servant dans l'Armée française et des Français de souche.

– Comme ils sont jeunes, songea Léa.

Le médecin, commandant en chef de l'hôpital, s'avança tandis que le véhicule s'arrêtait devant les urgences.

– Madame Tavernier ?

– Oui.

– Votre mari vient d'appeler ; il arrive d'un instant à l'autre.

– Merci, docteur. Je vous en prie, que l'on soigne vite mon amie !

– Je m'en occupe personnellement. Suivez-moi.

Ils parcoururent de longs couloirs derrière le brancard. Nhu-Mai avait à nouveau perdu connaissance.

– Vous dites que cette personne est votre amie ? Comment s'appelle-t-elle ?

– C'est la célèbre violoniste Pham Thi Nhu-Mai.

– J'ai assisté à son concert à l'Opéra, il y a un an ou deux.

Il se pencha sur le brancard.

– Oui, je la reconnais. Elle avait disparu peu de temps après son concert. Le bruit avait couru qu'elle avait rejoint le Viêt-minh.

– C'est ridicule, je n'en crois rien ! Elle a presque toujours vécu en France, elle connaît mal son pays et ne vit que pour la musique. Je crois plutôt à une histoire d'amour dont elle n'osait parler à ses parents. À moi, elle y avait fait allusion...

– Ah, les femmes amoureuses, elles sont capables de tout !

– On voit que vous nous connaissez bien, fit Léa avec son sourire le plus enjôleur.

Le médecin-chef se redressa et toucha sa moustache d'un air avantageux.

– Nous voici arrivés en salle d'opération. Voulez-vous attendre ici ? dit-il en désignant une banquette de bois.

– Soyez doux avec elle, docteur.

– Ne craignez rien, madame. Elle est entre de bonnes mains.

François arriva au moment où Nhu-Mai, la poitrine ceinte d'un large bandage, sortait du bloc opératoire.

– Rien de grave. Mlle Pham sera sur pied dans quelques jours. Je lui ai injecté de la pénicilline pour écarter tout risque d'infection.

– Bravo, docteur, vous avez été magnifique. Il n'y a sans doute pas de chambre pour les femmes, dans cet hôpital militaire ?

– En effet, madame...

– Alors, pour vous décharger de ce problème, je vais l'emmener avec moi.

– Mais ce n'est pas possible, madame... Elle doit être interrogée à la suite de cet attentat.

– Elle peut aussi bien être interrogée chez moi. Dans cet état, elle ne risque pas de s'envoler !

François n'avait encore rien dit, mais il avait parfaitement compris que rien ne ferait céder Léa, sinon la force.

– Commandant, ma femme a raison. Comme vous ne l'ignorez pas, je fais partie du *staff* du général de Lattre. Je prends sur moi de m'occuper de Mlle Pham. Dès qu'elle se sentira mieux, on pourra lui poser toutes les questions qu'on voudra.

– Si vous en prenez la responsabilité... une ambulance va raccompagner votre amie où vous l'indiquerez.

– Merci, commandant. Je reviendrai vous voir pour vous donner des nouvelles.

– Ce sera un plaisir pour moi de vous accueillir, madame.

François prit le bras de Léa et le serra violemment.

– Commandant, je vous remercie de votre compréhension... Ma femme est très attachée à son amie.

François grimpa dans l'ambulance après avoir indiqué au chauffeur l'adresse de la maison de la famille Rivière.

– Nous n'allons pas à l'hôtel ?

– Tu es complètement folle ! D'une part, l'hôtel est plein et n'a rien d'une clinique de luxe ; d'autre part, la présence d'une lanceuse de grenades risque de ne pas être appréciée des journalistes et autres fouilleurs de merde !

– Nhu-Mai n'a absolument rien à voir avec tout cela !

Tout en répondant, Léa se demandait si elle avait parlé à François de l'engagement de son amie auprès des communistes. Dans le doute, elle résolut d'attendre pour voir ce qu'il savait. Elle frissonna quand il répliqua d'un ton ironique :

– Bien sûr qu'elle n'a rien à voir...

Un vieux serviteur vint ouvrir la porte de la demeure où Léa avait passé naguère des moments si intenses.

– Monsieur François ! Je suis si heureux de vous voir ici, ainsi que madame Léa... Vous n'avez pas ramené mademoiselle Lien ?... Saigon n'est pas une ville convenable pour elle... Monsieur Bernard est passé, hier... Bonne année, monsieur François !

– Merci, Ngnan. Bonne année à toi aussi. Peux-tu préparer une chambre pour Mlle Pham, qui est blessée ?

– Sa place n'est pas ici, dit-il en vietnamien.

– Mlle Lien serait fâchée de ton manque d'hospitalité.

– Je suis un bon catholique, monsieur François, et je n'aime pas les communistes.

– Personne n'est communiste, ici. Fais ton travail.

Le vieillard s'en alla, traînant les pieds sur les dalles, appelant les *boys* de sa voix piailleuse.

Léa installa Nhu-Mai dans la chambre qu'elle occupait lors de son précédent séjour et l'aida à avaler un peu de thé. Comme la blessée allait parler, Léa lui posa la main sur les lèvres.

– Ne dis rien, repose-toi. Nous parlerons plus tard.

Elle rejoignit François dans la bibliothèque. Celui-ci avait sa tête des mauvais jours.

– Peux-tu m'expliquer ?

– Expliquer quoi ? que j'ai trouvé une amie blessée et que je me propose de la soigner ?

– Ne te moque pas de moi ! Tu as été témoin d'un attentat qui a grièvement blessé trois soldats français. D'après un autre témoin, c'est un cycliste qui a lancé la grenade. Or, quelques secondes plus tard, des militaires ont tiré sur le seul cycliste à rouler dans cette rue. Tu connais la suite...

– Je n'ai vu personne lancer une grenade.

– Tu as reconnu avoir vu quelqu'un passer à vélo au moment de l'explosion ?

– Je n'ai rien reconnu du tout. Ce n'est pas Nhu-Mai qui a lancé la grenade !

– Fais attention, Léa. Un faux témoignage est une chose grave. La police militaire va t'interroger, interroger ton amie. La vérité apparaîtra très vite.

– Je ne peux pas inventer, pour te faire plaisir, quelque chose que je n'ai pas vu ! répliqua-t-elle en serrant dans sa paume le bout de carton.

Ils s'affrontèrent du regard, pour la première fois ressentant l'un envers l'autre un début de méfiance.

François se souvenait parfaitement du récit que Léa lui avait fait de la fuite de la violoniste, en compagnie de deux de ses amis, pour aller rejoindre le Viêt-minh. Il comprenait qu'elle eût tenté de la sauver. Mais, de là à contester qu'elle fût l'auteur de l'attentat, cela lui semblait incompréhensible. Léa ne pourrait longtemps nier l'évidence et il n'était pas difficile d'imaginer les conséquences que son attitude aurait pour elle et pour lui-même. Il sourit presque en pensant à la tête que feraient de Lattre et ses « maréchaux » en apprenant que leur couple abritait une terroriste. Il savait aussi que Léa ne reviendrait pas sur ses déclarations. Elle, à la rigueur, on pouvait la comprendre. Mais lui ?...

– Dans mon cas, cela s'appelle une trahison, dit-il à voix haute.

Le cœur de Léa se serra. Il avait raison. C'était la guerre, et ils donnaient asile à une ennemie qui n'avait pas hésité à tuer. Léa se revit à Montillac, cachant ses amis résistants aux regards de la Gestapo ou de la Milice. « Mais ce n'est pas la même chose ! » lui chuchotait une petite voix tandis qu'une autre grondait : « Ces gens luttent pour leur liberté, comme nous ; c'est nous qui sommes les envahisseurs. Il est normal qu'ils nous combattent par tous les moyens. – Mais ce sont des Français comme toi qu'ils tuent », répliquait la petite voix. L'autre reprenait, plus forte : « Ce sont ces mêmes Français qui nous ont exploités, nous ont emprisonnés, torturés, tués. Ce sont eux qui nous ont poussés à la révolte par leurs odieux procédés, leur mépris de nos coutumes, eux qui nous ont nié le droit à l'égalité, sauf quand ils avaient besoin de nous pour nous faire massacrer dans des guerres qui n'étaient pas les nôtres. – Le Viêt-minh n'a pas hésité non plus, lui, à éliminer ses opposants, à massacrer des populations entières qui s'étaient ralliées à la France, à brûler des villages, à emmener en otages des enfants français et leur mère... »

Plongée dans ses pensées contradictoires, elle sursauta quand François l'attira à lui.

– Je dois rejoindre le général. Réfléchis bien. Je respecte l'hospitalité que tu donnes à une blessée, mais, dès qu'elle ira mieux et si on ne l'a pas déjà mise en prison, je veux qu'elle parte. Tu as compris ?

Léa le repoussa doucement. Songeur, François la regarda intensément.

– Je m'en souviendrai, de ce premier janvier ! soupira-t-il en sortant.

C'était la première fois qu'il la quittait sans un baiser.

12.

François repartit seul pour Saigon, avec le général de Lattre. Léa le rejoindrait quand Nhu-Mai serait complètement rétablie.

Le lendemain de son installation dans la maison de la famille Rivière, la violoniste avait été prise d'une forte fièvre. Appelé, le médecin avait jugé son état critique, ce qui empêcha les services de l'armée de l'interroger. Léa fit transporter un lit dans sa chambre et resta près d'elle jour et nuit. Le matin du 6 janvier, la fièvre tomba. D'une voix faible, Nhu-Mai appela Léa. Aussitôt, la jeune femme fut près d'elle et constata avec soulagement que son regard avait recouvré sa lucidité.

– Oh, ma chérie ! Tu vas mieux ?

Une petite main amaigrie agrippa la sienne.

– Où suis-je ?

– Tu n'as rien à craindre. Tu es chez les Rivière.

– Mlle Lien est là ?

– Non, elle est à Saigon avec mes enfants.

– C'est à cause de moi que tu es loin d'eux...

– Ne dis pas ça. D'abord, tais-toi : tu vas te fatiguer et la fièvre va remonter. Repose-toi.

– Qu'as-tu fait de ma carte ?

– Ne t'inquiète pas, elle est en lieu sûr.

– J'ai soif.

Léa lui souleva la tête et lui fit boire un peu de thé. Nhu-Mai sourit et s'endormit, la main dans celle de son amie.

Plus tard, Léa sortit pour aller prendre l'air au jardin. Lasse, elle se laissa tomber sur un banc, sous un arbre dont les branches traînaient jusqu'à terre. Le morceau de carton remis par Nhu-Mai était accablant ; il s'agissait d'une sorte de carte d'identité délivrée par le Viêt-minh.

Tout était silencieux autour d'elle, Hanoi n'avait pas renoué avec son animation d'antan. Elle avait hâte de quitter ces lieux hantés par la guerre. Dans combien de temps Nhu-Mai serait-elle rétablie ? Depuis son départ, François ne l'avait appelée qu'une seule fois. De son côté, elle n'avait pu avoir Saigon, les lignes étant réservées aux militaires.

Une pierre roula à ses pieds. Immédiatement, elle fut debout. Une nouvelle pierre, enveloppée d'un papier, rejoignit l'autre. Léa la ramassa, déplia la feuille de papier. C'était une lettre à l'écriture malhabile qu'elle déchiffra avec difficulté.

La mère de Nhu-Mai a été prévenue de sa présence dans la maison. Elle est très mécontente et veut reprendre sa fille. Elle a demandé à la police de venir la chercher. Ses amis veulent également mettre la main sur elle. Soyez prudente, ils n'aiment pas les Français.

Giau.

Léa s'avança dans le jardin en regardant autour d'elle, mais ne perçut aucune trace du mendiant. Au même moment, la porte donnant sur la rue s'ouvrit et des soldats firent irruption. Léa alla au-devant d'eux.

– Bonjour, messieurs. Que voulez-vous ?

– Vous êtes madame Tavernier ? demanda l'officier.

– Oui.

– Nous voudrions voir Mlle Pham.

– Mlle Pham est encore très faible, je ne crois pas qu'elle puisse vous recevoir.

– Si vous le permettez, madame, j'en jugerai par moi-même.

– Très bien. Suivez-moi.

Elle s'arrêta devant la chambre où reposait Nhu-Mai.

– Attendez-moi un instant, je vais la prévenir.

L'officier acquiesça. Léa revint presque aussitôt.

– Vous pouvez entrer. Ne restez pas trop longtemps, elle est très fatiguée.

Soutenue par des oreillers, Nhu-Mai avait l'air d'une fillette fragile. L'officier s'approcha.

– Mademoiselle Pham, vous êtes suspectée d'avoir lancé une grenade contre un immeuble de l'armée. Qu'avez-vous à dire ?

– Rien, monsieur. Je passais à vélo quand j'ai entendu une grosse explosion... J'ai eu peur et j'ai voulu m'éloigner.

– Il n'y avait que vous dans la rue.

– Ce n'est pas vrai, j'ai vu un homme s'enfuir ! intervint Léa.

– Madame Tavernier, ce n'est pas vous que j'interroge, mais mademoiselle Pham. Ainsi, mademoiselle, vous niez être l'auteur de cet attentat ?

– Oui, monsieur. J'ai eu peur, c'est pour cela que je me suis enfuie. Je n'ai pas l'habitude de la guerre... Cela m'effraie beaucoup depuis que j'ai assisté à des bombardements en France.

– Vous étiez en France pendant l'Occupation ?

– J'y ai passé une partie de mon enfance ; c'est là que j'ai commencé à étudier le violon.

– Pourquoi êtes-vous partie de chez vos parents ?

– C'est ma vie privée, cela ne regarde que moi.

– Dans les circonstances présentes, cela regarde aussi les autorités militaires de la police.

– Laissez-la tranquille ! s'insurgea Léa. Ne voyez-vous pas qu'elle est fatiguée ?

– Madame Tavernier, nous avons une enquête sur les bras, laissez-moi la mener comme je l'entends ; sinon, je vais être obligé de vous demander de vous retirer. Mademoiselle Pham, reprenons, si vous le voulez bien. Où êtes-vous allée en quittant vos parents ?

Les joues pâles de Nhu-Mai rougirent. Elle répondit en baissant la tête, tandis qu'une larme roulait le long de sa joue.

– Je suis partie avec mon fiancé.

– Comment s'appelle-t-il ?

– Nguyen Van Trinh.

– Où est-il en ce moment ?

– Il est mort, monsieur.

Léa eut du mal à cacher sa stupéfaction. La violoniste était-elle sincère ou jouait-elle la comédie ? Si tel était le cas, quelle comédienne !

Les larmes, maintenant, ruisselaient sur les joues de la jeune fille.

– Je vous en prie, laissez-la, c'est trop cruel ! s'écria Léa en soutenant son amie qui semblait sur le point de défaillir.

– Je suis désolé, mademoiselle. Je vais en référer à mes supérieurs. Je reviendrai plus tard.

Dès leur départ, Nhu-Mai sécha ses joues avec un léger sourire.

– L'histoire du fiancé, ce n'était pas vrai ?

– Pas tout à fait vrai. Avec mes camarades, nous étions convenus, si j'étais arrêtée, de raconter cette fable de fiançailles.

– Mais ce Nguyen je-ne-sais-plus-quoi, il existe vraiment ?

– Il existait...

– Il existait ? Comment cela ?

– C'était un traître ; il est mort. Nous l'avons exécuté.

– Tu plaisantes ! balbutia Léa en la regardant d'un air horrifié.

– C'était le chef du village dans lequel nous nous trouvions, mes camarades et moi. Il me faisait la cour, m'offrait des présents pour manifester à tous quelles étaient ses intentions. Au village, personne à part lui ne savait qui nous étions ; il avait déclaré que nous étions des parents éloignés qui avaient fui les persécutions viêt-minh. En fait, ce village était à proximité d'un poste de la Légion que les habitants ravitaillaient deux fois par semaine. Nous avions reçu l'ordre, deux amies et moi, de nous mêler aux paysans afin de reconnaître le poste, d'évaluer le nombre des soldats, de voir quelles étaient leurs armes, de découvrir les failles dans leur défense... J'ai soif... Merci.

Après avoir bu, elle reprit :

– Ce ne fut pas très difficile. Leur vigilance s'était relâchée, des liens s'étaient noués entre certaines femmes du village et les soldats. Le commandant du poste buvait beaucoup, et, peu à peu, il a cru que les villageois étaient des amis. C'était vrai pour un petit nombre d'entre eux, pour les autres, ce n'était qu'une occasion de vendre le poisson, la viande, les légumes vingt fois plus cher qu'à leurs compatriotes. Au fil des jours, les relations entre villageois et soldats devinrent quotidiennes. Cela nous permit de déambuler dans le poste et de relever l'emplacement des armes lourdes. J'envoyai tous ces renseignements au camarade-commandant de ma section. Quelques jours plus tard, habillés en *nhà quê*[1], cachés dans les embarcations, nous avons pris le poste.

– Tu as participé au combat ?

– Non, il ne fallait pas que je sois reconnue par les gens du village comme étant communiste.

– Que sont devenus les légionnaires ?

– Ils sont morts.

1. Paysans.

– Tous ?

– C'est ce qu'on m'a dit.

L'indifférence avec laquelle Nhu-Mai parlait de ces combats, de ces morts, révolta Léa.

– Tu te rends compte de ce que tu me racontes avec l'air de trouver cela normal ? Tu me parles du meurtre de combattants français ! Aurais-tu oublié que je suis française, et que, même si ta cause est juste, votre façon d'agir est odieuse ?

– Peut-être, mais la vôtre l'est tout autant. Sais-tu ce qu'ils ont fait, tes amis français ?... Ils sont revenus en nombre et ont massacré tous les habitants du village. Avant de les tuer, ils ont violé les femmes, torturé les hommes. Après quoi, ils ont mis le feu aux récoltes et aux maisons.

– C'est horrible ! Mais, en tuant les soldats, vous deviez bien vous attendre à des représailles ?

– En effet. Mais ces représailles suscitent la haine de tout le peuple contre l'occupant français et renforce le Parti dans sa détermination. Ces martyrs sont morts pour l'indépendance de notre pays, leur mémoire demeurera à jamais parmi nous.

– Mais tous les Vietnamiens ne veulent pas mourir pour la seule gloire du Parti, tous ne sont pas communistes !

– Ils le deviendront de gré ou de force.

– Ce que tu dis est épouvantable. Tu ne trouves pas qu'il y a eu assez de morts, assez de souffrances ?

– Chaque Vietnamien victime de l'oppresseur fait le Parti plus grand, plus fort.

Léa la considéra avec pitié.

– Tu me fais peur. Tu n'es plus toi-même, tu te contentes de répéter les endoctrinements du Parti, tu as perdu toute conscience personnelle.

– Et j'en suis fière ! Je suis un instrument de la Révolution internationale. Je n'existe pas en tant qu'individu.

Ces dernières paroles, proférées avec passion, eurent raison des forces de Nhu-Mai qui blêmit et perdit connaissance.

– C'est malin de te mettre dans un état pareil ! soupira Léa en lui bassinant le front avec un mouchoir imprégné d'eau de Cologne.

Nhu-Mai rouvrit les yeux et murmura :

– Tu vas me dénoncer à la police ?

– Je le devrais... Ne parle plus, tu es trop faible, et je ne veux plus rien entendre concernant tes activités de révolutionnaire. Dors, je vais me changer.

Nhu-Mai sommeilla jusqu'au soir. À son réveil, elle sonna. Une servante entra avec un bol de bouillon fumant ; l'odeur du tamarin emplit la pièce.

– *Mòi cô dùng, món nây rât tôt cho cô.*

– *Cam on, bà Tavernier dâu rôi ?*

– *O khách san* Métropole. *Nêu cân, chùng ta có thê liên lac vói bà o dây*[1].

Transformée en infirmière depuis près d'une semaine, Léa avait éprouvé un besoin urgent de s'éloigner un peu pour réfléchir. En d'autres temps, elle aurait fait le tour du Petit Lac, une promenade en cyclo-pousse sur l'avenue Parreau – que les Français, qui n'étaient pas à un anachronisme près appelaient la « digue » Parreau, du nom du premier résident-maire de Hanoi en 1885 – ou bien aurait flâné dans le Jardin botanique, non sans avoir fait un léger détour par la pagode du Pilier-Unique dont la construction remontait à 1049. Léa avait tout de suite aimé ce curieux édifice entouré d'un bassin carré où flottaient des nénuphars. Sur une large colonne de pierre faite de deux blocs cylindriques était posée une mignonne pagode à laquelle on accédait par un escalier de briques, en mauvais état. Tout l'ouvrage avait d'ailleurs souffert ; la toiture aussi bien que le plancher étaient par

1. – Buvez, cela va vous faire du bien.
– Merci. Où est Mme Tavernier ?
– À l'hôtel *Métropole*. En cas de besoin, on peut la joindre là-bas.

endroits détruits. Malgré sa décrépitude, ce pagodon avait un charme fou. On y venait pour être assuré d'avoir une descendance.

Le quartier de la Concession respirait le calme provincial si cher aux anciens colons. On se serait cru à Vichy ou bien à Soissons si, de temps à autre, n'avait passé un cyclo ou un indigène marchant à pas pressés sous son chapeau pointu.

Aujourd'hui, Léa avait besoin de voir du monde, de ne pas rester confinée au chevet d'une malade – et pas n'importe quelle malade : une terroriste lanceuse de bombes !

En elle se livrait un véritable combat entre l'amitié et le devoir. Le bon sens, le patriotisme voulaient qu'elle dénonçât Nhu-Mai. Mais sa compréhension des motivations de son amie, même si elle condamnait l'action terroriste, et son horreur de la délation lui interdisaient de le faire.

« Si François était là, il saurait quoi décider. Pourquoi n'est-il jamais là quand j'ai besoin de lui ? »

C'était l'heure de l'apéritif, il y avait beaucoup de monde autour du bar du *Métropole* : des journalistes débraillés, des correspondants de presse étrangers aux vêtements plus frais, des civils en costumes clairs, des officiers et sous-officiers en toile kaki, des A.F.A.T. en souliers plats. L'élégance de Léa, qui avait remis la robe qu'elle portait le jour des vœux à la Maison de France, détonnait.

Pas une place au bar ; elle alla s'asseoir dans le seul fauteuil libre du hall. Elle fouilla dans son sac, à la recherche de ses cigarettes, puis de son briquet. Un homme lui tendit du feu. Leurs cris jaillirent en même temps :

– Jean !

– Léa !

Jean Lefèvre était là devant elle. Ils tombèrent dans les bras l'un de l'autre.

– Oh, Jean, quel bonheur de te revoir !

– Laisse-moi te regarder, je n'en crois pas mes yeux ! Tu es encore plus belle que dans mon souvenir.

Léa rit de ce rire qui troublait tant les hommes.

– Regarde qui est avec moi.

– Franck !

L'ami de Laure la regardait d'un air bouleversé. Quand elle l'embrassa, un sanglot secoua le corps du jeune homme. Le fantôme de Laure souriait en les contemplant.

Deux fauteuils se libérèrent ; ils s'y assirent et rassasièrent leur regard de la vue de cette femme ravissante qui avait traversé leur vie. Puis tous les trois parlèrent avec animation de choses tantôt graves, tantôt légères. Ils avaient tant à se dire ! Quand ils se turent, tout à la joie de ces retrouvailles, s'entre-regardant avec émotion, Léa se leva :

– J'ai faim ! Je vous invite à dîner.

Le maître d'hôtel les installa à une table, près de la terrasse. D'un commun accord, ils décidèrent de manger à l'européenne. Quand un banal gratin de macaronis leur fut servi, ils le savourèrent comme un mets de choix en buvant un piètre bordeaux.

– On se croirait chez nous ! jubila Jean en engouffrant une grosse fourchettée de nouilles.

Une fois repu, Lefèvre parla. Il parla de la beauté de ce pays qu'il avait appris à aimer, de ses femmes à la fois fragiles et fortes, douces et cruelles, de celle qui était devenue sa *congaï*[1]. Elle lui avait donné des preuves de son amour et de sa fidélité, une nuit, en venant lui annoncer l'attaque imminente des Viêts ; elle et sa famille l'avaient payé de leur vie, ainsi que l'enfant qu'elle attendait de lui. Cette nuit-là, isolés dans leur poste, avec ses camarades ils avaient réussi à repousser l'attaque des rouges. Mais quatre des siens étaient morts, cinq autres blessés qu'il avait pu faire évacuer sur Hanoi. Il avait fallu oublier la fin atroce de sa compagne, et reprendre la « pacification » de la région. Les villageois venaient à eux le jour et les trahissaient la nuit. Il ne leur en voulait pas : ils

1. Maîtresse.

n'avaient pas le choix. Le Viêt-minh avait des espions partout ; ses méthodes étaient plus efficaces que celles des Français isolés sur leur piton surmonté du drapeau tricolore ou sur leur bout de terre perdu au milieu des rizières. Avec le temps, Jean avait compris que chaque village « pacifié » était condamné, que la protection assurée par le poste était illusoire et que, dès leur départ, le village serait rasé, ses habitants torturés et massacrés. Il n'en pouvait plus de tant de tueries au milieu de tant de beauté. Il avait appris à se méfier des matins calmes, du brouillard flottant sur les arroyos[1], des journées de pluie qui pourrissaient tout, des nuits froides et claires. Deux ans d'Indochine l'avaient rendu proche de ce pays et de ses habitants dont la survie, croyait-il, était intimement liée à la présence française. Il était convaincu que le devoir de la France était de protéger ces populations et de les aider à accéder à l'indépendance sans l'aide du Viêt-minh, lequel se souciait peu d'elles mais ne visait qu'au triomphe du communisme. Lui qui avait combattu dans la Résistance auprès des communistes de Gironde, jamais il n'aurait cru qu'il viendrait à les combattre dans ce pays-ci, à dix-huit mille kilomètres du sien. Mais le communisme montrait ici son vrai visage, dur et arrogant, son désir de domination sans partage sur les peuples du monde.

Comment aurait-il pu oublier ce jour où, abandonnant sur ordre leur poste à la suite d'une concentration de forces viêt-minh, ils avaient dû quitter un village près de Bac Can ? Au début, les habitants les avaient regardés, en silence, détruire les fortifications de bambou, démonter le matériel lourd, faire disparaître tout ce qui pouvait servir à l'ennemi. Toujours muets, ils avaient regardé les soldats français monter dans leurs camions qui, lentement, s'étaient ébranlés. Il y avait alors eu un mouvement de foule, des cris ; des vieillards, des femmes, des enfants s'étaient mis à courir derrière les

1. Chenaux reliant deux cours d'eau dans les régions tropicales.

véhicules, le chef du village à leur tête, sa longue barbiche flottant derrière lui, hurlant des mots que le bruit empêchait de comprendre. Une femme tenant un bébé s'était accrochée au camion dans lequel Lefèvre avait pris place.

– *Dùng di !* suppliait-elle. *Chúng se giêt hêt chúng tôi ! Mang con tôi di, tôi van ông, mang nó di*[1] !

La vitesse lui avait fait lâcher prise. Elle était restée debout au milieu de la route défoncée, son petit dans les bras. Depuis, chaque matin, il rêvait de cette femme, maudissant le gouvernement français et l'armée qui ordonnaient la « pacification » de ces gens pour les sacrifier ensuite. Il ne comprenait pas. Pour lui, la France avait commis cette faute impardonnable : abandonner des populations civiles qui s'étaient placées sous sa protection.

L'évocation de cet abandon creusait le visage de Lefèvre ; dans ses yeux passaient des lueurs de haine et de honte. D'une voix monocorde, il poursuivit :

– Cela a continué. Nous avons pacifié deux autres villages que nous avons lâchés. Au dernier, fou de remords, je suis revenu sur mes pas avec mes hommes. Trop tard. Le Viêt-minh avait été plus rapide. À l'entrée du village, une dizaine de têtes étaient fichées sur des piques de bambou. Des habitations, il ne restait plus rien. Devant sa case, le chef vivait encore, éventré. Près de lui, ses intestins sur lesquels s'était abattue une nuée de mouches et de moustiques. Je lui ai donné le coup de grâce. Jamais je n'oublierai le reproche virulent de son regard.

Pâle, les yeux fixés sur son assiette, Léa avait le cœur au bord des lèvres.

Au bout d'un long silence, Jean Lefèvre commanda une bouteille de cognac dont il but deux verres coup sur coup.

– Pardonne-moi, Léa, de t'avoir raconté tout cela, mais il

1. Ne partez pas ! suppliait-elle. Ils vont tous nous tuer ! Emmenez mon enfant, je vous en prie, emmenez-le !

fallait que je parle. Cette guerre n'a rien à voir avec celle que nous avons connue ; c'est une guerre où la France se déshonore. Demain, nous partirons à l'aube pour combattre des hommes cruels, mais qui se battent chez eux, même si c'est sous le couvert d'une idéologie que j'ai appris à détester. Je les comprends. Ce n'est peut-être pas une guerre de libération, comme dit leur propagande, mais c'est une guerre pour vivre libres chez eux, ou, du moins, sous un despotisme qui leur appartienne. Certains, parmi nous, ont rejoint leurs rangs, convaincus que leur guerre était juste. Si je n'avais une telle idée de mon honneur de soldat français, je ferais comme eux !

– Ne dis pas cela, protesta Franck qui n'avait pas prononcé une parole ; ce serait trahir.

– Mon petit, la trahison est affaire de circonstances et d'engagement personnel. Moi, l'idée que je me faisais de la France et de l'honneur n'était pas celle-ci. En abandonnant ceux qui sont venus à nous, c'est nous que nous avons trahis. J'ai trahi mon frère abattu par les Allemands, mes camarades torturés, déportés ; j'ai trahi l'idéal français de liberté, d'égalité et de fraternité...

Jean avala un troisième verre de cognac et reprit :

– De toute façon, avec ou sans de Lattre, c'est foutu, ils gagneront, ils perdront des dizaines de milliers d'hommes, mais ils gagneront, ils reprendront leurs montagnes, leurs rizières, leurs villes et leurs villages. Connaîtront-ils la paix ? Rien n'est moins sûr, mais ils seront maîtres chez eux.

– François pense qu'avec de Lattre, tout va changer.

– Il se trompe. Sans doute allons-nous remporter quelques victoires, mais ce ne sera que pour mieux être écrasés. Qui n'a pas vu une attaque viêt ne peut pas comprendre. Ils déferlent sur leur objectif telles des fourmis ; on en tue dix, cent prennent la relève ; cent ? c'est mille qui nous forcent à la fuite. Crois-moi, ils vaincront !

François avait pensé cela un moment, mais, depuis qu'il

était auprès de De Lattre, il considérait les choses autrement. Pour la première fois, Léa se prit à douter de son jugement.

– Que veut-il ? s'écria Franck en désignant la terrasse.

Léa se retourna. Derrière la vitre, Giau agitait ses bras atrophiés, lui faisant comprendre à gestes vifs qu'elle devait venir le rejoindre. Elle se leva.

– Que te veut ce monstre ? s'enquit Jean.

– Ne t'inquiète pas, c'est un ami. C'est grâce à lui que j'ai retrouvé François.

– Nous t'accompagnons.

– Si vous voulez.

Ils ne purent sortir par les portes-fenêtres, condamnées dans la crainte d'attentats. Ils durent faire le tour par le hall et contourner l'immeuble pour rejoindre la terrasse. En voyant rappliquer les deux hommes en uniforme, Giau fit mine de s'enfuir.

– Arrête, ils sont avec moi, tu n'as rien à craindre ! Que se passe-t-il ?

– Je ne veux rien te dire devant eux.

– Restez là, je vais lui parler, fit Léa à l'adresse de ses amis.

– Mais...

– Je t'en prie, Jean, je ne risque rien.

Ils la laissèrent s'éloigner de quelques pas.

– Que veux-tu ? Tu es fou de venir ici.

– C'est important. Ils ont enlevé Nhu-Mai et sa mère.

– Qui les a enlevées ?

– Le Viêt-minh.

– Mais pourquoi ?

– Pour que Nhu-Mai ne parle pas.

Léa se dit en elle-même que c'était une bonne raison.

– Ils ne vont pas leur faire de mal ?

– Je ne crois pas. Ils savent qu'elle n'a pas parlé, et sa mère ne sait rien. Mais toi, tu dois faire attention. Fais celle qui ignore tout des activités de Nhu-Mai. Il y va de ta vie !

– Ils n'oseront tout de même pas m'enlever.

– Tu ne serais pas la première Française à être prise en otage ou tuée. Retourne à Saigon, c'est moins dangereux qu'ici. Le Viêt-minh va attaquer d'un jour à l'autre.

– Comment sais-tu cela ?

– Peu importe, je le sais. Tous les Vietnamiens le savent. Autre chose : ne rentre pas à la villa Rivière, reste à l'hôtel...

– Mais pourquoi ?

– Les gens du Viêt-minh avaient ordre de t'enlever aussi.

Après avoir frémi au récit de Jean, Léa sentit une sérieuse menace peser sur elle.

– Merci, Giau.

L'infirme disparut avec une célérité surprenante. Accablée, Léa s'en retourna vers ses compagnons :

– Pouvez-vous m'accompagner à la maison pour prendre quelques affaires ? Je vais loger à l'hôtel.

– Que se passe-t-il ? demanda Jean.

– Le Viêt-minh a enlevé Nhu-Mai, la jeune Vietnamienne que j'hébergeais.

– La police est au courant ?

– Je n'en sais rien. Vous venez ? Ce n'est pas très loin d'ici.

Les portes grandes ouvertes de la demeure ne leur dirent rien de bon, non plus que le silence inquiétant qui y planait. L'électricité ayant été coupée, ils se dirigèrent à la lueur du briquet de Franck. Arrivé devant la porte de la chambre qu'occupait Nhu-Mai, celui-ci poussa un cri. Il dirigea la lumière de la flamme vers le sol. Sur le pas de la porte gisait dans une mare de sang le corps de Ngnan, le vieux serviteur des enfants Rivière, la gorge tranchée. Ils durent l'enjamber pour pénétrer dans la pièce. À l'intérieur régnait le plus grand désordre. Des vases de porcelaine précieuse avaient été fracassés contre les murs, les tentures pendaient, des meubles étaient brisés, le lit dévasté. Léa jeta dans un grand sac quelques vêtements froissés et des objets de toilette. Ils allaient quitter la pièce quand les faisceaux de torches électriques les éblouirent.

– Ne bougez pas ! Que se passe-t-il ?

– Je ne sais pas, répondit Léa à l'officier. Quand je suis rentrée avec mes amis, nous avons trouvé les lieux dans cet état, le domestique mort. Mlle Pham a disparu. Elle n'a pas pu partir seule, elle était trop faible...

– Madame, fit le chef de patrouille, et vous, messieurs, il va falloir que vous me suiviez. Je vois, madame Tavernier, que vous avez fait vos bagages. Prenez-les avec vous...

– Où allons-nous ?

– À la Citadelle.

Ils roulèrent à vive allure à travers les rues noires. Dès leur arrivée dans la cour de la Citadelle, ils furent conduits au commandant.

C'était un homme chétif au visage jaunâtre, visiblement épuisé, à la veille de la retraite.

– Asseyez-vous, fit-il d'une voix sèche. On m'apprend, madame Tavernier, que la terroriste Pham a disparu de chez vous. Qu'avez-vous à dire ?

– Rien. Mlle Pham semblait aller mieux, j'ai cru pouvoir m'absenter quelques heures pour me changer les idées en compagnie de mes amis. Quand je suis revenue avec eux, elle avait disparu.

– Vous n'avez aucune idée de l'endroit où elle peut être ?

– Aucune, monsieur.

– Appelez-moi colonel.

– Aucune, colonel.

Elle remarqua le regard interrogatif de Jean et de Franck posé sur elle. « Pourvu qu'ils ne parlent pas de ma rencontre avec Giau ni de ce qu'il m'a dit. »

Tous deux gardèrent le silence.

– Et vous, messieurs ?

– Mon colonel, nous ignorions tout de l'existence de cette demoiselle Pham avant ce soir. Nous avons rencontré madame Tavernier, qui est une amie d'enfance, à l'hôtel *Métropole* où nous avons dîné ensemble en évoquant le bon vieux temps.

– Que faites-vous à Hanoi ?

– Nous avons accompagné un convoi de blessés.

– Vous étiez sur le front ?

– Oui, mon colonel. Nous avons été attaqués à l'est de Viêt Tri. Nous avons eu beaucoup de pertes.

– Je sais, vous vous êtes défendus comme des braves. Quand devez-vous repartir ?

– À l'aube, mon colonel.

– Sous les ordres de qui étiez-vous ?

– Le colonel Müller.

– Un brave. Vous aurez sans doute désormais affaire au colonel Vanuxem.

– Je l'ai entendu dire, mon colonel.

– Très bien, retournez à votre cantonnement.

Le téléphone sonna. Le commandant de la Citadelle décrocha.

– Allô...

À l'autre bout du fil, on entendait des hurlements.

– Oui, mon général... Bien, mon général... À vos ordres, mon général... Bonne nuit, mon...

Le colonel, qui s'était levé pour répondre au « général », de jaune était devenu gris. D'une main tremblante, il sortit un mouchoir de sa poche et essuya son front en sueur.

– C'était, dit-il en bégayant, le général de Lattre... Je ne sais comment il a appris que vous étiez ici, madame, mais il m'a donné l'ordre de vous faire conduire chez vous et de ne plus vous ennuyer avec cet attentat.

– Encore heureux... On dirait que c'est moi qui ai lancé la grenade !

– Personne n'a prétendu que c'était vous, mais de fortes présomptions pèsent sur votre amie, et sans votre témoignage...

Léa sentit les regards de Franck et de Jean comme une brûlure sur sa nuque. Leur réprobation pesait sur elle, mais ils ne dirent rien.

– Faites vos adieux à vos amis, madame. Leur devoir les appelle. Je vous fais raccompagner.

Elle embrassa ses deux compagnons avec effusion et les regarda quitter le bureau, le cœur serré. Quand les reverrait-elle ?

– Prenez garde à vous...

Ils se retournèrent avec un sourire désabusé.

13.

François revint à Hanoi le 14 janvier 1951 en début d'après-midi, à bord de l'avion du général de Lattre.

À son arrivée à la Maison de France, le général convoqua les journalistes dans le salon attenant à son bureau pour leur faire part du succès remporté à Cam Ly, en bordure du delta, par le colonel Erulin. De Lattre répondit aux questions d'un ton enjoué, feignant de ne pas remarquer l'air sombre de Salan. Le « Chinois » se tourna vers Tavernier :

– Il faut que je parle au général. J'ai des inquiétudes pour le front nord du fleuve Rouge.

– Lancé comme il est, vous aurez du mal à l'arrêter.

– Tant pis ! Si vous y parvenez, dites-lui discrètement que j'envoie un message au colonel Edon.

La campagne de « Tran Hung Dao », annoncée par Salan et commandée par le général Giap depuis Thaï Nguyen, capitale des maquis viêt, venait de commencer.

Deux heures plus tard, avec le colonel Redon, il réussit à coincer de Lattre et à lui expliquer la gravité de la situation. Brusquement, celui-ci congédia les journalistes puis, d'un air mauvais, se tourna vers François :

– Je n'ai pas besoin de civils en ce moment. Allez donc retrouver votre jolie femme. Je vous ferai chercher en cas de nécessité.

– À vos ordres, mon général.

François quitta la Maison de France ivre de colère. Il en

avait marre de ce despote qui traitait ses collaborateurs comme des chiens. Aveuglé par la fureur, il heurta Lucien Bodard qui s'était arrêté dans le jardin pour allumer une cigarette.

– Pouvez pas faire attention !... Ah, c'est vous... À votre mine, je vois que notre « roi Jean » vous a rabroué...

– Si un jour le journalisme ne marche plus, vous pourrez vous lancer dans la voyance.

– Je m'en souviendrai, le moment venu. Mais vous avez grand tort de vous mettre dans cet état ; il est comme ça avec tout le monde.

– Peut-être. Mais je ne suis pas un de ses « maréchaux » et je n'ai pas l'habitude d'être traité de cette manière.

– Profitez-en pour aller voir votre femme ; la ravissante Mme Tavernier se morfond au *Métropole.*

– Vous qui êtes dans le secret des dieux, savez-vous si l'on a des nouvelles de cette jeune Vietnamienne accusée d'avoir lancé une grenade ?

– Non, pas officiellement ; mais tout porte à croire qu'elle est entre les mains du Viêt-minh.

– La croyez-vous coupable ?

– Sincèrement, oui. Elle et votre femme étaient seules dans la rue au moment de l'attentat.

– Vous en déduisez que ma femme a menti ?

– Tout porte à le croire. On ne peut exclure qu'elle ait agi par solidarité féminine. Elles se connaissaient avant, n'est-ce pas ?

– Oui. Mais je ne vois pas cette jeune fille en terroriste ; elle a passé son enfance en France et était à l'aube d'une carrière internationale. Ce n'est pas le profil viêt-minh.

– Alors, pourquoi l'a-t-on enlevée ?

– Comment voulez-vous que je le sache ?

– Si j'apprends quelque chose, je ne manquerai pas de vous tenir au courant.

– Merci.

Ils se serrèrent la main et François partit pour le *Métropole*.

Léa n'était pas dans sa chambre. François en profita pour prendre une douche. Il sortait, nu, de la salle de bains quand elle rentra, les bras chargés de fleurs. Elle se jeta sur lui, le frappant de son bouquet :

– Je te déteste, je te déteste !... Pourquoi m'as-tu laissée seule si longtemps ?

Il la retrouvait, sauvage et injuste. Il lui arracha les fleurs, qu'il jeta sur la commode, et la bascula sur le lit.

– Non, je ne veux pas... Laisse-moi !... Arrête ou je crie !

– Crie, ma belle ! Ce ne sera pas la première fois que je te ferai crier...

Tout en parlant, il troussait sa robe et écartait sa culotte.

– Laisse-toi faire. Je suis sûr que tu en as autant envie que moi. Nous parlerons après.

Léa se débattit quelques instant, mais ce corps chaud et nu, ce sexe dur eurent raison de sa résistance. Longtemps ils restèrent immobiles, blottis dans les bras l'un de l'autre, le cœur battant, convaincus que rien de mauvais ne pouvait leur arriver, puisqu'ils s'aimaient et étaient de nouveau réunis.

– Je t'aime..., murmura-t-elle avant de s'assoupir.

Ils dormirent jusqu'à la nuit tombée, refirent l'amour avec lenteur, attentifs à la montée de leur plaisir.

Quand ils descendirent dîner, les marques de leur bonheur étaient si évidentes qu'elles en étaient impudiques.

Au bar, les voyant, Lucien Bodard leva son verre.

– À la santé des amoureux !

Le lendemain, le général de Lattre donna l'ordre au colonel de Méricourt d'utiliser le napalm. C'était la première fois ; ce ne serait pas la dernière.

Soudain, un son emplit l'air et dans le ciel apparaissent d'étranges oiseaux qui grossissent de minute en minute. Des avions ! J'ordonne à mes hommes de se mettre à l'abri des balles et des projectiles, mais les avions piquent sans tirer. Cependant, sans avertissement, c'est l'enfer devant moi ! Un enfer qui a pris un instant la forme de containers *ovoïdes largués par le premier, puis par le second appareil. D'immenses rideaux de feu barrent d'un seul coup des centaines de mètres et terrorisent mes hommes. Ça, c'est le napalm ! Le feu qui tombe du ciel...*

Nous fuyons vers la lisière des bambous et je hurle :

– Rassemblement derrière la colline !

Mais qui donc m'écouterait en de pareils instants ? Qui pourrait m'entendre ?

Derrière nous, l'infanterie française est passée à l'attaque. Les cris des hommes nous parviennent. Mes soldats traversent les rangs d'une section qui est restée en réserve. Je m'arrête près de l'officier qui la commande.

– Essayez de retarder autant que possible la progression des Français tandis que je tenterai de regrouper mes hommes derrière la colline.

– Qu'est-ce que c'est : la bombe atomique ? me répondit-il, les prunelles dilatées par l'horreur.

– Non, le napalm[1] *!*

Au cours de la nuit du 16 au 17, les attaques viêt-minh furent d'une rare violence. À Vinh Yen, les unités françaises se battirent avec une bravoure désespérée. Les correspondants de la presse internationale se mêlaient aux combattants et,

1. Ngô Van, *Journal d'un combattant viêt-minh,* 1955, Le Seuil.

dans les jours qui suivirent, la guerre d'Indochine fut à la « une » de tous les grands quotidiens, à la satisfaction du général de Lattre qui pensait à juste titre que cette publicité lui permettrait d'obtenir de nouveaux renforts du gouvernement français et des crédits du Pentagone, lequel voyait avec contentement la « marée rouge » contenue en Indochine comme en Corée. Les Vietnamiens surnommèrent le général vainqueur : *« Ong sau lua »*, le général de feu, pour la plus grande fierté du « Chat-huant ».

Le 24 janvier, Salan pouvait dire que le plan « Tran Hung Dao » du général Giap avait échoué. Cette victoire avait redonné confiance à l'armée, malgré les lourdes pertes en hommes comme en matériel. Cependant, les forces engagées par le Viêt-minh étaient imposantes : vingt-quatre bataillons s'étaient rués avec un fanatisme qui avait vivement impressionné les troupes françaises, surtout leurs éléments nord-africains ; ce qui n'était pas sans inquiéter le général Salan pour l'avenir.

Très frappé par « la folie diabolique du soldat viêt-minh dans l'attaque de jour, mais aussi de nuit, par sa facilité à accepter les pertes, par l'intelligence tactique de Giap et par sa volonté farouche d'investir le delta du Tonkin », de Lattre était lui aussi soucieux :

– Nous n'en sortirons pas si la France et l'Amérique ne nous aident pas. J'ai mon plan : formation accélérée d'une armée vietnamienne, lignes de béton entourant Hanoi et Haiphong, que je transforme en réduits... Pour cela, il me faut l'appui de la métropole, et il est indispensable que l'Amérique nous fournisse les moyens matériels en équipement et en armement, dit-il à Salan.

Devant le quasi-échec de la mission confiée au colonel Allard – et en dépit de la présence du général Juin et du président Pleven –, de Lattre décida de se rendre lui-même aux États-Unis en vue d'obtenir leur aide.

– Mais, avant mon départ, je veux subjuguer les esprits.

Je vais frapper un grand coup pour le *Têt*[1]. Ce jour de premier de l'an annamite, je veux une parade dans Hanoi, à la nuit. Le président Sarraut arrive le 6 février ; tout devra être prêt pour ce jour-là !

Le commandant en chef avait pris des risques inouïs dans la bataille de Vinh Yen, prélevant des troupes en Cochinchine, en Annam, réquisitionnant chars, bateaux, avions, dégarnissant des points stratégiques. Comme à son habitude, il se montra fastueux et injuste, décorant les uns, dédaignant les autres. Le colonel Vanuxem, un des vainqueurs de Vinh Yen, en fit les frais. Il est vrai que son inconduite notoire scandalisait la générale : bien qu'étant marié en France, il vivait en concubinage avec une A.F.A.T. qu'il avait mise enceinte, dont le courage en impressionnait plus d'un et qu'on surnommait « la mère des Muongs ». Le géant roux à la barbe flamboyante offrit même de retourner en France pour calmer le courroux des époux de Lattre. Le colonel Cogny s'entremit et parvint à calmer le général qui, satisfait d'avoir montré son autorité, répondit :

– S'il a l'intention de l'épouser, qu'il reste ! Je serai même son témoin à la cérémonie.

François et Léa furent invités à assister à la grande parade ordonnée par le général de Lattre pour impressionner l'Armée, l'empereur Bao Dai, les populations française et vietnamienne, et bafouer Hô Chi Minh qui s'était vanté de passer le *Têt* à Hanoi.

Albert Sarraut, qui venait d'arriver pour un périple de plusieurs semaines dans les États associés d'Indochine, emmitouflé dans un pardessus à chevrons, feutre gris sur la tête, s'avança vers François :

1. Jour de l'An vietnamien qui tombait, cette année-là, le 6 février.

– Alors, Tavernier, comment se passe votre séjour ? lui demanda-t-il en lui tendant la main avec un sourire malicieux, les yeux pétillants derrière ses lunettes rondes.

Avec un rire que démentait son regard froid, François répondit :

– On ne peut mieux, monsieur le Président, je vous remercie. Permettez-moi de vous présenter ma femme.

Sarraut ôta son chapeau et baisa la main tendue de Léa.

– Madame, c'est un plaisir pour moi de vous rencontrer, vous êtes un bonheur pour les yeux. Vous êtes encore plus belle qu'on ne me l'avait dit.

– Merci, monsieur le Président. Je suis moi aussi très heureuse de faire votre connaissance.

La simplicité de la réponse et du maintien, chez une si jolie femme, frappa Sarraut. D'habitude, quand on leur faisait un compliment, elles minaudaient à n'en plus finir. Celle-là était belle, elle le savait mais n'en faisait pas tout un plat.

« Ils me plaisent bien, tous les deux. Je suis sûr qu'ils plairaient aussi à ma fille Lydie. Quel dommage qu'elle n'ait pu être du voyage », pensa-t-il.

On vint le chercher pour prendre place auprès du commandant en chef. La parade grandiose, baptisée « La Nuit des Mille Chars », pouvait commencer.

L'obscurité était tombée. À la lueur des torches brandies par des soldats, des escadrons de toutes espèces d'engins, tous phares allumés, depuis les gros *Sherman-&-Shaffe* jusqu'aux automitrailleuses et aux camions de troupes d'accompagnement, se mirent en marche. Les mouvements se firent avec une précision merveilleuse, les colonnes de blindés se divisant et se regroupant, se perdant, se retrouvant pendant des heures. Les râclements de chenilles remplissaient la cité.

Impassible, en grand uniforme, de Lattre regardait défiler ses troupes avec un orgueil manifeste. Près de lui, la générale, ses « maréchaux », le président Sarraut, le gouverneur *(Daï Viêt)* du Nord Viêt-nam, Nguyen Huu Tri et les personnalités civiles et militaires voyaient passer avec des sentiments mêlés cette démonstration de la puissance française, impressionnés par la rigidité des tankistes coiffés de casques américains qui émergeaient des tourelles, par les fantassins aux bras nus, malgré le froid, cramponnés aux rambardes des *G.M.C.*, par la force, tout à la fois moderne et barbare, qui se dégageait de ces troupes équipées d'engins sophistiqués. Sous son boléro de renard, Léa frissonnait.

Après le défilé, les invités se rendirent à la Maison de France, où un dîner les attendait.

La foule des Vietnamiens, venus en grand nombre alors qu'ils avaient disparu tous ces derniers jours, s'écoula dans un silence qui disait son saisissement face à ce formidable spectacle.

Le repas à la Maison de France commença dans un silence tout aussi grand. Le général mangeait du bout des lèvres ; chacun sentait monter la tension. Le gouverneur Nguyen Huu Tri, représentant l'empereur, pâlissait de minute en minute devant l'évident outrage. Bientôt, les lèvres serrées, de Lattre le fixa et s'écria :

– Votre empereur est de la pourriture, c'est une canaille ! Il continue à baiser ses putes au lieu de venir au Tonkin parmi mes soldats, ceux de Vinh Yen ! Mais je n'ai pas besoin de lui, je vais même le foutre en l'air !

L'assistance, consternée, avait cessé de mastiquer. Au-dehors montaient des roulements métalliques de plus en plus forts. De Lattre se leva, entraîna son hôte sur le trottoir, suivi de tous les convives. Une colonne blindée passait, terrible. Empoignant le bras du gouverneur, il hurla :

– Voyez ces types épatants ! Et vous voudriez que je les envoie se faire casser la gueule pour celle de votre empereur ?

Muet, effondré, le gouverneur pleurait.

Quand le malheureux fut parti, de Lattre, soudain calmé, lança à ceux qui l'entouraient : « Est-ce que j'ai fait une connerie ? » Puis il rentra dans son bureau où il s'enferma avec ses plus proches compagnons.

Chacun quitta la Maison de France en proie à un profond malaise.

– Il a tort, dit François à Léa. Il lui a fait perdre la face, et c'est impardonnable pour un Asiatique.

Quand ils arrivèrent au *Métropole,* on se bousculait au bar où les conversations sur le déroulement de la soirée et son point d'orgue allaient bon train. Ils montèrent directement dans leur chambre.

Le 10 février, Léa et François partirent dans l'avion mis à la disposition de l'écrivain britannique Graham Greene en compagnie du colonel Broyelle, afin de parcourir les régions intéressantes du delta tonkinois. Venu comme correspondant de *Life*, Greene souhaitait réaliser une étude analogue à celle qu'il avait effectuée jadis sur la Malaisie en guerre et il avait besoin, pour ce faire, de s'imprégner de l'atmosphère du pays. Durant le voyage, il parla des bombardements de Londres en 1940, des énormes ravages subis, de la chasse aux espions installés en Angleterre avant la guerre, des souffrances endurées par le peuple anglais. Léa l'écoutait, fascinée. Sous leurs yeux défilaient les riches rizières convoitées par le Viêt-minh. Une légère brume flottait sur l'opulente campagne aux tons de vert innombrables. Comme tout paraissait paisible, vu d'en haut !

Ils rentrèrent en fin de soirée et dînèrent avec l'auteur de *La Puissance et la Gloire* dont les yeux enfoncés sous d'épais sourcils donnaient une impression d'insatiable curiosité. Sa conversation au débit saccadé, dans un mélange d'anglais et de français approximatif, les tint sous le charme jusque tard dans la nuit.

Léa avait été conviée par Mme de Lattre à visiter un orphelinat tenu par des religieuses qui se dévouaient à éduquer des fillettes abandonnées et à en faire de bonnes chrétiennes à force de prières et de travaux d'aiguilles. C'était un honneur d'être ainsi désignée par Monette ; ce que Léa appréciait modérément. Il avait fallu toute l'insistance de François pour qu'elle acceptât de se rendre à l'invitation.

Elles furent accueillies par des sœurs desséchées sous la cornette ; quarante ans d'abnégation et d'Asie avaient marqué leurs traits et leur âme. Léa les devina dures. Quel contraste avec les nonnettes vietnamiennes au visage lisse et rond, gaies comme des gamines ! La générale passa en revue les orphelines en uniforme bleu et blanc aux cheveux enrubannés. Les plus méritantes vinrent offrir des bouquets accompagnés d'une petite révérence ; visiblement ravie, Mme de Lattre caressa des joues. Devant tant de bonté, la mère supérieure, dont le long séjour au Tonkin avait transformé la trogne de paysanne française en faciès de vieille Annamite, dit d'une voix implorante :

– Que faire, madame la générale ? Nous avons imploré Dieu, nous avons multiplié les neuvaines et les chemins de croix. Le Seigneur ne nous a pas répondu. Madame la générale, devons-nous évacuer nos enfants ou les garder au couvent ? Nous avons fait partir les Eurasiennes, les plus menacées à cause du sang des pères. Mais, maintenant que votre glorieux époux est là, faut-il aussi envoyer loin de nous nos gamines vietnamiennes, aussi chères à nos cœurs ? Pour pouvoir les conserver, vous devez nous dire que la victoire du général est sûre. Autrement, ce serait abominable... Madame, nous nous en remettons à vous.

Écrasante responsabilité qui parut laisser quelques instants perplexe la visiteuse. Puis, d'un ton d'autorité, elle répondit :

– Demeurez toutes à Hanoi. Il ne faut jamais mettre en doute la parole du général.

Les religieuses battirent des mains comme des enfants. La mère supérieure proposa de passer en revue son établissement après avoir accordé une récréation aux fillettes à la demande de Mme de Lattre.

Ayant bien du mal à dissimuler son ennui, Léa suivit le cortège. Elle s'arrêta devant une fenêtre ouverte donnant sur la cour de récréation. Dans un coin, les gamines lançaient des cailloux, des poignées de poussière avec des cris et des rires. Leur jeu l'intrigua. Elle regarda plus attentivement.

– Sales gosses ! cria-t-elle soudain en descendant deux à deux les marches de la véranda.

Les gamines la virent venir sans crainte, leur doux visage prêt au sourire. Sans ménagement, la jeune femme les bouscula. Une forme couverte de poussière et de crachats bougea.

– Giau !

Léa se pencha et aida l'infirme à se relever.

– Ça va ?... Que fais-tu ici ?... Méchantes, pourquoi avez-vous fait cela ?... Je croyais que vous étiez de bonnes chrétiennes, ce n'est pas vrai, vous êtes pires que des démons... Je vous déteste !...

– Madame Tavernier, que se passe-t-il ? Pourquoi ces cris ?

– Ce sont ces petites pestes qui maltraitaient un infirme.

– Oh, mon Dieu ! fit la générale en découvrant Giau.

– C'est encore toi, maudit chien ! Je t'ai dit cent fois que je ne voulais pas te voir rôder dans les parages. Va-t'en ! fit la supérieure en brandissant une baguette.

– Oh !...

D'un geste brusque, Léa venait de la lui arracher des mains.

– Vous n'avez pas honte, ma mère, de traiter ainsi ce malheureux ? En vous voyant agir, je comprends mieux la méchanceté de ces petites. Vous leur donnez un bien mauvais exemple.

– Madame Tavernier, modérez vos propos, intervint la générale.

– Je les modère, madame, je les modère, croyez-moi !

Mme de Lattre la toisa avec hauteur.

– Je vous crois, madame Tavernier. Tout en déplorant l'attitude de ces enfants, je vous prie de ne pas vous en prendre à ces femmes admirables. La cruauté est dans l'âme annamite, d'après ce que j'ai lu là-dessus. Mais il faut convenir que cette... créature est répugnante.

Pâle de colère, Léa la défia du regard.

– Cette... créature, comme vous dites, vaut mieux que vos bonnes sœurs, madame, permettez-moi de me retirer.

Sous les regards stupéfaits de l'assemblée, Léa prit la main de Giau et s'en fut.

Malgré sa dextérité, le monstre avait du mal à la suivre. À longues enjambées, elle descendit la rue Paul-Bert et traversa sans regarder devant la poste. Un cyclo-pousse manqua de la renverser ; le conducteur l'agonit d'injures. Arrivée au Petit Lac, elle s'assit sur un banc de pierre, alluma une cigarette et se plongea dans la contemplation des canards. Essoufflé, Giau se glissa à ses côtés.

– Merci, dit-il simplement.

Léa lui tendit une cigarette.

– Les bonnes sœurs et la générale n'avaient pas l'air contentes, fit-elle remarquer en riant.

L'horrible face grimaça un sourire ; dans son regard passa une lueur de reconnaissance et d'amour. Pendant un moment, ils fumèrent en silence. Trois femmes en uniforme de la Croix-Rouge passèrent devant eux ; l'une d'elles se retourna et revint sur ses pas.

– Léa !... Léa Delmas ?...

– Oui ?... Édith !

Elles se jetèrent dans les bras l'une de l'autre en s'exclamant.

– C'est bien toi !... Qu'es-tu devenue depuis Berlin ?

– Comme tu le vois, j'ai rempilé. Ça fait un an que je suis en Indochine. Et toi, que fais-tu ici ?

– Je suis avec mon mari et mes enfants.

– Ne me dis rien... Tu es madame Tavernier... Ça ne m'étonne pas !

– Qu'est-ce qui ne t'étonne pas ?

– On ne parle que de toi, au mess des officiers et dans les bureaux de la Croix-Rouge.

– Et pourquoi, grands dieux ?

– Il en court de belles à ton sujet, comme quoi tu aiderais le Viêt-minh.

– C'est complètement idiot !

– Sans doute, mais c'est ce qui se dit.

– On dit bien des bêtises...

– C'est ce que je répondrai, maintenant. Comment imaginer la courageuse Léa Delmas aidant les terroristes ! Que veux-tu, ma chère, tu as toujours suscité des opinions extrêmes. Mais que fait ce mendiant à tes pieds ?

– C'est Giau, un ami, mon garde du corps.

– Drôle de garde du corps ! Il est affreux, ajouta-t-elle à voix basse. Il doit éloigner tous tes soupirants...

– Tu as raison, il va falloir que j'en prenne un autre.

– Ce soir, on donne un pot, à la Maison de France, en l'honneur du C.I.C.R.[1]. Tu devrais venir, il y a deux anciennes d'Amiens. Mais sans ton garde du corps !

– Je viendrai peut-être. À quelle heure ?

– À partir de dix-sept heures. Je te laisse, les autres s'impatientent. À ce soir !

– À ce soir.

Giau, qui s'était éloigné pendant qu'elle parlait avec

1. Comité international de la Croix-Rouge.

Édith, revint avec une mangue épluchée posée sur une large feuille.

– Merci, fit Léa en prenant le fruit.

Le monstre la regarda manger avec satisfaction ; ils étaient rares, ceux ou celles qui acceptaient quelque chose de ses mains estropiées ! Du jus coula sur le menton de la jeune femme.

– Attention, tu vas salir ta robe...

Léa essuya son menton du revers de sa main.

– As-tu appris du nouveau sur Nhu-Mai ?

– Elle est au camp de rééducation en Haute-Région.

– Pourquoi, de rééducation ?

– Parce qu'elle a été en contact avec l'ennemi et qu'ils veulent vérifier si elle est toujours une bonne communiste.

– C'est idiot. Est-elle bien traitée ?

– Aussi bien qu'on puisse l'être dans le maquis. Tu sais, la vie est dure pour les partisans. On m'a dit qu'elle jouait pour ses compagnons, dans les moments de repos consacrés à la culture.

– Qu'est-ce que tu veux dire par là ?

– Elle donne des cours de musique, comme d'autres donnent des cours de littérature, de peinture ou de danse...

– Étrange que des combattants trouvent le temps de s'intéresser à tout cela...

– C'est normal. Le président Hô Chi Minh y tient beaucoup. Tu seras sans doute surprise d'apprendre que la littérature française est à l'honneur et que, dans les maquis, on lit Victor Hugo, Anatole France et d'autres...

– Surprenant, en effet. Essaie d'en savoir davantage sur Nhu-Mai. Sa mère est-elle avec elle ?

– Je crois.

– Je dois partir. À bientôt.

Léa lui tendit la main. Giau la porta à son front.

François marchait de long en large dans leur chambre de l'hôtel *Métropole*.

– Ah, te voilà ! Tu en as fait de belles. La générale est dans tous ses états !

– Ça m'est égal. J'en ai marre de toutes ces bonnes femmes et de leurs prétendues bonnes œuvres !

– Où étais-tu ?

– Avec Giau.

– Je me demande ce que tu peux bien trouver à ce monstre !

Léa haussa les épaules et se déshabilla.

– Quand rentrons-nous à Saigon ?

– Pour toi, plus vite que prévu. Ta présence n'est plus souhaitée à Hanoi.

– Ça tombe bien, je n'avais pas l'intention d'y rester. Quand dois-je partir ?

– Demain. Un avion part après le déjeuner.

– Et toi, quand viendras-tu ?

– Je n'en sais rien. Le général m'a demandé de rencontrer des représentants du Viêt-minh.

– Je croyais que le Viêt-minh avait mis ta tête à prix.

– C'était il y a un siècle ! Les temps changent...

– Mais c'est dangereux !

– Non. J'ai eu un contact avec Hai. Je pars ce soir pour Vinh Yen et, de là, pour Cât Nganh d'où on me conduira sans doute à Thaï Nguyen.

Il la regardait évoluer, nue, dans la pièce avec une tranquille impudeur. Il résista au désir de la prendre dans ses bras.

– Habille-toi. J'ai deux heures avant la réunion de presse. Allons nous balader dans le quartier chinois ; on m'a dit qu'un antiquaire avait reçu de très jolis vases de Chine.

– Oh oui ! Allons nous promener tous les deux.

Léa fut prête en un tournemain.

Ils longèrent le boulevard Francis-Garnier, refusant les propositions des conducteurs de cyclo-pousses, prirent la rue du Pont-en-Bois, puis la rue de la Soie où régnait une animation montrant que le calme était revenu. Rue de la Laque, les marchands avaient sorti tables et paravents ; rue du Riz, le marché battait son plein. De nombreuses patrouilles circulaient, prêtes à intervenir. Ils s'arrêtèrent devant une échoppe de la rue des Tubercules, non loin du quai Clemenceau.

– C'est là, ton antiquaire ?

– Les bons antiquaires chinois n'étalent pas leur marchandise, ils ont bien trop peur des voleurs.

Ils entrèrent dans un couloir gluant de saleté et d'humidité. Un maigre chien jaune détala à leur vue. Au bout du couloir, une courette où des femmes accroupies faisaient la cuisine ou la lessive, entourées d'enfants loqueteux qui se blottirent contre leur mère en apercevant les deux étrangers. Ils montèrent un escalier glissant aux marches défoncées par endroits. François frappa trois coups, puis un. La porte s'ouvrit. Un jeune garçon les regarda fixement.

– *Nhung ngùoi ban da tráng cua anh dâý.*

– *Mòi ho vào và de chúng tôi nói chuyên*[1].

L'adolescent leur jeta un regard de haine et referma la porte sur eux. Une odeur sucrée, mêlée à celle du nuoc-mâm[2], flottait dans la pièce mal éclairée. Par une étroite fenêtre aux vitres brisées, on entrevoyait le pont Paul-Doumer et sa foule de piétons et de cyclistes lourdement chargés. Une silhouette se détacha du mur.

– Hai ! murmura Léa.

– Vous n'avez pas été suivis ? demanda-t-il.

– Je ne pense pas. Un couple est moins suspect qu'un individu isolé, répondit François.

1. – Ce sont tes amis blancs.
– Fais-les entrer et laisse-nous.

2. Assaisonnement traditionnel à base de poisson macéré dans une saumure.

– C'est donc pour cela que tu m'as proposé cette promenade ?

– Pardonne-moi, mais j'avais besoin que tu sois la plus naturelle possible.

– Ne lui en veuillez pas, Léa. Il a agi ainsi à ma demande. Bien que cela soit interdit, Nhu-Mai m'a confié une lettre pour vous. Évidemment, je l'ai lue.

– Évidemment, répète Léa en prenant le papier froissé. Vous êtes un de ses geôliers ?

– Nhu-Mai n'est pas en prison.

– Un camp de rééducation, ce ne doit pas être beaucoup plus enviable.

– Qui vous a dit cela ? fit-il d'une voix dure.

– Personne, mais j'ai entendu parler de vos méthodes.

– Léa, j'ai beaucoup d'affection pour vous, mais faites attention à ce que vous dites. Tous mes camarades ne sont pas aussi tolérants que moi. Voulez-vous vous retirer dans la pièce à côté ? Je dois parler confidentiellement à François.

La pièce était encombrée de caisses ; s'en échappaient des touffes de paille qui laissaient entrevoir des porcelaines. Léa s'approcha de la lucarne pour lire sa lettre.

Mon amie,

Je vais très bien. C'est avec joie que j'ai retrouvé mes camarades, mais avec tristesse que je t'ai quittée. Je te remercie de m'avoir soignée avec patience et dévouement. Grâce à toi, je vais beaucoup mieux. Maintenant, c'est maman qui prend soin de moi. J'espère que, quand cette guerre sera finie, nous nous reverrons. Je te jouerai ton morceau préféré. Ici, j'ai recommencé à jouer pour mes camarades. Malgré le manque d'entraînement, ils en sont très heureux. J'ai appris par cœur un poème d'un poète français ; c'est très beau. Le connais-tu ?

Quiconque a regardé le soleil fixement
Croit voir devant ses yeux voler obstinément

Autour de lui, dans l'air, une tache livide.

Ainsi, tout jeune encore et plus audacieux,
Sur la gloire un instant j'osai fixer les yeux :
Un point noir est resté dans mon regard avide.

Depuis, mêlée à tout comme un signe de deuil,
Partout, sur quelque endroit que s'arrête mon œil,
Je la vois se poser aussi, la tache noire ! –

Quoi, toujours ? Entre moi sans cesse et le bonheur !
Oh ! C'est que l'aigle seul – malheur à nous, malheur ! –
Contemple impunément le Soleil et la Gloire.

Je ne connais pas le nom de l'auteur. J'ai trouvé ce poème dans une vieille anthologie à laquelle il manque quelques pages.
Le camarade Hai a toute ma confiance, tu peux lui donner une lettre pour moi ; il me la remettra. Je t'embrasse, toi et tes enfants.

Ton amie,
Nhu-Mai.

« Si les combattants du Viêt-minh lisent des poètes français, rien n'est vraiment perdu, songea Léa. Nerval aurait été bien surpris qu'au fond de la jungle on apprenne ses œuvres par cœur ! »

La porte s'ouvrit.

– Vous pouvez venir, dit Hai.

– Je n'ai pas de papier pour répondre à Nhu-Mai. Dites-lui que je pense à elle et que je l'embrasse tendrement.

– Ce sera fait. Prenez ce vase, il est précieux. Surtout, pas un mot de notre rencontre, il y va de votre sécurité.

– Je ne dirai rien. Je pars demain pour Saigon.

– Avez-vous un message pour Lien ?

– Non. Qu'elle prenne soin d'elle.

– Je le lui dirai. Adieu.

Ils se quittèrent froidement.

Dans la rue, François, portant le vase protégé d'une gangue de bambou, lui prit le bras.

– Essaie de ne pas trop m'en vouloir.

– Je ne t'en veux pas, mais je suis lasse de tout cela. Quand aurons-nous enfin une vie comme tout le monde ?

– Bientôt. Souhaites-tu déjeuner dans le quartier ?

– Bonne idée.

Ils se juchèrent sur des tabourets devant le « restaurant » d'une vieille Annamite.

– Elle fait la meilleure soupe de Hanoi.

De fait, elle était très bonne. Non loin d'eux, Giau et d'autres mendiants ingurgitaient un bol de riz. Léa sourit dans leur direction ; mais l'infirme détourna la tête.

La jeune femme et son époux venaient juste de se lever quand une déflagration les projeta contre le mur. Léa se releva, hébétée, un filet de sang coulant le long de son front. Auprès d'elle, François tenait sa jambe ensanglantée. Autour d'eux, deux ou trois corps allongés, affreusement déchiquetés, semblaient sans vie. Des blessés criaient, des femmes couraient en tous sens, appelant leurs enfants. Giau se précipita vers Léa, penchée sur son mari qui comprimait de ses deux mains une large plaie bouillonnante.

– Vite, fais-moi un garrot. Tu es blessée ?

– Ce n'est rien.

Léa détacha la ceinture de sa robe et la serra au-dessus de la plaie.

– Prends le vase, dit-il.

Elle le ramassa ; il était miraculeusement intact.

On entendit les sirènes des ambulances. La première s'arrêta dans un crissement de pneus. Deux infirmiers en descendirent. Ils ne purent que constater la mort des gens étendus au corps disloqué. Ils portèrent François sur un brancard, tandis qu'un troisième examinait Léa.

– Vous avez eu de la chance. Rien que de superficiel.

Ils furent conduits à l'hôpital Lanessan.

– Encore vous ! s'exclama le directeur en voyant Léa descendre de l'ambulance.

– Pardonnez-moi de vous importuner, mais j'ai pris goût à votre compagnie !

– Que s'est-il passé ?

– Un attentat à l'angle de la rue du Riz et de la rue du Cuivre, dit un des infirmiers.

– Que diable faisiez-vous dans ce quartier ?

– Nous déjeunions.

– Vous déjeuniez ?... Et ceci ? fit-il en désignant le paquet que portait Léa.

– C'est un vase que nous avons acheté chez un antiquaire chinois.

– Vous déjeunez, vous faites les antiquaires... Ma parole, vous vous croyez en plein Paris !

Tout en devisant, ils s'étaient dirigés vers le bloc opératoire où l'on pansa Léa et la jambe de François. Celui-ci demanda :

– Ce ne sera pas trop grave, docteur ?

– Non, ce n'était pas votre heure. Heureusement qu'on vous a posé un garrot.

– Quand pourrai-je sortir ?

– Cher monsieur, nous verrons cela d'ici deux à trois jours.

– Mais ce n'est pas possible ! Le général de Lattre m'a confié une mission...

– Il faudra la remettre à plus tard. Madame, une chambre à deux lits vient de se libérer : voulez-vous la partager avec votre mari ? Vous avez également besoin de repos.

Léa accepta.

Allongés chacun sur un lit étroit, ils restèrent longtemps silencieux.

– Il va falloir que tu y ailles à ma place, souffla François à voix basse.

Léa, qui s'assoupissait, sursauta.

– Aller où ?

– Au rendez-vous avec le Viêt-minh. Va à la Maison de France et demande à parler à l'aide de camp du général. Raconte-lui ce qui m'arrive, et dis-lui que je t'ai remis toutes les instructions.

– Où sont-elles ?

– Dans le vase. Quand tu seras à Vinh Yen, casse-le ; il a un double-fond. Tu n'auras qu'à suivre les directives qui y sont contenues.

– Et tu crois qu'on va me croire sur parole ?

– Oui. Trouve Giau, il t'accompagnera.

– Giau ?

– Oui. C'est un espion du Viêt-minh. Pardonne-moi de te demander cela, mais je n'ai pas le choix. Tu acceptes ?

– Je n'ai guère le choix non plus. Si je refuse, tu trouveras le moyen d'y aller.

– Merci, ma chérie !...

À peine eut-il fini sa phrase qu'il perdit connaissance. Léa se leva et appela. Une infirmière se précipita.

– Mon mari s'est évanoui. Je vais chercher du linge de rechange...

Elle sortit après un dernier regard à l'homme qu'elle aimait et qui l'envoyait se jeter dans la gueule du loup.

Devant l'hôpital, Giau l'attendait avec un cyclo-pousse.

– Hai est au courant de l'accident. Il est d'accord pour que tu accomplisses la mission de ton mari.

Sans mot dire, elle grimpa dans le cyclo-pousse avec l'infirme.

– À la Maison de France, dit-elle.

Son entrée dans le grand salon de la Maison de France fit sensation. Elle n'avait pas eu le temps de rentrer se changer ; le devant de sa robe empesé de sang séché, son visage égratigné, le pansement barrant son front étaient impressionnants.

– Que t'est-il arrivé ? s'écria Édith en venant au-devant d'elle.

– Mon mari et moi avons échappé à un attentat.

– Ton mari est blessé ?

– Oui, il est à l'hôpital. Connais-tu l'aide de camp du général de Lattre ?

– Il est à Saigon, mais tu peux voir le colonel Beaufre. Tiens, le voici. Colonel, madame Tavernier voudrait vous parler...

– Venez, madame, je sais ce qui vous amène. Passons dans mon bureau.

Léa lui emboîta le pas sous les regards curieux de l'assemblée.

– Asseyez-vous, madame... Parlez sans crainte, je connais la mission dont était chargé votre mari. Je ne suis pas d'accord, mais le général de Lattre pense autrement...

– Il est au courant, pour mon mari ?

– Oui.

– Sait-il qu'il m'a demandé de le remplacer ?

– Non, mais il l'a lui-même suggéré.

– Qu'en pensez-vous ?

– Que c'est de la folie. Vous ne connaissez rien au pays, vous en ignorez la langue, et puis... ce n'est pas la place d'une femme. Surtout d'une si jolie femme.

– Je peux me barbouiller de charbon !

– Ainsi, vous acceptez ?

– J'attends vos instructions.

– Le haut-commandement viêt-minh est d'accord pour recevoir un envoyé du général de Lattre. Il avait consenti, le connaissant, que ce fût votre mari. Tout est donc prêt pour l'accueillir. Nous n'allons rien changer à ce plan. Le départ pour Vinh Yen est prévu à trois heures du matin. Vous avez déjà sauté en parachute ?

– Non, pas encore.

– Vous verrez, ce n'est rien. Il suffit d'être détendu et de bien se recevoir.

– Cela me paraît en effet d'une simplicité enfantine.

Devant l'ironie du ton, le colonel Beaufre haussa les sourcils et son visage pâle s'anima quelque peu.

– Vous aurez sur vous des documents qui prouveront votre identité et la mission dont vous êtes chargée. Rentrez vous préparer et prendre un peu de repos avant le départ. Avez-vous des questions ?

– Quel est exactement le but de tout cela ?

– Amener Hô Chi Minh à rencontrer le général.

– Rien que ça ? Je vous rappelle que mon mari avait déjà échoué dans sa tentative de contact souhaité par le président de la République.

– C'est vrai, mais les choses ont changé.

– Si vous le dites...

Le colonel Beaufre se leva, signifiant que l'entretien était terminé. Il raccompagna Léa jusqu'à la porte.

– Bonne chance, madame.

– Une dernière chose, colonel : je reviens quand et comment de là-bas ?

– Ne vous inquiétez pas. Tout est prévu.

Devant la porte, Édith l'attendait en compagnie d'une grande femme blonde en uniforme de la Croix-Rouge.

– Léa, madame de Vandeuvre aimerait faire ta connaissance. Madame, je vous présente Léa Delmas... pardon, madame Tavernier. Léa, voici madame de Vandeuvre, présidente des infirmières secouristes de l'air.

Les deux femmes se serrèrent la main en se regardant droit dans les yeux.

– Je suis heureuse de vous rencontrer, madame Tavernier. J'ai très bien connu votre mari, un homme remarquable et... fort séduisant. J'irai le voir demain à l'hôpital. Mais vous-même, vous avez été blessée ?

– Beaucoup de sang pour pas grand-chose. En revanche, je boirais bien quelque chose.

Madame de Vandeuvre fit signe à un *boy* portant un plateau. Léa prit une coupe de champagne qu'elle vida d'un trait.

– Excusez-moi, mais je dois partir. J'ai été heureuse de faire votre connaissance.

– Moi aussi. À bientôt, chère madame...

Encore une conquête de François ! pensa Léa.

14.

Un *Morane* attendait Léa à l'aéroport. Giau l'accompagnait. La jeune femme monta dans l'appareil, chaussée de Pataugas et vêtue d'une combinaison d'aviateur. Giau disparaissait dans la sienne. La nuit était opaque. Une fois à bord, on les équipa de parachutes et leur donna quelques instructions pour se recevoir au sol. Dans un sac bourré de chiffons accroché à la ceinture de Léa reposait le vase.

Le vol dura une trentaine de minutes. Giau claquait des dents. Ce fut bien pire quand on ouvrit la porte de la carlingue et qu'un vent glacial s'y engouffra. Accrochée aux montants métalliques, Léa tremblait comme une feuille.

– *Go !* hurla une voix.

Elle sentit une forte poussée et tomba dans le vide. Durant sa chute, une prière monta à ses lèvres. Puis une brutale secousse lui tira violemment les épaules. Elle ferma les yeux. Ses pieds s'enfoncèrent dans la terre ; elle roula sur elle-même. Elle défit en hâte les courroies et se débarrassa du parachute. Délivrée, endolorie de partout, elle leva les yeux ; à quelques dizaines de mètres, elle aperçut un grand champignon blanc, puis plus rien. Elle se dirigea vers l'endroit où il avait disparu. Des grognements lui parvinrent. Giau,tombé dans un trou d'eau, se débattait. À l'aide du poignard qu'on lui avait remis, Léa trancha ses sangles et le hissa hors du piège. Couvert de gadoue, le monstre était plus hideux que jamais.

– Vers où allons-nous ? demanda-t-elle.

– Vers l'est.

Ils marchèrent en silence pendant une heure et arrivèrent en bordure d'une route.

– Ce doit être la R.C.1, dit Giau en s'arrêtant.

– Que faisons-nous, maintenant ?

– On attend. Ils ont dû nous voir tomber ; ils vont venir nous chercher.

– Qui, les Français ?

– Non, les Viêts. Les Français nous attendent plus au sud.

– Tu as fait exprès de nous éloigner d'eux !

– Oui, ils nous auraient retardés et ils avaient ordre de me garder.

– Comment le sais-tu ?

– J'ai mes informateurs.

– Tu me trahis, alors ?

– Jamais je ne te trahirai ! Ce sont tes compatriotes qui t'auraient trahie.

– Pourquoi ?

– Pour capturer les Viêts que tu dois rencontrer.

– Mais c'est absurde ! Cela se serait-il passé de la même manière avec François ?

– Je le pense... Tais-toi ! J'entends approcher.

Ils s'accroupirent dans le fossé. Une troupe de Vietnamiens en armes scrutaient les bas-côtés de la route. Giau se dressa.

– *Các dông chí, chúng tôi o dây*[1] *!*

Les armes se pointèrent dans leur direction.

– *Rông tre se chiên tháng.*

– *Duoc, các anh có thê ra*[2]*.*

Ils obéirent.

1. Camarades, nous sommes ici !
2. – Le dragon de bambou vaincra.
– C'est bon, vous pouvez sortir.

– *Ngùoi chúng tôi doi không phai là môt phu nu*[1], dit celui qui semblait être le chef.

– *Không, chông ba ta bi thuong ; bà thay mat ông ta.*

– *Anh se giai thích vói dông-chí chi-huy. Lên duòng*[2] *!*

Ils se remirent en marche. Au bout d'une dizaine de minutes, ils pénétrèrent dans la jungle. Ils avançaient dans un tunnel de verdure aux parfums puissants. La fatigue s'abattit d'un coup sur Léa. Elle trébucha ; un jeune soldat la retint. Elle tituba quelques instants encore, puis perdit connaissance.

Quand elle reprit conscience, elle était allongée sous une couverture dans une pièce basse de plafond, à peine éclairée par l'éclat jaunâtre d'une lampe sous laquelle un homme accroupi fumait une cigarette. Ce devait être une cigarette américaine ou anglaise, car l'arôme en était sucré. Elle se redressa sur ses coudes. À travers la tenture fermant l'entrée de la pièce, elle apercevait la lumière du jour. L'homme accroupi se leva, écarta la portière et sortit sans avoir proféré un mot. Quelques instants plus tard, la portière se rouvrit et une jeune fille entra, portant une tasse de thé fumant. Sa silhouette sembla familière à Léa.

– Nhu-Mai !

– Oui, c'est moi. Tiens, bois un peu de thé.

– Merci. Je croyais que tu étais dans un camp de rééducation...

– Les camarades m'ont fait venir pour m'occuper de toi.

– Ta blessure va mieux ?

– Oui, elle est presque guérie. Et la tienne, c'est grave ?

– Non. Je suis heureuse de te revoir. Où est Giau ?

– Le camarade-commandant l'interroge.

Léa se leva.

1. Ce n'est pas une femme que nous attendions.
2. – Non, son mari a été blessé ; elle le remplace.
– Tu t'expliqueras avec le camarade-commandant. En route !

– Où sont mes affaires ? Qui m'a déshabillée ?

– Moi. Tes vêtements étaient sales et tout mouillés. Je les ai lavés.

– Et le paquet qui était accroché à ma ceinture ?

– Il est là. Tiens, le voici.

– Merci. Peux-tu me laisser seule un instant ?

Nhu-Mai hésita.

– Si tu veux.

Quand elle fut sortie, Léa défit le paquet et sortit le vase qu'elle fracassa contre le sol. Elle déplia la feuille de papier pliée en petit carré et s'approcha de la lumière pour lire ce qui y était écrit. Grande fut sa déception : c'était du vietnamien. Elle le replia et le glissa dans son soutien-gorge, puis se rhabilla. Elle venait à peine de boucler sa ceinture quand un homme plutôt malingre fit son entrée.

– Nous avons examiné vos papiers et interrogé le camarade Giau. Pourquoi avez-vous accepté de remplacer votre mari ?

– Parce qu'il me l'a demandé.

– Vous êtes une très bonne épouse !

La voix était douce, le français parfait, mais le regard noir était empreint de dureté.

– Savez-vous quand je dois rencontrer le haut-commandant ?

– Je suis le haut-commandant. Que veut votre « général de feu » ?

– Savoir si vous seriez prêt à négocier.

– Négocier quoi ? Il n'est pas question de négociations. Les Français ont toujours trahi leur parole. Même le général Leclerc a trahi la parole qu'il avait donnée à notre président. Alors, votre général de Lattre, qui fait la cour au traître Bao Dai, ne peut que trahir encore davantage.

– Le général de Lattre est un homme d'honneur. Il veut simplement savoir si vous accepteriez l'éventualité d'une rencontre. Le général Giap et lui devraient se rencontrer. Il faut le lui faire savoir.

– Je suis le général Giap.

Léa s'avança vers le petit homme. Ainsi se tenait devant elle celui que de Lattre et Salan disaient être un très grand stratège, l'implacable ennemi de la France, le vainqueur de la R.C.4.

– Excusez-moi, je ne savais pas...

Elle fouilla dans son corsage.

– Tenez, je devais vous remettre ceci...

Il prit le papier plié, le défroissa et lut.

– Vous savez ce qu'il contient ?

Non, fit-elle de la tête.

– Les Français connaissent ce message ?

– Cela m'étonnerait, il était dans le double-fond du vase que nous a remis Hai et que je viens de briser. Que dit ce document ?

– Cela ne vous regarde pas. Restez là, on va vous apporter à manger et de l'eau pour vous laver.

Peu après, Nhu-Mai entra, tenant une cuvette d'émail bleu, suivie d'une femme portant sur un plateau tressé un bol de soupe et un bol de riz qu'elle posa sur un tabouret tout en dévisageant Léa. Un sourire révéla ses dents laquées.

– *Dê chúng tôi nói chuyên*[1], lui dit Nhu-Mai.

Affamée, Léa se jeta sur la nourriture. Sa voracité fit rire la jeune violoniste.

– On dirait l'ogresse qui me faisait si peur quand notre logeuse, à Lyon, me lisait des contes de fées ! s'exclama-t-elle en riant.

– J'avais faim, s'excusa Léa, la bouche encore pleine.

Quand elle fut rassasiée, il ne restait plus un grain de riz. Elle prit le linge que lui tendait Nhu-Mai et se lava le visage et les mains.

1. Laisse-nous.

– Que dois-je faire, maintenant ?

– Attendre. Viens, je vais te montrer le camp.

Dehors régnait une grande animation. Des jeunes gens faisaient de la gymnastique sous l'œil d'un homme maigre portant barbiche, moustaches et fumant une cigarette, appuyé sur un bâton. Coiffé d'un casque colonial kaki, chaussé de mauvaises sandales en caoutchouc, il était vêtu d'un short beige trop large, d'une chemise de même teinte, avec, autour du cou, une serviette éponge d'une couleur indéfinissable.

– C'est notre président, murmura Nhu-Mai.

C'était donc là le fameux Hô Chi Minh ?... Le bonhomme semblait insignifiant. Il tourna les yeux vers les deux femmes et sourit. Quelle douceur dans ce sourire ! Non, ce ne pouvait être le communiste sanguinaire qui terrorisait les Français ! Il s'avança vers elles.

– Bonjour, petite Nhu-Mai, je suis heureux de te voir rétablie. Vous êtes madame Tavernier ? J'ai eu le plaisir de rencontrer votre mari, il y a trois ans. On m'a dit qu'il était blessé. Rien de grave, j'espère ?

– Non, monsieur le Président, mais il était incapable de marcher.

– Vous êtes courageuse, madame, d'être venue parmi nous. Je vais faire en sorte que votre séjour vous laisse un bon souvenir. Désirez-vous quelque chose ?

– Rentrer le plus vite possible auprès de mes enfants.

– Je vous comprends. La place d'une mère est auprès d'eux. Je pense que, d'ici quelques jours, vous pourrez les rejoindre. Ce soir, il y a une petite fête au camp ; j'aimerais que vous y assistiez.

– Avec plaisir.

– À ce soir, donc, madame.

Le président s'éloigna et alla s'accroupir près d'un groupe de combattants qui discutaient autour d'une carte. Nhu-Mai entraîna Léa.

– Je t'emmène voir l'école.

Celle-ci se tenait dans une case surélevée. Une vingtaine d'enfants, assis par terre, écoutaient leur maître. Au tableau, des mots en vietnamien calligraphiés dans une belle anglaise.

– *Hay lây vo và chép lai môi chu làm muòi lân*[1].

Les enfants obéirent et, bientôt, on les vit s'appliquer à former les lettres. L'instituteur s'avança. Il avait l'air très jeune.

– Bonjour, madame, dit-il dans un français chantant. C'est aimable à vous de venir visiter notre école.

– Ce n'est pas difficile d'étudier dans ces conditions ?

– Les enfants sont habitués et avides d'apprendre.

Des milliers d'insectes voletaient, attirés par les hautes flammes des brasiers destinés à éclairer un large cercle où avaient pris place les combattants, garçons et filles mêlés. Léa et Nhu-Mai étaient parmi eux. Tous riaient en se bousculant.

– *Bác dây rôi*[2], fit une voix.

Ils se levèrent et applaudirent. Le président pénétra dans le cercle suivi du général Giap et de cinq ou six autres personnalités.

– *Các cháu hay ngôi xuông. Các cháu da chiên dâu tôt, làm viêc tôt vì hanh phúc moi nguòi ; bây giò dên lúc các cháu vui choi*[3].

Tout en parlant, il faisait le tour. Il s'arrêta devant Léa.

– Venez près de moi, madame. Je vous expliquerai le déroulement de la fête.

Léa s'assit près de lui, jambes croisées. Hô Chi Minh lui tendit un paquet de cigarettes ; c'était des *Chesterfield*.

– Merci, dit-elle en prenant une cigarette.

– Mes camarades disent que je fume trop. Ils ont sans

1. Prenez vos cahiers et recopiez dix fois chaque mot.
2. Le voici.
3. Asseyez-vous, mes enfants. Vous avez bien combattu, bien travaillé pour le bien de tous ; il est temps de vous amuser.

doute raison. C'est un petit vice sans conséquences... Vous allez assister à une démonstration de *viêt vô dao*, ce qui signifie « la voie de l'art martial vietnamien ». C'est un art que nous pratiquons depuis plus de vingt siècles.

Deux jeunes gens vêtus d'un pyjama noir entrèrent dans le cercle et s'inclinèrent devant le président qui les salua de la main. Pendant quelques instants, les garçons se livrèrent à des exercices d'échauffement, puis, après s'être inclinés, ils se mirent en position. L'un d'eux jeta un cri qui ressemblait à celui de la chouette.

– C'est pour intimider son adversaire, chuchota le président.

L'autre poussa à son tour un cri bref et jeta sa jambe à la gorge de son partenaire.

– Le cri de l'aigle en attaque rapide...

Alors s'enchaînèrent coups de poing, coups de pied et manchettes entrecoupés d'onomatopées aux tonalités diverses, du cri d'oiseau au rugissement, le tout avec une souplesse et une célérité extraordinaires.

– En plus raffiné, cela ressemble à la boxe française, la *savate* des mauvais garçons. Je l'ai pratiquée autrefois, quand j'étais jeune, à Paris.

– *Thôi*[1] !

Le combat cessa. Deux autres garçons entrèrent en lice et firent montre d'une agilité plus grande encore. Quand le combat fut terminé, l'un d'eux s'inclina devant le président.

– *Bác Hô, se thât vinh hanh nêu chúng cháu duoc Bác biêu diên cho*[2].

Sans se faire prier, Hô Chi Minh se leva, se mit en position et salua. Avec lenteur, il enchaîna divers mouvements. On aurait dit une danse. La foule retenait sa respiration. Quand

1. Arrêtez !

2. Oncle Hô, ce serait un honneur si vous nous faisiez une démonstration.

la démonstration fut terminée, tous se levèrent pour applaudir.

– *Cám on, các cháu, cám on*[1] !

Il revint s'asseoir près de Léa et fit un signe.

– Je vous apprendrai, si vous voulez. Ce peut être très utile, pour une femme, de savoir se défendre.

Tenant son violon, Nhu-Mai entra alors dans le cercle. Quand les premières notes montèrent dans la nuit, Léa eut l'impression d'être transportée dans un univers de clémence et de douceur. La beauté de la musique emplissait son cœur, l'enveloppait de mélancolie. Il y avait dans le jeu de la virtuose quelque chose d'irréel qui entraînait ceux qui l'écoutaient au-delà d'eux-mêmes. Comme si, en chacun, l'âme se détachait du corps. Plus de place pour la violence, tout n'était qu'harmonie. Un frisson voluptueux la parcourut. Près d'elle, Hô Chi Minh écoutait les yeux clos, un ineffable sourire aux lèvres. Les larges narines de Giap frémissaient. Un homme, à côté de Léa, laissait couler ses larmes sur son visage sombre. Par la seule magie de son violon, Nhu-Mai les tenait sous le charme, et tous ces Orientaux communiaient dans la musique de Bach.

Quand elle s'arrêta, il y eut un long silence comme si chacun avait du mal à redescendre sur terre. Puis les applaudissements éclatèrent. Léa se tourna, rayonnante, vers celui qui pleurait. L'homme eut un drôle de rire qui ressemblait à un sanglot et fit signe à la violoniste de venir.

– Nhu-Mai, chaque fois que tu joues, c'est comme si tu nous ouvrais les portes du paradis. Sois-en remerciée !

– Merci, camarade Dong.

– *Các cháu, các cháu da chiên dâu hang say ; bây giò là lúc các cháu giai trí : hay vui choi tôt ! Nào chúng ta hay nhay múa*[2].

1. Merci, mes enfants, merci !

2. Mes enfants, vous avez combattu avec ardeur ; il s'agit maintenant de vous divertir : amusez-vous bien ! Allons, dansons tous.

Les garçons se levèrent, mais les filles, plus timides, se dandinaient d'un pied sur l'autre. L'oncle Hô alla vers elles et leur dit :

– *Các cháu còn thât là phông kiên ! các cháu da chiên dâu nhu các dông chí nam ; các cháu cung phai giai trí nhu ho mói dúng chú*[1].

Il entraîna l'une d'elles. Tous dansèrent, en se tenant par la main, la danse *Travaux des champs*, dite « sol-la-sol », et tous scandèrent « sol-la-sol, do-si-la-sol-mi ».

Léa se disait que les généraux de Hanoi n'en auraient pas cru leurs yeux en voyant leur pire ennemi gambiller comme un jouvenceau. La danse le revigorait.

– Vous ne dansez pas ? demanda Léa à son voisin.

– Non, je ne sais pas. Vous ne nous trouvez pas trop... exotiques ?

– Pas du tout. Je trouve votre président magnifique. Cela ne me surprend pas qu'il ait séduit tant de Français et que vous sembliez tous tellement l'aimer.

Il la dévisagea attentivement.

– Cela ne m'étonne pas que vous soyez la femme de monsieur Tavernier. Vous vous ressemblez.

– Merci. Vous parlez fort bien notre langue. Vous l'avez apprise en France ?

– Non, mais je l'ai étudiée en partie dans les geôles françaises... Ha-ha-ha !

– Oh, pardon...

Il avait un rire bizarre et désagréable qui surprenait chez cet homme séduisant, au front large et aux yeux brillants.

– Oh ! là ! là !, madame Tavernier, vous rougissez comme une jeune fille ! J'ai appris beaucoup de choses dans les prisons françaises, qui me sont bien utiles ici.

– Camarade Dong, nous devrions laisser notre hôte aller

1. Vous êtes encore bien féodales ! Vous avez combattu comme des hommes ; il est juste que vous vous divertissiez comme eux.

se reposer, dit Hô Chi Minh en s'approchant. Madame, vous dormirez avec Nhu-Mai. Bonne nuit.

– Bonne nuit, monsieur.

Les deux hommes les regardèrent s'éloigner.

– *Dây là môt nguòi dàn bà can dam, bà có thê là môt dông chí cua chúng ta duoc*[1], murmura le chef du Viêt-minh à Pham Van Dong.

Le soleil était déjà haut quand Léa se réveilla le lendemain matin. La natte de Nhu-Mai était soigneusement roulée. Sur un tabouret étaient posés une théière et un petit bol. Léa se servit. Au-dehors, tout était calme. Elle arrangea ses cheveux avec ses doigts et sortit. Hormis quelques poules et un chien, il n'y avait pas signe de vie. Léa se dirigea vers l'école : ni maître ni écoliers. Le camp semblait avoir été abandonné. Désorientée, elle s'assit au pied d'un arbre et attendit.

Elle attendit longtemps.

L'après-midi était déjà fort avancé quand arrivèrent les premiers blessés, portés sur des brancards de fortune par leurs camarades et suivis du reste de la troupe, bien éprouvée à en juger par la tristesse des visages et le désordre des vêtements. Léa chercha des yeux Nhu-Mai. La jeune fille ne figurait pas parmi eux. Une angoisse sournoise lui étreignit le cœur. Un soldat s'approcha d'elle.

– Le camarade-médecin vous demande. Suivez-moi.

L'homme écarta un rideau de bambou et de feuillage qu'elle n'avait pas remarqué, et lui fit signe de le suivre. Une fois passée l'étroite ouverture, on descendait, courbé, entre

1. C'est une femme courageuse, elle pourrait être des nôtres.

des parois de terre. Ils arrivèrent dans une première salle où étaient rassemblés des blessés. Ils continuèrent et pénétrèrent dans une autre qui servait de bloc opératoire. Sur une table, éclairée par des lampes à la lumière tressautante, le chirurgien finissait d'amputer de la jambe un jeune garçon, presque un enfant.

– Vous allez aider le docteur, dit le soldat en la poussant vers la table.

Le chirurgien leva les yeux.

– Hai ! murmura Léa.

– Prenez du fil de lin, je vais vous montrer comment on recoud une plaie.

Avec des gestes précis, il piqua dans le moignon sanguinolent.

– À vous.

D'une main tremblante, Léa s'empara de l'aiguille rougie.

– Piquez là... Tirez doucement... Bien... Là, maintenant... Très bien. On dirait que vous avez fait ça toute votre vie... Parfait. Je vous laisse confectionner le pansement. Quand vous en aurez fini, venez me rejoindre dans la salle suivante.

Son horrible travail de couture terminé, Léa s'essuya les mains à une serviette d'une saleté repoussante. De nouveau elle suivit le soldat qui l'avait conduite jusque-là. Ils avançaient, presque accroupis, dans les étroits boyaux de terre.

Dans l'autre salle gisaient sur des paillasses des blessés pour la plupart amputés d'un bras ou d'une jambe. L'odeur était suffocante. Hai allait de l'un à l'autre, refaisant un pansement, une piqûre, devisant gaiement avec les moins atteints.

– Vous êtes chargée de ces gens. Donnez-leur à boire un peu de thé s'ils vous en font la demande. Vérifiez l'état de leurs plaies. Je reviendrai plus tard.

– Mais...

– Ce sont les ordres. Obéissez. Le camarade Trinh vous aidera.

Hai sortit, laissant Léa abattue. Pendant des heures, elle nettoya, pansa, abreuva une cinquantaine d'hommes dont les yeux fiévreux suivaient chacun de ses mouvements. Quand elle eut fini, elle se laissa tomber sur un tabouret à l'entrée de la salle. Mais Trinh ne la laissa pas se reposer :

– Viens, on a besoin de toi ailleurs.

Péniblement elle se leva, les yeux brûlants de fatigue. Les doigts gourds, la nuque raide ; la blessure de son front la faisait souffrir.

La salle dans laquelle ils entrèrent était relativement fraîche et propre. Des femmes vêtues de blanc allaient et venaient. Derrière un rideau, une femme hurlait. Le rideau s'écarta ; Hai en sortit, tenant par les pieds un nouveau-né braillard qu'il tendit à une infirmière. Léa comprit qu'elle se trouvait dans la maternité du camp.

– Vous avez déjà assisté à un accouchement ?

– J'ai aidé l'enfant d'une amie à naître.

– Très bien. Le bébé de cette femme se présente bien, il ne devrait pas y avoir de difficultés. En cas de problème, une infirmière viendra m'avertir. Je retourne opérer. Lavez-vous les mains et passez une blouse blanche. Avez-vous mangé ?

Non, fit-elle de la tête.

– Il faut vous nourrir, sinon vous ne tiendrez pas le coup. *Dông-chí Trinh, hay di lây com.*

– *Nhung, thua dông-chí bác-si, tôi không duoc ròi bà ta.*

– *Dùng lo, dê tôi trong chùng cho*[1].

À contrecœur, le soldat Trinh quitta la salle.

– Suis-je prisonnière ?

– Le général Giap a donné l'ordre de vous garder ici et de vous faire travailler.

– Et si je refuse ?

1. – Camarade Trinh, va chercher du riz.
– Mais, camarade-docteur, je ne dois pas la quitter.
– Ne t'inquiète pas, je m'en occupe.

– Je ne vous le conseille pas. Vous seriez enfermée dans une cage de bambou : c'est très inconfortable...

– Le président Hô Chi Minh devait me donner une réponse. Votre général Giap semble oublier que je suis un émissaire du général de Lattre.

– Il ne l'oublie pas, il réfléchit.

– Je veux voir le président Hô Chi Minh !

– Il n'est plus là ; il reste rarement plus de deux ou trois jours au même endroit.

« Comme ceux de la Résistance... », pensa-t-elle.

Trinh revint avec un bol de riz accompagné de morceaux de viande. Léa eut à peine le temps de manger. Une infirmière au visage rébarbatif s'approcha.

– La femme est sur le point d'accoucher, dit-elle dans un français hésitant.

Derrière le rideau, la future mère, cuisses largement ouvertes, poussait de toutes ses forces. Bientôt, des cheveux noirs apparurent. Dans un grand cri, après une ultime poussée, l'enfant sortit d'un coup. Léa eut juste le temps de le saisir avant qu'il ne glisse au bas de la table.

– C'est un magnifique garçon !

Avec appréhension, elle coupa le cordon ombilical, craignant à la fois de faire mal à l'accouchée et à son bébé. La vilaine infirmière s'empara de l'enfant pour le laver.

– Je crois que, cette nuit, nous n'aurons pas d'autres naissances. Allez vous reposer, lui dit-elle.

Traînant les pieds, Léa marcha courbée derrière Trinh. Dehors, la nuit était noire et parfumée. Elle s'arrêta et inspira profondément.

– Je voudrais aller aux cabinets...

Le soldat hésita puis lui désigna la forêt. Léa se dirigea à tâtons vers les arbres ; elle s'accroupit, pensa aux serpents, aux bêtes féroces tapies dans les fourrés. Quand elle se releva, elle vit devant elle le soldat qui la considérait d'un air goguenard. Elle se sentit rougir.

Nhu-Mai n'était pas dans la case. Léa déplia sa natte, retira sa combinaison tachée de sang et s'allongea en culotte et soutien-gorge, l'oreille aux aguets. Mais la fatigue eut raison de son inquiétude ; elle s'endormit comme une masse.

Dans son sommeil, quelqu'un rampait vers elle. Paralysée de frayeur, elle assistait à la lente reptation. Des hurlements silencieux emplissaient sa poitrine ; elle criait et nul ne l'entendait. À quelques pas d'elle, le président Hô Chi Minh la regardait tristement, le général Giap la dévisageait d'un œil cruel, Pham Van Dong, l'homme à la peau sombre, la contemplait avec un sourire ironique tandis que Nhu-Mai jouait du violon, que François enlaçait Lien, que Charles, Adrien et Camille l'appelaient, que Hai amputait à tour de bras, que Kien lui tendait une pipe d'opium, que des tueurs nazis, accoutrés en légionnaires, se lançaient à sa poursuite sous les applaudissements de la générale de Lattre et les rires obscènes de son époux et de Lucien Bodard, tous deux ivres.

– Chut ! On ne crie pas !

Une main puante et calleuse fermait ses lèvres.

– N'aie pas peur, c'est moi, Giau.

Il attendit que son tremblement eût cessé pour écarter sa main.

– Surtout, ne fais pas de bruit ; ils nous tueraient tous les deux... Mais, avant...

Léa se remit à trembler.

– Pourquoi me retient-on ici ? bredouilla-t-elle.

– C'est une idée du général Giap. Il pense t'échanger contre des prisonniers.

– Ce n'était pas prévu. Le président Hô Chi Minh est-il au courant ?

– Non. Il doit revenir demain ou après-demain. À ce moment-là, tu seras libre.

– Peux-tu me trouver d'autres vêtements ? Les miens sont immondes.

– Oui, que veux-tu ?

– Je voudrais la même tenue que les femmes d'ici. C'est possible ?

– Je n'aurais pas pu te trouver autre chose. Maintenant dors, je veille.

Peu avant l'aube, elle fut réveillée : Nhu-Mai rentrait, tenant à peine sur ses jambes. À tâtons, Léa déroula sa natte et aida son amie à s'y allonger.

– Tu es blessée ?

– Non, mais nous avons dû marcher pendant des heures pour échapper aux légionnaires.

Des images de son cauchemar revinrent à la mémoire de Léa.

– Les combats ont été très rudes, beaucoup de nos camarades ont été tués, d'autres faits prisonniers, narra la jeune violoniste.

– Les blessés de cet après-midi étaient avec vous ?

– Je crois. Nous avons été attaqués en deux endroits différents. C'était affreux.

– Repose-toi.

Léa la prit dans ses bras et la berça comme une enfant jusqu'à ce qu'elle s'assoupît. Peu à peu la chaleur du corps menu l'apaisa et elle-même s'endormit.

Quand elle rouvrit les yeux, elle tenait toujours Nhu-Mai contre elle. Penché, Hô Chi Minh les considérait.

– Voici ce qu'auraient pu être la France et le Viêt-nam : deux nations enlacées et unies dans un bonheur commun. Vous avez fait du bon travail, madame, hier à l'hôpital. Au nom de tous mes camarades, je vous en remercie.

– Quand pourrai-je rentrer chez moi ?

– Pas avant quelques jours. Les troupes françaises sillonnent la région. Vous êtes plus en sécurité parmi nous qu'avec elles.

– Que devrai-je dire au général de Lattre ?

– Qu'il est trop tard. Le gouvernement français a cru en Bao Dai. Votre pays a commis une très grave erreur en favorisant ce traître à sa patrie ; le peuple vietnamien ne peut pas se retrouver dans ce renégat. Le coût de cette erreur sera très élevé car, tôt ou tard, nous vaincrons.

– Mais que de morts, de souffrances avant de...

– Oui... Par moments, je me dis que le prix à payer pour notre indépendance est trop lourd, mais, dans le même temps, la liberté n'a pas de prix et seul le Parti peut nous donner la force quand nous nous prenons à douter...

Nhu-Mai bougea dans son sommeil.

– Comme cette enfant est belle ! Une vie de gloire s'ouvrait pour elle et, cependant, elle n'a pas hésité à nous rejoindre. Au combat, elle est forte et dure ; au repos, elle enchante ses camarades par son talent... Madame, le Dr Hai vous attend.

– Vous souvenez-vous, monsieur le Président, que vous m'aviez proposé de m'apprendre le *viêt vô dao* ?

– Je m'en souviens très bien. Je vous donnerai votre première leçon dès ce soir. Allez rejoindre vos blessés...

Accroupi devant la case, Giau serrait contre lui un bol de soupe. Dès qu'il la vit apparaître, il le tendit à Léa.

– J'ai eu du mal à te le garder, ces méchants gamins voulaient me le prendre.

Une troupe d'enfants à moitié nus les regardaient d'un air apparemment placide.

– Ils n'ont pas l'air bien méchants !

– Détrompe-toi. Pour eux, je ne suis pas plus qu'un insecte, et toi, en tant que Blanche, tu ne vaux guère mieux.

– C'est gai ! Je dois me rendre à l'hôpital, tu m'accompagnes ?

De sa démarche de crapaud, Giau s'avança vers les enfants qui reculèrent. L'un d'eux lui lança une pierre. D'autres s'apprêtaient à l'imiter, mais Léa saisit l'oreille de l'attaquant et le secoua comme un prunier. Le gosse lança des cris de cochon qu'on égorge. Hô Chi Minh sortit de la case.

– Que se passe-t-il ? Que faites-vous à cet enfant ?

– Je le corrige. Il a, sans raison, lancé une pierre à mon ami Giau. Je ne peux l'accepter.

– Laissez-le, il ne comprend pas. Hélas, chez nous, les mendiants, les estropiés ont toujours été mal considérés. Pour beaucoup ils représentent le mal...

– C'est lâche ! Ici comme partout, pas de pitié pour les faibles ! Que dit le Parti là-dessus ?

– Viens, Léa, je t'en prie, viens...

– Ne crains rien, camarade Giau, elle a raison. Dans ce domaine, nous ne valons pas mieux que le plus brutal des colons.

Parvenus à l'hôpital, ils descendirent dans l'étroit tunnel. Trinh les attendait à l'entrée de la salle d'opération.

– Dépêchez-vous, le camarade-docteur vous attend.

Comme la veille, Hai procédait à une amputation. Des gouttes de sueur roulaient sur son visage. À l'aide d'un linge à peu près propre, Léa l'épongea.

– Merci. Passez-moi une pince.

Pendant une heure, ils travaillèrent en silence. Dans un coin, Giau somnolait.

– Allons voir les autres blessés. Deux sont morts dans la nuit. Nous manquons de médicaments.

De partout dans la salle montaient des gémissements et des soupirs. À l'arrivée du médecin, certains relevaient la tête. Hai fit quelques piqûres, Léa refit des pansements. En fin de matinée, ils remontèrent à l'air libre.

Comme la veille, le camp était désert. Allongés sous un arbre, Hai et Léa s'assoupirent tandis que Giau et Trinh veillaient tout en se lançant des regards dénués de bienveillance.

Vers trois heures de l'après-midi, un remue-ménage se fit aux abords de la forêt. Des soldats revenaient du combat, poussant devant eux trois militaires français. L'un d'eux, blessé à la tête, avançait en titubant. Il s'écroula devant Léa. La jeune femme se pencha vers lui.

– Franck !

Le blessé ouvrit les yeux et sourit en la reconnaissant. Hai examina sa blessure.

– Il a eu de la chance. Je vais le soigner ici.

Les deux autres Français lorgnaient Léa avec curiosité. Que faisait une Blanche avec les Viêts ? Sans doute une de ces putains qui avaient rejoint les maquis de ces salauds. L'un d'eux cracha dans sa direction. Trinh bondit et lui assena un coup de crosse dans les reins. Le soldat s'écroula.

– *Thôi, dông-chí Trinh ! o dây chúng ta không nguoc dai tù binh*[1] *!* dit Hai.

Léa finit le pansement de Franck et l'aida à s'appuyer contre le tronc d'un arbre.

– As-tu une cigarette ? demanda-t-il.

Avec avidité, il avala la fumée en fermant les yeux.

– C'est bon, murmura-t-il... Que fais-tu ici ?... Tu es prisonnière ?

– Je n'en sais rien. Jean Lefèvre n'était pas avec toi ?

– Si. Lors de l'embuscade, nous avons été séparés, je ne l'ai pas revu.

– Qui sont les autres ?

– Ils faisaient partie du bataillon : l'un s'appelle Michel Bernard, l'autre Marc Duvillier. Ils sont en Indochine depuis quatre ans. Duvillier, Bernard, approchez !

Les deux hommes s'approchèrent, les mains liées derrière le dos.

– Ne peut-on les détacher ? demanda Léa.

Hai coupa les liens du premier.

– *Dông-chí bác-si, dông-chí không nên làm thê,* objecta Trinh.

– *Ho duói su quan lý cua tôi*[2].

Il trancha les entraves du second. Léa leur tendit son paquet de cigarettes.

1. Arrête, camarade Trinh ! On ne maltraite pas les prisonniers ici !
2. – Camarade-docteur, tu ne dois pas faire ça.
– Ils sont sous ma responsabilité.

– Voici Léa dont je vous ai parlé. C'est une fille formidable ! s'exclama Franck.

– Que fait-elle ici ?

– J'ai été envoyée en mission par le haut-commandement.

– Pfff... Une femme !... Ça doit aller vraiment mal pour qu'ils envoient des femmes en mission...

« Pauvre type », pensa Léa.

Par petits groupes, les combattants vietnamiens revenaient.

– *Có thuong binh không ?* interrogea Hai.

– *Không, Vói lính tây thì không thê. Cam bây cua chúng ta da thành công tôt*[1].

Les soldats viêt-minh dévisagèrent les Français, puis s'en retournèrent à leurs occupations.

En fin de journée, Hô Chi Minh arriva, appuyé sur un bâton. Il se dirigea vers les prisonniers gardés par Trinh.

– Alors, mes enfants, vous voici tombés entre les mains des méchants Viêt-minh ! Je sais que vous avez vaillamment combattu. Vous êtes nos prisonniers, mais vous serez convenablement traités. Qu'on leur apporte à manger ! Camarade-docteur, comment vont vos blessés ?

– Assez bien, oncle Hô. Mais nous manquons de médicaments.

– Je le sais, hélas !... Faites pour le mieux. Venez, Léa, je vais vous donner votre première leçon...

Hô Chi Minh initia ainsi Léa aux secrets du *viêt vô dao*. Très vite, la jeune femme y montra une habileté surprenante.

– Maintenant, il vous faudrait un meilleur professeur que

1. – Avez-vous des blessés ?
– Non. On ne peut pas en dire autant des Français. Nos pièges ont bien fonctionné.

moi, lui dit-il. N'oubliez pas qu'il est important de faire le vide en vous, de ne plus penser à rien. Ne combattez que pour vous défendre ; en cas d'attaque, faites-le toujours avec calme, sans haine. Ne laissez pas vos sentiments prendre le dessus. Vous allez bientôt nous quitter ; pensez de temps en temps au vieil oncle Hô. Vous direz à ceux qui vous ont envoyée que le temps des paroles de paix est passé et que le peuple vietnamien sortira vainqueur de cette horrible guerre. Retournez auprès de vos enfants. Ce soir, il y aura une fête en votre honneur. Allez vous préparer.

– Monsieur le Président, j'ai appris beaucoup de choses auprès de vous. Je vous en remercie... Que vont devenir les trois Français prisonniers ?

– Ils repartent avec vous.

– Oh, merci !

Léa se jeta au cou de l'oncle Hô et l'embrassa sur les deux joues. Surpris par l'étreinte, celui-ci rougit.

– Vous me rappelez une jeune fille que j'ai connue à Paris...

– Comment s'appelait-elle ?

– Marie.

Il sembla à Léa que des larmes brillaient dans les yeux du chef révolutionnaire.

La fête promise par Hô Chi Minh fut une totale réussite. Des jeunes filles dansèrent, des jeunes gens se livrèrent à des démonstrations de *viêt vô dao*, et Nhu-Mai joua du violon. Elle enchaîna avec une virtuosité époustouflante des airs tsiganes, des morceaux de Tchaïkovski, de Gustave Fauré, de Ravel, de Tartini, de Paganini. Elle termina par une ronde de Bazzini. Ce fut du délire. Les jeunes Vietnamiens la portèrent en triomphe, tandis que les Français applaudissaient à tout rompre.

– Putain ! J'ai jamais rien entendu de plus beau ! s'écria Marc Duvillier en se frottant les yeux.

Nhu-Mai s'approcha d'eux, son violon à la main. Léa l'embrassa avec émotion.

– As-tu toujours mon dragon porte-bonheur ? lui demanda la jeune prodige.

– Oui. Je l'ai laissé à Hanoi avant de partir.

– En voici un autre, je l'ai sculpté exprès pour toi dans un bois magique de nos forêts.

Léa serra dans ses mains l'objet gauchement taillé.

– Ne le perds pas, dit Nhu-Mai en s'éloignant pour dissimuler ses larmes.

Hô Chi Minh s'avança :

– Demain, vous serez parmi les vôtres. J'ai été très heureux de vous connaître, mon enfant. Prenez bien soin de vous. Des hommes sûrs vont vous accompagner jusqu'au prochain poste français. Adieu. Qu'on leur bande les yeux !

Hai vint à son tour vers elle.

– Dites à François que je l'aime et qu'il est toujours mon ami.

– Je le lui dirai... Où est Giau ?

– Il est parti en avant. Ne vous inquiétez pas pour lui.

Les yeux bandés, Léa et ses compagnons s'enfoncèrent dans la forêt. Au bout de deux ou trois heures, on leur débanda les yeux.

– Continuez tout droit, dit un des Viêts. Le poste est à cinq cents mètres.

Leur escorte disparut comme par enchantement.

Ils avancèrent dans la direction indiquée.

– Halte ! Qui va là ?

– Amis ! Nous sommes français !

– Ne bougez pas !

Un tout jeune soldat leur braqua une torche électrique dans les yeux.

– Bon Dieu ! Une femme !

– Conduisez-nous à votre commandant, ordonna Franck.

– Passez devant... et n'essayez pas de vous enfuir. J'abattrai le premier qui essaiera.

Au bout de quelques instants, ils arrivèrent au pied de fortifications de bambou.

– J'amène quatre des nôtres, dont une femme.

– Entre, je vais prévenir le lieutenant.

L'officier ne tarda pas à apparaître dans la cour du poste en remontant son pantalon.

– Qu'est-ce que c'est que cette histoire ?

Il s'arrêta devant Léa, bouche bée.

– Ben, voilà autre chose !... On trouve des gonzesses, maintenant, dans la jungle ? Et des belles, nom de Dieu !

– Arrêtez de jurer. Nous sommes fatigués. Pouvez-vous télégraphier à Hanoi pour leur dire que madame Tavernier a accompli sa mission ? dit Léa.

– Télégraphier à Hanoi !... Comment donc, princesse... On vous y attend, sans doute ?

– Oui, le général de Lattre m'attend.

– Le général !... Bon Dieu de sacré nom de Dieu !... Il faut que ce soit sur moi que tombe une histoire pareille !

Une vietnamienne portant un bébé arriva en courant.

– *Maurice, chuyên gì thê ?*

– *Cút di*[1] *!*

D'une bourrade, il chassa la femme qui s'éloigna, les yeux brillants de haine.

– Faites pas attention, madame. C'est ma *congaï* et son marmot.

– Votre enfant, sans doute ?

– Elle le prétend...

Il les fit entrer dans le mess des officiers ; du moins baptisait-il ainsi cette pièce sordide presque entièrement occupée

1. – Maurice, que se passe-t-il ?
– Fous le camp !

par une grande table couverte de bouteilles de bière vides et de cendriers pleins de mégots, où flottait une odeur d'écurie.

– Faites pas attention, le ménage est pas souvent fait, ici. Vous boirez bien une petite bière pendant que j'appelle Hanoi ?

– C'est pas de refus, dit Marc Duvillier. J'en ai marre de leur saloperie de thé !

– Tu dois être fatiguée, murmura Franck à Léa. Tu ne veux pas te reposer ?

– Non, je préfère attendre la réponse de Hanoi. Tu n'as pas une cigarette ?

– Madame, mon camarade et moi, on vous doit une fière chandelle... J'sais pas comment dire... On vous remercie bien, dit Michel Bernard en lui tendant la main.

– Ça, c'est sûr ! renchérit Duvillier en tendant la sienne.

Quelques minutes plus tard, le lieutenant revint :

– J'ai ordre de vous conduire jusqu'à Vinh Yen. Là, un avion viendra vous prendre.

– Allons-y ! lança Léa en écrasant sa cigarette.

15.

Malgré quelques attentats, la ville était plutôt calme ; il était néanmoins recommandé de ne pas s'en éloigner de plus de dix kilomètres : là, des bandes viêt-minh sévissaient.

Adrien et Camille ne souffraient pas trop du climat ; Charles allait en classe au lycée Chasseloup-Laubat, c'était un très bon élève. Lien s'occupait de la maison. Chaque jour, Léa allait se baigner au Club sportif, haut lieu des élites saïgonnaises. Kien lui avait trouvé un professeur de *viêt vô dao*. Quant à François, malgré sa blessure qui le faisait boiter, il était le plus tendre des amants.

Dans la nuit du 30 mai 1951, au cours de l'attaque des pitons de Ninh Binh, Bernard de Lattre, fils unique du général, trouva la mort. Le commandant en chef partit pour la France avec la dépouille du jeune lieutenant. Le 4 juin eut lieu à Saint-Jean-des-Invalides une émouvante cérémonie en présence de représentants de toute l'Armée. La foule défila pendant des heures devant les cercueils de Bernard et de deux de ses amis tombés à ses côtés.

– Je suis parti en Indochine pour protéger les jeunes et je n'ai même pas été capable de protéger mon enfant, dit de Lattre à Salan.

C'est un homme brisé qui revint à Saigon. Malgré sa douleur, il tint à assister, le 11 juillet, à la distribution des prix du lycée Chasseloup-Laubat et à prononcer un discours devant les élèves, en majorité vietnamiens :

– « C'est à la jeunesse du Viêt-nam tout entière que vos ancêtres confient le patrimoine qu'ils ont reçu jadis par leur valeur. Et moi qui ai connu et aimé la jeunesse de beaucoup de nations, je dis que la jeunesse de ce pays est à la mesure de cette confiance et des exigences de l'Histoire. Jeunesse laborieuse et ardente, habile et orgueilleuse, ambitieuse et enthousiaste, jeunesse affinée par les siècles et passionnée de nouveautés, jeunesse sensible, prête à être emportée par une grande cause. En vérité, la génération qui atteint aujourd'hui l'âge d'homme au Viêt-nam a en elle toutes les qualités exceptionnelles que réclame immédiatement l'exceptionnelle conjoncture d'aujourd'hui. Soyez des hommes, c'est-à-dire, si vous êtes communistes, rejoignez le Viêt-minh, il y a là-bas des individus qui se battent bien pour une cause mauvaise. Mais si vous êtes des patriotes, combattez pour votre patrie, car cette guerre est la vôtre ! Faites une armée nationale qui relèvera progressivement l'armée française des tâches primordiales que celle-ci assume aujourd'hui. C'est dans la fidélité à l'idée que représente S.M. Bao Dai que se trouve votre vérité. Jeunes hommes de l'élite vietnamienne auxquels je me sens attaché comme à la propre jeunesse de ma terre natale, le moment est venu pour vous de défendre votre pays. Au soleil de l'indépendance, il faut encore de la sueur et du sang pour faire lever la moisson des hommes libres. Je crois que le Viêt-nam sera sauvé par vous ! »

L'assistance se leva dans un tonnerre d'applaudissements. Le général descendit de l'estrade et passa devant les élèves vibrants d'émotion patriotique.

Près de Léa, Kien ricanait :

– Des mots, rien que des mots ! Parmi tous ces jeunes, je n'en vois pas un seul capable de se battre, et surtout pas pour Bao Dai !

– Tais-toi ! répliqua Lien. Le général a raison, ce sont eux qui libéreront le pays, avec ou sans les communistes.

– Tu crois au Père Noël, petite sœur !

Charles, les bras chargés de prix, s'avança, solennel, vers Léa.

– Tiens, c'est pour toi que je les ai gagnés. Il était beau, le discours du général. Si j'étais vietnamien, j'irais combattre tout de suite.

– Et dans quel camp irais-tu ? Celui du Viêt-minh ou celui de l'empereur ? demanda Kien.

Charles se tourna vers Léa.

– Où irais-tu, toi ?

– Je n'en sais rien. C'est difficile de répondre. Je crois à la sincérité de Hô Chi Minh, mais c'est peut-être parce que j'ai pu l'approcher. Pour moi, cette question ne se pose pas : je ne suis pas vietnamienne.

Léa n'accompagna pas François au défilé du 14 Juillet à Hanoi, en présence de l'empereur Bao Dai ; elle préféra rester à Saigon pour préparer leur départ pour la France, le 27 juillet. Le général de Lattre, accompagné d'une partie de son *staff*, avait décidé de se rendre à Paris afin de plaider une nouvelle fois sa cause. Ils devaient profiter du voyage et Léa avait prévu d'aller passer l'été à Montillac. Elle quitta l'Indochine un peu triste, car elle n'avait pas revu Nhu-Mai, ni Jean Lefèvre, ni Franck Lagarde.

Cinq jours plus tard, Léa arriva dans son cher Montillac. François était resté à Paris. Les retrouvailles entre les deux sœurs furent joyeuses. Pierre et Isabelle étaient pleins de vitalité ; Charles fut heureux de revoir ceux qu'il appelait « ses cousins ». Il avait maintenant onze ans, il ressemblait beaucoup à sa mère, à la fois réservé et audacieux, physiquement très courageux et d'une grande endurance.

La propriété connaissait une grande prospérité, les vendanges de 1947 et de 1949 avaient été exceptionnelles. Alain Lebrun avait pu engager des ouvriers agricoles permanents. La guerre semblait bien loin.

Léa décida d'apprendre à piloter un avion et alla, deux fois par semaine, à l'aéro-club de Bordeaux. « On ne sait jamais, disait-elle, cela pourra m'être utile. »

Malgré les absences de François, ces trois mois passés en famille furent pour tout un chacun des mois bénis.

Le 7 septembre, François s'embarqua à bord du paquebot *Île-de-France* à destination des États-Unis, en compagnie du général de Lattre qui souhaitait plaider la cause de l'Indochine auprès du Congrès américain. Firent partie du voyage François Valentin, Jean-Pierre Dannaud, le colonel Boussarie et le médecin-colonel Petchot-Bacqué. Le général fut accueilli avec tous les honneurs dus à son rang ; il en manifesta du plaisir. Il se prêta avec complaisance aux nombreuses interviews, conquit les journalistes et obtint de Washington des aides substantielles. Il chargea François de veiller à la bonne application des accords et rentra en France le 30 septembre.

Léa fut furieuse à l'annonce de la prolongation du séjour de son mari ; les enfants réclamaient leur père. En attendant de savoir quand ils repartiraient pour l'Indochine, Charles avait été inscrit comme pensionnaire chez les Jésuites en classe de cinquième. Le garçon eut du mal à retenir ses larmes quand il quitta Léa. Celle-ci lui promit que, chaque fin de semaine, elle viendrait le chercher. Cette promesse le consola quelque peu.

François revint pour Noël 1951. Le premier Noël passé tous ensemble à Montillac ! Léa retrouva sa fébrilité d'enfant, acheta une ribambelle de cadeaux, commanda les dindes, le foie gras, la bûche. On ferait bombance comme avant... Avant... C'était il y a si longtemps ! De ce temps il ne restait que Ruth, qui préparait toujours d'inoubliables truffes au chocolat, et la pauvre tante Lisa qui ne quittait plus guère sa chambre.

La veille de Noël, Léa alla se recueillir sur la tombe de ses parents. La fin du jour approchait. Elle remontait lentement le calvaire de Verdelais. Sous ses pieds roulaient les pierres du chemin, les arbres dénudés tendaient leurs branches noires vers le ciel sombre. Elle s'appuya à l'un d'eux, soudain envahie de tristesse... Plus jamais elle ne serait cette enfant poursuivie par Mathias, roulant dans les fougères, se cachant dans les règes, grappillant le raisin vert, courant vers son père qui lui tendait les bras et enlevait « sa princesse » si haut qu'elle criait de frayeur et de joie mêlées. « Papa... »

Une ombre se dressa devant elle. Sentant une chère présence, elle ferma les yeux très fort pour ne pas rompre l'illusion. Quelqu'un la prenait dans ses bras, un souffle chaud lui chatouillait le cou, des lèvres cherchaient les siennes ; elle s'abandonna. Oh, que jamais elle ne se lasse de ses baisers, que son corps aille toujours au-devant de ses caresses ! Elle gémit et se laissa glisser sur le sol glacé. Il s'allongea sur elle ; il était lourd, mais ce poids qui la meurtrissait la rassurait. Combien de fois avaient-ils fait ainsi l'amour sous les arbres du calvaire ?... Ses jambes s'écartèrent. Sans peine il trouva son chemin en elle. Comme toujours elle était disponible, ouverte, laissant couler son plaisir. Longtemps il la laboura avec douceur, heureux de l'entendre gémir.

Noël et le 1er janvier se passèrent dans la joie. Émerveillés par les lumières de l'arbre et les cadeaux, les petits gambadaient à travers la maison en poussant des cris. Dehors, la neige tombait à gros flocons sur un monde calme et silencieux. L'Indochine et sa guerre étaient à mille lieues. François ne parlait pas de repartir.

Le 11 janvier 1952, la radio annonça la mort du général de Lattre. François en fut profondément affecté. En dépit de leurs nombreuses divergences, les deux hommes s'estimaient et il s'était pris à aimer le « général de feu », le « roi Jean », comme disaient ses compagnons. La France lui fit des obsèques nationales et il fut nommé maréchal de France à titre posthume. Le général Salan, l'officier le plus décoré de France, lui succéda.

Le gouvernement Pleven démissionna, Edgar Faure obtint l'investiture de l'Assemblée. Habib Bourguiba, le chef des nationalistes tunisiens, fut arrêté tandis que de sanglantes émeutes avaient lieu à Bizerte. Jean Letourneau, ministre d'État chargé des relations avec les États associés, demanda à François de retourner en Indochine : Salan avait besoin d'hommes tels que lui. Il partit en avril ; Léa le rejoignit – sans les enfants – au mois de juin. Antoine Pinay avait remplacé Edgar Faure à la présidence du Conseil.

En atterrissant sur l'aéroport de Tan Son Nhut en compagnie de son mari, Léa eut la joie d'apercevoir Jean Lefèvre, le bras en écharpe, ainsi que Franck, en permission l'un et l'autre à Saigon. François les invita dans la grande maison de Lien. Une chaleur accablante pesait sur la ville. Les trois amis passaient leurs journées au Cercle sportif, et leurs nuits au *Grand Monde* sur lequel régnaient Kien et Bay Vien. Ce dernier impressionnait Léa qui se sentait toujours mal à l'aise en sa présence. Il avait fait du chemin depuis leur première rencontre ! Au moins d'avril, Bao Dai l'avait nommé général de brigade de l'Armée nationale vietnamienne. Quelle revanche pour l'évadé de Poulo Condor ! Il était respecté et redouté de tous. Les journaux l'appelaient le général « Le Van Vien ». Les femmes lui faisaient les yeux doux quand elles le voyaient passer, conduisant la Jaguar offerte par Bao Dai. Il était devenu le compagnon attitré des débauches impériales. Il avait été présenté au souverain par Phan Van Giao, un pharmacien d'Annam svelte et sportif au beau visage de noceur distingué, qui avait accompagné Bao Dai dans son exil, allant jusqu'à lui servir de chauffeur, de valet de chambre et de cuisinier. Cela, le monarque ne l'avait pas oublié. À son retour, il l'avait nommé gouverneur du Centre Viêt-nam, qu'il rançonnait pour remplir les caisses impériales. Il profitait de ses fonctions pour racoler les plus belles filles de Hué qu'il « essayait » avant de les mettre dans le lit de son maître. Bay Vien et Giao ne s'aimaient pas, mais l'empereur avait besoin de séduire le chef des Binh Xuyen[1]. Il s'y employait en lui proposant de jolies filles. Bay Vien repoussait ces aimables propositions avec fierté :

– Sire, je n'ai jamais partagé une fille qui a appartenu, même une seule fois, à un ami ou à un homme de mon clan... À plus forte raison une femme qui aurait couché avec l'Empereur ! Même si c'est une putain !

Il s'inclinait respectueusement et s'en allait de sa démarche souple.

Cette attitude inhabituelle impressionna fort Bao Dai, qui remit rudement Giao à sa place un jour que celui-ci s'exclama :

– Pour qui se prend-il, ce truand déguisé en général ? Avez-vous vu sa tête de butor ?

– Tais-toi ! Ce truand, comme tu dis, a de l'honneur. Il est le seul à m'avoir dit non. Et je m'en souviendrai. Ne le

1. Du nom d'un village du Rung Sat, au sud de Saigon, servant de repaire aux hors-la-loi.

sous-estime pas : il est capable de venir te trancher la gorge au milieu de ta garde !

Très vite se développa entre Bao Dai et Bay Vien une grande complicité. Il devint son compagnon de pêche et de chasse préféré. À la chasse, l'empereur n'avait plus rien d'un play-boy nonchalant ; c'était un homme endurant, courageux, un tireur exceptionnel. Les soirs de battue, auprès d'un feu de camp, il se laissait aller à faire des confidences à son nouveau favori, lui parlant de Hô Chi Minh avec un mélange de haine et de respect :

« Un drôle de bonhomme... Avant tout, un formidable comédien. Quand je l'ai connu, il avait cinquante-trois, cinquante-quatre ans. Chaque fois qu'il paraissait, il donnait l'illusion d'être un vieillard. Mais, d'une minute à l'autre, il pouvait se transformer. Je l'ai bien observé, je pourrais te raconter vingt anecdotes, écrire trois livres sur lui. Il était tout le contraire de ce qu'il s'appliquait à paraître. En public, il passait pour un ascète aux mœurs rigoureuses, entièrement dévoué à la cause de son pays. Dans le privé, c'était un insatiable trousseur de filles, peut-être parce qu'il avait été malade des poumons. Les anciens tuberculeux sont portés sur le sexe... Il fumait aussi l'opium et buvait sec. Il m'a dit que son habitude de boire remontait à l'époque où il était marin. Le vin est, paraît-il, le meilleur remède contre le mal de mer. Oui, en réalité, c'était vraiment un être curieux à regarder vivre ! Par exemple, il ne fumait que des cigarettes américaines, des *Philip Morris* de préférence. Eh bien, il portait sur lui deux paquets de *Bastos* : l'un contenait des cigarettes brunes, du tabac de prolétaire, qu'il offrait ostensiblement à ses visiteurs ; l'autre, des *Philip Morris* camouflées sous l'étiquette *Bastos*, qu'il fumait. Toujours ce double comportement... Il est très fort ; j'ai cru que je pourrais le battre au jeu du plus fin, mais il n'a pas été dupe... C'est à ce moment-là que j'ai pris le mauvais pli. J'ai voulu berner mes adversaires en jouant au noceur désabusé, et c'est moi qui me suis pris au jeu[1]... »

Un soir, au *Grand Monde*, Bay Vien présenta Léa à Bao Dai. L'empereur l'invita à sa table et lui fit une cour pressante, sans se soucier de la présence de Jean Lefèvre et de Franck Lagarde. Quant à Kien, pâle, les mâchoires crispées, on le sentait prêt à bondir, si bien que Bay Vien dut lui mettre la main sur l'épaule. Pendant quelques instants, Léa se prêta au jeu et se montra exagérément coquette. Bao Dai se crut alors autorisé à certaines privautés. Penché sur la nuque de la jeune femme, il l'effleura des lèvres. Avec calme, elle se leva et jeta son verre de champagne à la tête du « Fils du Ciel » en s'exclamant :

– Cet endroit est vraiment trop mal fréquenté. Rentrons !

Jean et Franck se levèrent et l'encadrèrent.

– Putain ! grommela Bao Dai en s'essuyant le visage.

Kien détourna les yeux.

Le geste de Léa amusa le général Salan et choqua une partie de la colonie française. Mais on oublia vite l'incident, car des événements graves venaient de se dérouler. Le centre militaire de repos du cap Saint-Jacques avait été attaqué ; six enfants français, quatre Vietnamiens, deux femmes, huit sous-officiers et officiers avaient été massacrés. Une vive émotion souleva l'Indochine et la métropole. On reparla, cette fois à Saigon, d'évacuation des civils. Le général Chanson, en tournée d'inspection à Sa Dec, avait été victime d'un attentat perpétré par un caodaïste qui avait jeté une grenade sur le cortège ; Chanson avait été grièvement blessé à la tête ; Thai Lap Than, le gouverneur de Cochinchine, qui l'accompagnait, avait été tué. Puis Chanson, conduit à l'hôpital, mourut sans avoir repris connaissance. Salan en fut très affecté.

1. Comme d'autres, ce monologue et la scène qui suit sont à l'évidence fictifs, mais conformes à l'abondante bibliographie et aux témoignages recueillis.

Un temps, l'annonce de la mort d'Evita Perón ramena en esprit Léa en Argentine et lui fit se souvenir de Carmen, assassinée par les nazis[1]...

Léa passait beaucoup de temps avec Kien. En cachette de François, elle avait recommencé à fumer de l'opium. Une ou deux fois par semaine, elle se rendait dans une fumerie de Cholon. La tenancière de l'établissement, une grande et forte Chinoise, l'accueillait avec de grandes démonstrations et l'installait dans l'alcôve la plus confortable où Kien venait la rejoindre.

Depuis plus d'une semaine, François était absent, parti pour la région de Son La à la demande du commandant en chef. Vêtue d'un léger kimono, Léa se laissait aller à la rancœur, ne trouvant pas dans la drogue l'évasion et le bien-être attendus. Kien se glissa auprès d'elle et prit la pipe que lui tendait un boy. Pendant un instant, ils fumèrent en silence. À travers la soie, le jeune homme caressa doucement les épaules, puis la poitrine de Léa. Celle-ci gémit. Enhardi, il écarta le peignoir et découvrit ce corps si longtemps convoité. Le hâle de ses cuisses et de ses bras faisait ressortir la blancheur de son ventre et de sa poitrine, accentuant leur apparente fragilité. Il eut envie de lui faire mal. Avec lenteur, il allongea la main et pinça la pointe d'un sein.

– Plus fort, murmura Léa.

Alors, avec patience et volupté, il tortura les pointes offertes. Léa se tordait sous l'effet de la douleur et du plaisir mêlés. Bientôt, son désir d'être possédée fut si fort qu'elle se donna sans retenue. Le jeune homme s'écarta d'elle et dit d'un ton triomphant :

– Maintenant, tu es à moi !

1. Voir *Noir Tango*.

À partir de ce jour, elle rejoignit Kien deux fois par semaine à la fumerie. En voyant son frère fréquenter plus souvent la maison, Lien se douta de quelque chose, mais ne dit rien. Alors commença pour Léa une course effrénée au plaisir, tant dans les bras de Kien que dans ceux de François. Nul remords, à peine une petite gêne devant le regard placide de Lien...

Un jour, Kien proposa à Léa une excursion du côté de Mytho. Il voulait lui présenter un de ses amis, métis comme lui, qui régnait sur la province de Ben Tré ; celui-ci s'appelait Jean Leroy et venait d'être nommé colonel.

Ils firent les quatre-vingt-dix kilomètres séparant Saigon de Mytho en moins de deux heures, ce qui était une performance, compte tenu de l'état des routes et de la présence de troupes viêt-minh sillonnant la plaine des Joncs. À Mytho, ils attendirent le bac devant le « restaurant » d'une vieille Chinoise. Ils mangèrent des mets parfumés tout en regardant couler l'eau du fleuve et jouer les enfants.

– Parle-moi de ce Leroy, demanda Léa.

– C'est le fils d'un petit paysan de Pithiviers et d'une *nhà quê*. Son enfance a été difficile et pauvre. Son père s'est obstiné à vouloir construire une digue pour rendre fertile une île de boue coincée entre deux bras du Mékong. Mais la mer détruisait en une nuit l'ouvrage qui avait demandé des mois de travail, quand ce n'étaient pas les sangliers qui ravageaient les cultures de *paddy*[1]. Six fois, le père reconstruisit sa digue. La dernière fois, elle tint. Jean et ses frères purent enfin manger à leur faim. C'était un gamin maigrichon qui avait peur

1. Riz.

des oies et des *chu vi*[1], et ne parlait pas un traître mot de français. On l'envoya en classe à Mytho, chez les frères. Puis, quand il sut lire et écrire, il alla à l'institution Tabert. Il ne revenait chez lui qu'aux grandes vacances. Pour gagner un peu d'argent, il faisait le transport du *paddy* sur une jonque, le long du canal Chogao qui va de Mytho à Cholon. À quinze ans, outre son brevet élémentaire, il possédait un fusil, ce qui lui était permis parce qu'il était français. Grâce à ce fusil, il n'eut pas à payer la redevance exigée par les pirates. Des jonques vinrent se placer sous sa protection. Même les *boï*[2] de l'arroyo chinois de Cholon le respectaient à cause de son arme. En 1935, il entra au lycée Chasseloup-Laubat. En 1940, il s'engagea dans l'Infanterie coloniale. On l'envoya à Bac Can, à la frontière chinoise, au pays des hommes bleus...

– Les hommes bleus ?

– On les appellent ainsi parce qu'ils s'habillent de vêtements indigo qui déteignent sur leur peau. Ce sont des Tho. Il a dû rester avec eux jusqu'en 45. Là, il aurait été fait prisonnier par les Japonais. Il raconte qu'il servit de guide au général Leclerc et qu'à la suite d'une blessure, celui-ci aurait voulu le décorer de la Légion d'honneur. On l'en aurait dissuadé en l'informant de sa condamnation à cinq ans de travaux forcés...

– Pour quel motif ?

– Je n'ai jamais très bien compris. Les raisons qu'il invoque sont confuses. Il aurait fait évader d'une prison française vingt de ses partisans, après avoir dévasté l'établissement. Le juge d'instruction, un dénommé Stalter, qui avait fait arrêter ses compagnons, aurait obtenu de Saigon un mandat d'arrêt contre lui, et le Tribunal l'aurait condamné par défaut. Je ne sais ce qu'il y a de vrai dans toute cette histoire. Toujours est-il qu'il combat alors le Viêt-minh, chasse de ses

1. Génies.
2. Voleurs de barques et de sacs de riz.

terres les Binh Xuyen, et manque de tuer mon ami Bay Vien ! Depuis, il a fait du chemin : il a fondé sa propre armée, composée de catholiques, les U.M.D.C.[1], très entraînée à la guérilla... Ah, voici le bac. Ça tombe bien : je n'avais plus grand-chose à te raconter sur ce bonhomme. Mais tu t'en feras toi-même une idée...

La traversée ne dura qu'une demi-heure. Ils accostèrent sur l'île d'An Hoa qui disparaissait sous une végétation luxuriante. Il faisait une chaleur de plomb. Sur la berge, un homme seul, appuyé sur une canne, les attendait. Il salua Léa avec solennité tandis que sa garde, en retrait, rendait les honneurs. Léa eut du mal à conserver son sérieux devant ce petit homme à la peau bistre et aux lèvres minces, vêtu d'une chemise immaculée où brillaient des décorations et d'un pantalon kaki aux jambes retroussées, coiffé d'un calot noir. Il tint à leur faire visiter son fief à bord d'une Jeep. Sur les bas-côtés de la route, la population rassemblée se prosternait, des jeunes filles apportaient des fleurs et des fruits. Impassible, il remerciait d'un bref signe de tête. On s'arrêta devant une pagode où des moines vinrent les accueillir avec force *lai*. À l'ombre du temple, une table était dressée, chargée de victuailles ; le repas, servi par des jeunes filles aux yeux baissés, fut somptueux. Puis, étendus dans des hamacs, les hommes fumèrent le cigare, et Léa, une cigarette à la main, prêta une oreille distraite à leurs propos. Soudain, elle entendit Leroy déclarer avec une conviction profonde : « Je veux créer au Viêt-nam une nouvelle race dans laquelle Français et Vietnamiens se fondraient ! »

Elle surprit son regard et se sentit mal à l'aise.

En fin d'après-midi, ils reprirent le bac en compagnie du colonel pour aller visiter Binh Dai, « sa » capitale, où devaient défiler « ses » troupes. Il prirent place sur une estrade richement décorée, montée sur la place du marché,

1. « Unités mobiles de défense des chrétientés ».

face à une foule immense qui se tenait massée tout autour, silencieuse. Sur un signe du colonel, des milliers de voix poussèrent des cris de bienvenue qui dominèrent le bruit des tam-tams, des cymbales, des trompettes et des clairons. Puis tout se tut. Alors commença le défilé des milices. En tête de chaque compagnie flottait un étendard brodé d'une croix et d'une épée, suivi par des hommes armés de mitraillettes et de poignards, vêtus de noir et coiffés de chapeaux de brousse. Ils marchaient à pas lents, impressionnants.

– Regardez-les ; eux savent se battre ! Les Viêts les respectent. Mais les Français sont aveugles, ils tombent dans tous les pièges de l'ennemi. Ma guerre à moi, c'est celle du pays : le commando, le guet-apens, l'embuscade, la traîtrise. Mes espions me renseignent pendant des semaines, puis, un jour, je passe à l'action. J'agis toujours à coup sûr. Moi, je détruis les villages qu'il faut détruire ; je tue les hommes qu'il faut tuer. Les Français, eux, détruisent et tuent au hasard, parce qu'ils ne savent pas, ils ne peuvent pas savoir. De moi les *nhà quê* disent que je suis juste. S'ils ont peur du Corps expéditionnaire, c'est parce qu'il est imprévisible. L'existence des *nhà quê* est une tragédie. Ils sont écartelés entre deux forces impitoyables. Le soir, les Viêt-minh se glissent dans les villages pour dire : « Si vous aidez les Français, nous planterons demain dans la rizière les têtes de vos hommes. » En plein jour, les Français débarquent en camions, armés de mitraillettes et tous les engins de mort modernes. Un officier, agitant son *stick*, crie aux notables apeurés : « Vous êtes des traîtres ! Vous avez participé à l'embuscade au cours de laquelle les Viêt-minh ont tué dix des nôtres. Vous avez achevé nos blessés. Nous allons vous châtier ! » Ce drame échappe aux Français, pris par leur routine. Ils n'ont pas d'imagination. Ils ne comprennent pas qu'ils n'ont pas le droit d'exiger quoi que ce soit, la moindre fidélité, le moindre dévouement, sans apporter en échange une protection. Mais ils ne protègent personne, nulle part ;

ils s'enferment dans leurs postes et clament : « Habitants, venez à nous ; nous sommes là pour vous défendre ! » Voilà tout ce qu'ils trouvent à dire quand ils s'implantent dans une région. Au bout de quelques mois, les Annamites qui ont eu confiance ont été assassinés par les Viêts. Les Français tuent les autres en les traitant en toute bonne foi de « salopards »... Cette guerre est celle du peuple. Il faut l'avoir avec soi, l'arracher aux Viêts. La première condition est de savoir quand il faut être bon et quand on doit se montrer féroce. C'est trop compliqué pour les militaires du Corps expéditionnaire. Les Français ne rallieront jamais la masse. Ils ont trop de sang sur les mains. Je ne parle pas du sang des hommes qu'ils ont tués eux-mêmes, mais du sang de ceux qu'ils ont fait tuer en les trompant, de tous ceux qu'ils ont compromis et abandonnés. Ce sang-là sera difficilement pardonné...

Malgré la chaleur, Léa frissonnait. Ce que disait le petit colonel eurasien sonnait terriblement vrai. Elle y reconnaissait certains propos de Jean Lefèvre parlant de la responsabilité de l'Armée française vis-à-vis des populations, de la honte éprouvée du fait d'avoir dû les abandonner. Cette guerre n'était pas la leur ; il fallait laisser les Vietnamiens s'expliquer entre eux. « Mais ce sera la guerre civile ! » Elle croyait entendre les bonnes âmes de Saigon et de Hanoi redoutant de perdre leurs piastres et leurs privilèges. Mais tous ces morts pour rien. Comme en écho, la voix du petit homme avait repris :

– ... Combien de Français morts pour rien ! Sans comprendre, sans vouloir comprendre... Par trop de bravoure, souvent ; par trop de lâcheté, parfois. Et puis, tous ces postes qui tombent ! Imaginez cette folie : un Français débarque de Carpentras ou d'Auxerre pour commander une centaine de partisans aux faciès patibulaires. Imaginez ce que peut être la vie de cet homme dans ce monde furieux. Il cogne, bat ses supplétifs, insulte les notables, viole les filles. Un jour, on le retrouve assassiné... J'admire l'Armée française ; elle combat avec la ténacité d'une vieille race militaire. Mais sa guerre n'est plus de ce temps. Les Français sont placés devant une révolution. Face à ce genre d'événement, ils sont impuissants. Moi, pas. Je ne connais ni principes ni règles, sauf les miens. Je sais me faire craindre du peuple encore plus que les Vîet-minh ; je sais aussi me faire aimer davantage qu'eux. Je sais comment m'y prendre, je tiens cela de naissance. Je suis venu au monde dans cette île d'An Hoa ; je connais chaque pouce de terrain, je connais tout le monde. Les *nhà quê* m'ont cru lorsque je leur ai dit : « Venez avec moi exterminer les Viêt-minh. Je ne vous abandonnerai jamais ! » Mon armée protège la population. C'est vraiment l'armée du peuple d'An Hoa, à la discipline de fer.

– C'est vrai, lui confirma plus tard Kien, ses hommes ne commettent aucune exaction dans les zones qu'ils ont pacifiées. Là, le vol et le viol sont interdits. Malheur à ceux qui s'en rendent coupables ! Les miliciens qui violent sont châtrés, ceux qui volent ont la main coupée. L'amputation a lieu en ville devant un large public...

Léa quitta avec soulagement la région de Ben Tré et son seigneur de la guerre.

– Il y en a beaucoup comme lui ? interrogea-t-elle sur le chemin du retour.

– De cette envergure, non. Cependant, ils sont plus nombreux qu'on ne croit à avoir leur propre milice, leur territoire, et à se comporter en chefs féodaux avec droit de haute et basse justice. L'Armée française les tolère, car ils font un bon travail d'élimination des Viêts. Le Viêt-minh lui-même les craint.

Dans la nuit du 1er décembre, Giap lança ses troupes à l'assaut de Nan San et remporta la bataille, malgré tout le courage des combattants français.

Vers cette date, Léa reçut des nouvelles de Montillac :

Ma bien chère petite sœur,

Ici, tout le monde va bien, les enfants sont superbes. Je viens d'avoir une nouvelle fille, je l'ai appelée Laura ; c'est un très beau bébé. Charles est toujours un excellent élève et un enfant charmant, un peu renfermé peut-être, mais si attachant. Adrien l'adore et ne le quitte pas d'une semelle à chacun de ses séjours à Montillac. Quand son grand ami n'est pas là, ton fils est intenable, il a tout à fait ton caractère. Pierre est maintenant un grand garçon. Camille est si jolie qu'on se retient de ne pas la dévorer de baisers. Physiquement, c'est un mélange de toi et de François. Notre chère Ruth vieillit. Quant à tante Lisa, elle s'éteint doucement. Notre voisin, François Mauriac, a reçu le prix Nobel de littérature ; c'est un grand honneur pour notre région.

Montillac s'équipe, nous avons un très gros Frigidaire et une machine à laver le linge ; c'est drôlement pratique, surtout avec les enfants.

Je t'envoie des photos de tout ce petit monde. Comme tu le verras, ils vont très bien, mais vous leur manquez beaucoup. Quand pensez-vous revenir ? Charles prépare dans le plus grand secret ton cadeau de Noël. Ce serait bien, si nous étions tous réunis ! Donne-nous de vos nouvelles et envoie des photos.

Nous vous attendons avec impatience. Je t'embrasse tendrement, ainsi que François. Alain se joint à moi. Il vient d'acheter une belle voiture, il est comme un enfant. Je t'embrasse,

Ta sœur qui t'aime,

Françoise.

L'absence de ses enfants fut si violemment ressentie par Léa qu'elle éclata en sanglots. Lien l'entendit et fit irruption dans la chambre.

– Que se passe-t-il ? Vous avez reçu de mauvaises nouvelles de France ?

– Mes enfants...

– Quoi, vos enfants ?

– Ils me manquent !

Lien sourit.

– Ils ne vous ont pourtant pas tellement manqué, ces derniers temps...

– C'est vrai... Je suis une mauvaise mère.

François arriva sur ces entrefaites.

– Qu'as-tu ? Tu as pleuré ? Les enfants ?...

– Ils vont très bien, mais j'ai tellement envie de les revoir !

– Moi aussi. Je suis encore obligé de rester ici, mais toi, tu peux partir. Ils seraient si heureux de te voir ! Je vais m'occuper de te trouver une place dans le prochain avion.

– J'aimerais mieux partir avec toi...

– Impossible, la situation se détériore de partout. Chaque jour, le Viêt-minh se renforce, sa campagne de propagande commence à porter ses fruits. Si je pars maintenant, j'aurai l'impression de quitter une histoire foutue de peur d'en connaître la fin...

16.

Léa quitta Saigon le 20 décembre. Elle passa une journée à Paris pour faire quelques emplettes et arriva à Montillac dans l'après-midi du 24. Dans la cheminée, le feu ronflait. Juchée sur un escabeau, Françoise accrochait les guirlandes et les boules dorées que lui passaient les enfants. Enveloppée de châles, Lisa disparaissait dans son fauteuil, souriant à ces préparatifs de fête. À la cuisine, Ruth préparait la traditionnelle dinde aux marrons, tandis que, dans les chais, Alain choisissait les meilleures bouteilles.

Il avait été décidé que petits et grands iraient à la messe de minuit dans la basilique de Verdelais. Comme chaque fois qu'elle pénétrait dans l'église, Léa s'arrêta devant la châsse de sainte Exupérance. Là, en face de la petite poupée de cire, elle revit Philippe d'Argilat[1] debout sur son char baptisé à ce nom, elle réentendit les cris de la foule en liesse dansant dans les rues de Paris libéré.

Dans son prêche, le curé eut un mot pour ceux qui combattaient loin de leur pays ; Léa lui en fut reconnaissante.

Quand ils rentrèrent dans la nuit froide, les plus petits dormaient. Seuls Charles et Pierre étaient encore éveillés, bien décidés à réveillonner avec les grands.

Le souper fut à la hauteur des talents de Ruth. Chacun la

1. Voir *Le Diable en rit encore.*

félicita et la remercia. Le téléphone sonna. Alain, parti répondre, revint en hâte :

– C'est pour toi.

Léa se précipita dans le bureau de son père.

– Allô ? cria-t-elle.

– Joyeux Noël, mon amour !

– Oh, François !... Que je suis heureuse de t'entendre !... Joyeux Noël à toi aussi... Allô ? J'entends mal !... Allô ?... Ils vont bien... Moi aussi, je t'aime... Allô ? Tu me manques... Fais attention... Oui... Mon chéri.. Allô ? Allô ?...

La communication avait été coupée. Elle s'assit sur le divan où aimait à se reposer son père ; elle ferma les yeux, les mains serrées sur sa poitrine. « Mon Dieu, protège-le... Garde-le-moi... »

– Léa ! Léa ! Viens, le Père Noël est passé !

Charles la prit par le bras et la conduisit devant le sapin illuminé. Des paquets bariolés étaient posés devant les souliers de chacun. Bientôt, le tapis fut jonché de papiers déchirés. Françoise s'extasia devant la robe choisie par Léa, Alain se déclara très satisfait de sa veste d'intérieur, Ruth de sa confortable robe de chambre, Lisa de son écharpe de soie, Pierre de son train électrique, Charles de son costume et de ses livres.

– Et toi, tu ne regardes pas tes cadeaux ? s'inquiéta-t-il.

Enfant, déjà, Léa attendait que tout le monde eût ouvert ses paquets pour défaire les siens ; elle prenait son temps, agaçant ses sœurs.

Françoise lui avait tricoté un long pull-over de fine laine blanche, Ruth, un bonnet et des moufles ; Lisa lui avait offert une paire de boucles d'oreilles en diamant ayant appartenu à sa mère. Alain, un agenda relié de cuir, et Pierre, un assez joli dessin représentant Montillac. Le cadeau le plus inattendu fut celui de Charles : c'était un portrait de Léa peint à l'huile avec un réel talent.

– C'est magnifique, mon chéri ! Merci, merci beaucoup !

– Je ne l'ai pas fait très grand, pour que tu puisses l'emporter partout avec toi.

Le portrait était très ressemblant. Cependant, on ne pouvait le regarder sans éprouver un certain malaise. Le sourire était doux et tendre, mais le regard absent. Léa était représentée vêtue à la mode annamite, le chapeau pointu sur les épaules. Près d'elle se tenait *Ong Cop*, semblant surgir de la jungle. L'ensemble dégageait une impression curieuse, dérangeante.

... Les semaines qui passèrent furent douces à Léa. Ses enfants ne la quittaient pas. Charles profita de son séjour pour peindre aussi son portrait en compagnie de Camille et d'Adrien.

Le 15 février 1953, elle quitta la France. À son arrivée à Saigon, Lien lui apprit que François se trouvait au Tonkin. Contre l'avis de cette dernière, Léa refusa d'attendre le vol civil pour Hanoi et prit place dans le convoi protégé de *la Rafale*, ce train chargé de ravitailler la zone côtière en hommes, armes et vivres jusqu'à Tô Bong. Maintes fois attaqué, il était devenu une légende. Beaucoup d'hommes étaient morts pour qu'il puisse accomplir sa mission. Le convoi blindé de la Légion était sans doute le train le plus décoré du monde : Légion d'honneur, Médaille militaire, Croix de guerre ! Composé de quatorze wagons, dont huit blindés abritant chacun quinze légionnaires, il parcourait les quatre cent cinquante kilomètres séparant Saigon de Tô Bong, s'arrêtant souvent devant des ponts détruits et des voies sabotées que les légionnaires reconstruisaient toujours, à la merci d'une embuscade.

Le train arriva sans encombres à Tô Bong où un convoi militaire d'une dizaine de véhicules se chargea des passagers.

Quelques heures plus tard, on apprenait à Saigon l'attaque du convoi et la disparition de tous les passagers. Pendant une semaine, en camion, à pied, à bord de sampans, les prisonniers furent transportés jusqu'à la frontière laotienne où ils furent dispersés. Léa se retrouva, en compagnie de deux religieuses métisses, dans un village de lépreux. Le directeur, un vieil Annamite, leur assigna une case près de celles des sœurs et des médecins. Le village était construit sur une île du fleuve. Le quartier administratif comprenait un poste de miliciens, un secrétariat, des cuisines, des dépendances, une maternité pour enfants non lépreux. Tout au bout de l'île, entourés de haies de bambous acérés, les bâtiments des incurables, ravitaillés par des malades valides. L'île était séparée en deux par un petit pont gardé jour et nuit. Le village comprenait deux quartiers entourés d'eau, communicant par des passerelles : le quartier des hommes et celui des femmes.

Dès le lendemain de son arrivée, Léa y fut dirigée avec les deux religieuses. Au long des allées recouvertes d'immondices, entre les bâtiments, on apercevait des êtres sans visage, se traînant d'un baraquement à l'autre. L'odeur était atroce. Léa tremblait. Une des sœurs la rassura :

– Ils ne sont pas contagieux.

Contagieux ou pas, Léa ne tenait pas à rester là. Sa peur panique des lépreux remontait à l'enfance. Elle avait encore en mémoire les récits écœurants des sœurs, à Bordeaux...

– J'ai étudié les médications indigènes contre la lèpre, reprit la prisonnière ; elles se montrent souvent efficaces, surtout au début ou en prévention. J'ai vu le médecin annamite du village, il m'a préparé une décoction qui a fait ses preuves. J'en ai un flacon sur moi. Prenez-en une gorgée !

Pour plus de sécurité, Léa en but deux. Dans le dernier baraquement, des femmes enceintes attendaient leur délivrance.

La nuit, Léa eut un accès de paludisme qui dura plusieurs jours. Quand sa fièvre tomba, elle avait considérablement maigri. Les sœurs, qui s'étaient relayées à son chevet, lui firent manger à chaque repas de la viande de buffle afin de lui redonner des forces. Le quinzième jour après son arrivée à la léproserie, elle put se lever et prendre un bain dans une grande bassine de zinc. Sœur Amélie la frotta sans ménagement et lui lava la tête avec une énergie qui arracha des cris à la convalescente. Puis elle la revêtit d'un costume indigène. Fatiguée par son bain, Léa s'endormit sur une natte, près du fleuve.

Des hurlements et des coups de feu la réveillèrent. Dans la léproserie en flammes, les malades couraient en tous sens avant d'être fauchés par les assaillants. Une des religieuses qui avait soigné Léa avec tant de dévouement tomba non loin d'elle, le crâne fracassé. Léa se glissa entre les roseaux qui bordaient le fleuve. La tuerie battait son plein ; des corps mutilés furent jetés à l'eau. L'incendie faisait toujours rage. Brusquement, Léa fut reportée huit ans en arrière, à Montillac... Les miliciens mettaient le feu à la maison. Partout, toujours, les mêmes cris, les mêmes rires, l'odeur de la poudre, du bois calciné, du sang répandu remplaçant celle des blés fraîchement coupés. Le ciel incroyablement bleu, comme ici, aujourd'hui... « Non, ce n'est pas le même bleu..., pensa Léa. Là-bas, en Gironde, il était d'un bleu dense, insolent... Ici, sur les bords de la rivière Noire, il est plus pâle, plus serein... »

– Tu viens, Mamadou ? On s'est trompés, y a pas de Viêts, ici, que des malades atteints de cette saloperie.

Léa resta dans l'eau jusqu'à la nuit. Puis elle se hissa sur la berge et marcha vers les ruines fumantes. Partout des cadavres. Devant la chapelle, le vieux directeur, blessé à la tête, vivait encore.

– Dieu merci, vous êtes sauve ! Je n'en ai plus pour longtemps. Prenez des provisions, s'il en reste, et quittez cet endroit maudit. Fuyez !

Le vieil homme, qui avait passé sa vie à affronter la lèpre, mourut en répétant ce mot : « Fuyez ! »

Elle trouva dans les cuisines un peu de riz gluant, du poisson séché et quelques fruits. Elle emballa le tout dans un chiffon et s'en fut en direction de la forêt, son baluchon sur l'épaule. De loin, elle avait l'air d'une paysanne. Elle marcha des heures durant sur un étroit sentier, sursautant au moindre bruit. À la nuit, elle se glissa sous un rocher, ingurgita quelques bouchées de riz, but l'eau qui coulait le long de la paroi.

Des chants d'oiseaux la réveillèrent à l'aube. Elle croqua un fruit et repartit. Elle marcha pendant trois jours. Au soir du troisième jour, ses pieds écorchés, malgré les sandales, ne la portaient plus. Épuisée, elle s'allongea. Elle fut réveillée en sursaut, dans la nuit, par des chants et le son d'un tambour. Des moines au crâne rasé, en longues robes marron, marchaient en procession, brandissant des torches. Léa se jeta au-devant d'eux.

– *Môt nguòi dàn bà*[1] !

Un moine replet la releva.

– *Chi làm gì xa làng thê*[2] ?

– Je ne comprends pas, dit-elle.

– *Môt nguòi Pháp*[3] !

– Que fais-tu là, seule dans la forêt ? demanda un moine dans un français hésitant.

– J'ai été enlevée par le Viêt-minh en compagnie de deux religieuses. Ils nous ont emmenées dans un village de lépreux. Des soldats sont venus, je crois que c'était des Français, ils ont massacré plein de gens. J'ai réussi à m'enfuir.

– Nous avons entendu raconter cela par des lépreux rescapés. Tu as marché longtemps, pour arriver jusqu'ici. Viens avec nous, nous te cacherons dans notre monastère. Il se trouve dans la montagne, à l'abri de toute attaque.

1. C'est une femme !
2. Que fais-tu, loin de ton village ?
3. C'est une Française !

– Je ne veux pas rester avec vous, dit-elle en s'écroulant en sanglots. Je veux rejoindre mon mari à Hanoi. Conduisez-moi à lui !

Le moine qui parlait français lui fit boire du thé.

– On verra plus tard. Nous ne sommes pas en sécurité, ici. Il faut nous accompagner.

Toute volonté l'ayant abandonnée, Léa les suivit et dut marcher encore pendant trois heures. Le monastère était entouré d'une palissade de bambous qui se confondait avec la forêt. Dans la cour, des volailles, des cochons noirs circulaient en liberté devant une belle pagode en bois peint. À l'intérieur de l'édifice, trois grands bouddhas rouge et doré, devant lesquels brûlait de l'encens, donnaient à l'endroit une note apaisante. Dans une pièce qui devait tenir lieu de réfectoire, un moine très âgé apporta du thé. Tous burent en silence.

– Viens te coucher.

On la conduisit dans une petite pièce aux murs de bois sculpté dans laquelle il y avait un lit bas.

– Là, tu ne risques rien. Nous verrons demain ce que nous ferons de toi.

Léa dormit d'une traite. Elle fut réveillée par le chant du coq et des coups de gong frappés à intervalles réguliers. Le corps endolori, elle sortit de la chambre. Le soleil était déjà haut. Dans les cours, les moines étaient assemblés. L'un d'eux lui fit signe de s'avancer.

– Nous avons décidé que tu pourrais rester parmi nous en attendant le moment de te remettre aux tiens. Tant que durera ton séjour, tu porteras la même robe que nous. Il va falloir te raser la tête.

– Oh non ! s'écria Léa.

– Nous ne pouvons pas faire autrement, ce serait trop dangereux pour nous. Un paysan peut te voir et te dénoncer. Nous ne sommes que de pauvres femmes...

Léa les regarda plus attentivement. Leur crâne rasé, leur

robe informe lui avaient fait croire qu'il s'agissait de moines ! Elle sourit de son erreur et se sentit soulagée.

Quand ses cheveux tombèrent sous les ciseaux et qu'elle sentit la froide lame du rasoir sur son crâne, elle pleura.

Les jours suivants, elle partagea la vie de la communauté, travaillant aux champs, à la cuisine et au ménage. Une grande paix régnait sur l'endroit. Rien ne semblait pouvoir l'atteindre. Les religieuses étaient nombreuses, une trentaine peut-être. Difficile de leur donner un âge, elles avaient l'air de vieux bébés ; pourtant, les rires de certaines montraient qu'elles étaient toutes jeunes. Celle qui parlait français se révéla être la maîtresse des novices, une femme bonne et intelligente. Elle expliqua à Léa que le monastère était très ancien : huit ou neuf cents ans. Jusqu'à ce jour, la guerre n'était pas montée jusqu'à elles. Ce devait être grâce à leurs prières. Un jour, cependant, elles avaient perçu des cris, des coups de feu. Elles s'étaient barricadées dans la salle des trois bouddhas et avaient commencé leurs invocations. Sans doute leur Dieu les avait-il entendues, car les soldats s'étaient éloignés sans avoir remarqué le bâtiment. Les travaux avaient repris, rythmés par les offices.

Ce calme apaisait Léa, qui reprit des forces et se lia d'amitié avec ces femmes simples et compatissantes.

Cela ne dura pas. Un matin, le monastère fut envahi par une troupe de Sénégalais commandée par deux Blancs. Tout d'abord, ils ne demandèrent que quelque nourriture. Les sœurs les servirent avec empressement. Dès leur arrivée, celle qui parlait français avait supplié Léa de ne pas se montrer tant qu'on ne connaîtrait pas les intentions des soldats. Elle la cacha à l'intérieur d'un des trois bouddhas et referma l'ouverture derrière elle. Par une fente, Léa pouvait respirer et distinguer ce qui se passait dans une partie de la salle. Un soldat torse nu entra, jouant de l'harmonica, tandis qu'un autre tapait sur une sorte de petit tambour. Ils dansaient. À leurs yeux exorbités, Léa compris qu'ils étaient ivres ou drogués.

Deux autres entrèrent, traînant derrière eux une des plus jeunes nonnes. Ils la déshabillèrent et la violèrent méthodiquement. La femme hurlait. Ce fut bien pire quand l'un d'eux la sodomisa, tandis qu'un autre lui enfonçait une bouteille de bière dans le vagin. La malheureuse était en sang et se traîna, les mains tendues, au pied de l'autel. Dans des braseros, ils avaient allumé des feux qui jetaient des lueurs inquiétantes sur les murs. D'autres religieuses furent violées, certaines égorgées au milieu des rires. Un Blanc entra à son tour. Léa retint un cri : Jaime Ortiz[1] était le chef de cette bande d'assassins. Il était ivre, couvert de sang.

– A-t-on trouvé cette putain ? dit-il en espagnol.

– Non, il n'y a pas de Blanches parmi ces salopes, répondit un des Noirs.

– Vous n'avez pas bien cherché. Elle est forcément ici. Notre indicateur ne s'est pas trompé.

– Elle a dû s'enfuir...

– Non, je sens qu'elle est là... Avez-vous interrogé toutes les bonnes sœurs ?

– Oui, chef, elles disent qu'il n'y a jamais eu de Blanche parmi elles.

– Et la vieille qui parle le français, l'a-t-on questionnée ?

– Pour ça, oui ! Même les fourmis ne l'ont pas fait parler.

– Où est-elle ?

– Elle doit crever dans un coin.

– Allez me la chercher.

Les larmes coulèrent sur le visage de Léa en voyant l'état auquel était réduite la pauvre femme. On lui avait arraché la pointe des seins, son ventre n'était plus qu'une plaie et son visage était boursouflé de coups et de piqûres.

– Dis-nous où est la Française, et tu auras la vie sauve !

– Non, fit-elle de la tête.

1. Voir *Noir Tango*.

Alors Jaime Ortiz se déchaîna. À coups de pied, à coups de poing, il se remit à la frapper.

– Qu'on m'apporte de l'essence, je vais la faire rôtir, cette vieille vache !

Léa ne put en supporter davantage ; elle sortit de sa cachette.

– Laisse cette femme, je suis là !

Ortiz la regarda avec stupéfaction. Ce moinillon tondu ne pouvait être la fière Léa Delmas. Il s'approcha, puant la sueur et le sang.

– Mais si, c'est bien toi ! Je reconnais tes yeux de tigresse... Comme te voilà faite, j'ai du mal à te reconnaître...

Léa ne l'écoutait pas, elle s'était penchée sur celle qui lui avait offert l'hospitalité et avait tenté de la sauver.

– Oh, ma mère, que t'ont-ils fait !...

– Il ne fallait pas sortir, ils ne t'auraient pas trouvée...

– Laisse cette charogne, on va s'occuper de toi. Tuez-la !

Un coup de feu claqua et la bonzesse au grand cœur alla rejoindre ses ancêtres.

Ortiz prit le bras de Léa et l'entraîna à l'extérieur. Là, le carnage était terrible. Les corps disloqués et dénudés gisaient dans la cour, piétinés par la soldatesque ivre.

– Tu es la seule survivante. Il ne tient qu'à toi de le rester longtemps... si tu es docile !

Pour toute réponse, Léa lui cracha au visage. Une paire de claques l'envoya rouler au pied du sanctuaire. Sa tête heurta une marche de pierre. Le sang jaillit. « François... », murmura-t-elle, et tout devint sombre.

– Merde, chef, vous l'avez tuée !

17.

Dès qu'il fut mis au courant de l'attaque et de la disparition de Léa, François rentra à Saigon.

Les nouvelles qui lui furent données étaient alarmantes. Kien avait appris par Bay Vien que Léa avait été conduite dans un village de lépreux proche de la frontière du Laos, que le village avait été attaqué et entièrement détruit par un groupe d'Africains commandés par deux légionnaires déserteurs. Tous les habitants avaient été tués. Par ses informateurs, il avait su qu'une Blanche avait échappé au massacre et avait été recueillie par les nonnes d'un monastère bouddhiste qui, quelques semaines plus tard, avait été rasé à son tour par le même détachement. Là, on perdait trace de la jeune femme.

François s'en prit à Lien :

– Pourquoi l'as-tu laissée partir ? Il fallait la retenir !

– Elle ne le voulait pas, elle ne pensait qu'à te rejoindre, sanglotait Lien.

Des recherches avaient été entreprises dans la zone du monastère. Aucune n'avait donné de résultats. Plus les jours passaient, plus François se sentait devenir fou. Il retourna à Hanoi où il obtint du général Salan la permission de partir pour la région de Chieng, sur le Sông Ma. Il y fut parachuté avec Giau et Jean Lefèvre, qui se trouvait en permission à Hanoi. Là, cachés chez l'habitant, ils tentèrent de glaner des renseignements. Un soir, Giau revint avec une information : on disait qu'une femme blanche, blessée, était entre les mains du Viêt-minh, plus au nord, du côté de Hang Kié. Ils se mirent en route dès le lendemain après avoir offert des cadeaux à leurs hôtes.

Ils suivirent le Sông Ma jusqu'à une altitude de plus de mille mètres. Ils passaient la nuit dans des grottes abritant des centaines de chauves-souris, assaillis par des myriades de moustiques. François communiquait par radio-téléphone avec Hanoi. Là-bas non plus, aucune nouvelle de Léa. À Hang Kié, ils n'en apprirent pas davantage. Ils continuèrent jusqu'à la rivière Noire. Au cours d'une halte, ils rencontrèrent un commando parachutiste qui leur dit avoir localisé un camp viêt-minh près de Ban Pê Ngoai, sur la rive opposée de la rivière. La région, montagneuse, difficile d'accès, était entièrement contrôlée par le Viêt-minh. Ils remercièrent les parachutistes et repartirent en direction de Ban Pê Ngoai.

– Un de mes frères demeure là-bas, indiqua Giau.

Une fois à destination, Giau retrouva son frère, catholique, commandant un groupe de Méo. Ils apprirent alors que Bay Vien s'était porté acquéreur de la récolte d'opium, avec l'aval du général Salan et l'autorisation de Deo Van Lang, le seigneur de la guerre de Laï Châu. Dans ce pays de montagne, les Méo régnaient en maîtres, mais le terrain offrait de nombreuses caches au Viêt-minh. On disait que Hô Chi Minh y avait établi un de ses campements dans une grotte inaccessible. François eût aimé le rencontrer afin de lui demander de mettre tout en oeuvre pour retrouver Léa. Quelque chose lui disait qu'elle était toujours en vie. Giau parvint à entrer en contact avec un commissaire du peuple qui servait d'agent aux Français. Jusqu'à présent, aucun soupçon n'avait pesé sur lui. Il apprit à François qu'un médecin français séjournant depuis de nombreuses années parmi les Méo avait été enlevé par le Viêt-minh. Pour l'indicateur, il ne pouvait s'agir que d'un rapt destiné à soigner un Européen. Cette nouvelle redonna espoir à François. Il comprit qu'ils n'étaient pas assez nombreux pour opérer efficacement dans cette région en partie inexplorée par les anciens colonisateurs. Il décida de regagner Hanoi et d'y constituer un commando. Giau resta à Ban Pê Ngoai pour tenter de glaner de nouveaux renseignements.

Menaçant de repartir seul avec une poignée de mercenaires, François obtint du général Salan, sur le point de recevoir son successeur, le général Navarre, l'autorisation de réunir un commando de volontaires pour partir à la recherche de sa femme. Claude Thévenet, le légionnaire de la R.C.4 blessé au moment de l'attaque de Vinh Yen et convalescent à Hanoi, fut le premier à se présenter à la maison Rivière où Tavernier avait établi son Q.G., accompagné de deux autres camarades de la Légion, Jean Boutin et Roger Maréchal, mis en congé temporaire par leur colonel. Ordre leur fut donné de recruter des indigènes rompus à la guérilla. Kien, venu de Saigon avec ses gardes du corps Fred et Vinh, connaissait de fond en comble la région de Thanh Hoa, Hoa Binh, Son La, Laï Châu, Lao Cai..., pour y avoir séjourné à maintes reprises et chassé en compagnie des Méo. François accepta de les enrôler.

Ils se retrouvèrent onze, sans compter Giau. D'un commun accord, ils décidèrent qu'ils trouveraient sur place d'autres compagnons. Ce furent des anciens du « commando Vandenberghe ».

Roger Vandenberghe, ce géant des Flandres qui avait naguère sauvé la vie à François[1], avait été abattu à vingt-quatre ans, à Nam Dinh, par un *bô dôi* qu'il avait extrait d'un camp de prisonniers pour l'incorporer à son commando *Tigre noir*. Malgré les mises en garde répétées, il ne s'était pas méfié des regards de haine profonde du *nhà quê*. Dans la nuit du 5 au 6 janvier 1952, Khoï avait assassiné de plusieurs balles de mitraillette le tueur de Viêts, le chouchou de De Lattre, sa jeune compagne chinoise, Khiem, et son meilleur ami, le sergent Puel.

1. Voir *Rue de la soie.*

– Ça devait arriver, épiloguèrent les officiers. Aucune enquête n'avait été ordonnée. On avait enterré côte à côte l'adjudant-chef Vandenberghe et le sergent Puel au cimetière militaire de Nam Dinh.

Le commando réuni par François fut parachuté le 30 mai 1953, près de Ban Lôm, sur la rivière Noire. Tous avaient adopté la tenue des paysans vietnamiens et le chapeau en feuilles de latanier. Ils établirent leur camp dans une grotte spacieuse et claire, au sol de sable blanc.

Thévenet partit avec les trois du commando Vandenberghe, Chau, Tho et Diem, heureux d'avoir retrouvé un chef blanc digne des *Tigres noirs*. Kien alla de son côté, avec Fred et Vinh, voir les chefs de villages méo afin de négocier le nombre de « volontaires » pouvant participer à l'opération. À bord d'une barque en bambou, Maréchal et Boutin descendirent la rivière Noire jusqu'à Ban Pê Ngoai afin d'en ramener Giau. François resta seul.

Maréchal et Boutin revinrent les premiers en compagnie du monstre, tous trois si excités qu'ils parlaient en même temps.

– Assez ! Chacun son tour ! hurla François.

– Giau a retrouvé la trace de votre femme..., put expliquer Boutin.

– Où ?... Parle ! s'écria-t-il en soulevant Giau par ses guenilles et en le secouant.

– Elle est à Koun Hia ou à Nghia Dô, en pays thaï.

– Où est-ce ?

– Après le grand lac du fleuve Rouge.

– Tu en es sûr ?

– Mon frère le tient d'un *bô dôi* qui lui doit de l'argent ; en échange, il lui fournit des renseignements. Il fait partie des sentinelles du quartier général du président Hô Chi Minh.

– Que me racontes-tu là ? Son quartier général est installé près de Tuyên Quang.

– Il y était ; il n'y est plus.

L'information pouvait être vraie : Hô Chi Minh se déplaçait beaucoup.

Thévenet revint avec trois guerriers méo à demi nus armés de fusils, de lances et de sarbacanes. Le surlendemain, Kien rappliqua à son tour avec quatre hommes aux mines inquiétantes.

– Ce sont les meilleurs coupeurs de têtes de la province, m'a assuré Deo Van Lang. Ils n'ont pas leur pareil pour s'approcher à deux pas de l'ennemi et lui trancher la gorge...

– Giau a localisé Léa, l'interrompit François.

Ils remontèrent le Song Giang jusqu'à la piste menant à Than Uyen. À mille cinq mètres d'altitude, ils atteignirent Minh Luo'ng où ils s'écroulèrent, à bout de force... sauf les Méo et les compagnons de Vandenberghe qui négocièrent avec le chef du village l'occupation de la case réservée aux étrangers. Les Vietnamiens y allumèrent du feu et tous s'y traînèrent.

Kien et Thévenet, en dépit de la blessure qui le faisait encore souffrir, furent les premiers à être à nouveau sur pied. Giau avait disparu. Les Méo revinrent avec abondance de gibier qu'ils partagèrent avec leurs hôtes. Jusque tard dans la nuit, ils firent bombance ; les femmes du village dansèrent et on but beaucoup d'alcool de riz.

Le lendemain, le chef, la langue pâteuse, leur expliqua que jamais le Viêt-minh n'avait mis les pieds chez eux ; ils étaient les premiers visiteurs depuis longtemps. Ils pouvaient rester là autant qu'ils le voudraient, mais s'ils désiraient se rendre à Bao Ha, sur le fleuve Rouge, son fils cadet se ferait un honneur de les y conduire. François le remercia, dit qu'il allait réfléchir avec ses hommes et qu'il lui ferait part de leur décision.

François ordonna une exploration sur une dizaine de kilomètres autour du village afin de s'assurer que le chef n'avait pas menti à propos du Viêt-minh. Au bout de quarante-huit heures, tous les éclaireurs étaient de retour : ils n'avaient rencontré que des animaux qui s'enfuyaient à leur approche.

Ils acceptèrent la proposition du chef de village et quittèrent Minh Luo'ng par un matin froid et brumeux. Ils arrivèrent sans peine en vue du fleuve Rouge. Bao Ha était situé sur l'autre rive ; pour l'atteindre, il fallait prendre un bac qui passait de façon irrégulière, au gré du nombre de voyageurs chargés de colis qui attendaient, accroupis au bord du fleuve. À en juger par leur installation, certains patientaient là depuis plusieurs jours. Comme toujours en Asie, des femmes faisaient de la soupe qu'elles vendaient. François et sa troupe firent honneur à la cuisine de trois matrones qui riaient de toutes leurs dents laquées devant la voracité des étrangers.

Au bout de trois jours, le bac venant de Bao Ha arriva dans un nuage de fumée nauséabonde. Sa surcharge était telle que tous les passagers avaient de l'eau jusqu'aux mollets. Le débarquement se fit dans un désordre indescriptible ; des vieilles et de jeunes enfants tombèrent à l'eau dans l'indifférence générale. François repêcha une petite fille que sa sœur, à peine plus âgée, cala sur sa hanche sans un regard.

Kien et ses hommes s'approchèrent du conducteur du bac :

– *Dua chúng tôi sang bên kia ngay bây giò, anh lây bao nhiêu ?*

– *Tôi không di duoc, phai doi máy nguoi.*

– *Bao nhiêu, nêu không là mây chêt !* hurla Kien en sortant son pistolet.

– *Nhung thua ông, chúng ta se bi pan o giua sông !*

– *Se không bi pan. Dây là muòi ngàn dông*[1].

1. – Combien pour nous conduire tout de suite de l'autre côté ?
– Je ne peux pas, le moteur doit refroidir.
– Combien, ou tu es mort !
– Mais, monsieur, on va tomber en panne au milieu du fleuve !
– On ne tombera pas en panne. Voici dix mille piastres.

Les voyageurs qui avaient rassemblé leurs bagages s'apprêtaient à monter sur le rafiot.

– *Duôi ho di*[1] *!* ordonna Kien.

À coups de crosse et de poing, les passagers furent repoussés. Une dizaine d'entre eux, parmi les plus forts et les plus agiles, parvinrent néanmoins à se hisser sur les planches. Sur un geste de Kien, les Méo les abattirent et jetèrent les corps à l'eau. Lefèvre et Tavernier n'émirent aucun commentaire. Avec des toussotements, dans une fumée âcre et noire, le bac parvint à s'arracher de la berge et à gagner, avec une lenteur insupportable, le milieu du fleuve. Au bout d'une vingtaine de minutes, on approcha de l'autre rive.

– Couchez-vous ! hurla Thévenet.

Une rafale de mitraillette fit voler des éclats de bois.

– *Bon Viêt-Minh, chúng se dánh dâm chúng ta !* glapit le conducteur.

– *Di xuôi dòng sông*[2] *!* ordonna Kien en le frappant au visage du canon de son pistolet.

Le courant s'accentua et, bientôt, l'embarcation glissa entre deux murs de calcaire.

– Demande-lui s'il y a un endroit où accoster ! hurla François.

Kien traduisit.

– Oui, à Lang Phat. Ça ne nous arrange pas, c'est sur la rive que nous venons de quitter. Un peu plus loin, il y a Lang Na, mais, là aussi, il y a des Viêts.

– Dis-lui qu'on s'en fout, que c'est là que nous accosterons.

Il faisait presque nuit quand ils discernèrent les faibles lumières de Lang Na. Le pilote s'approcha de la rive autant qu'il lui fut possible, mais, autour du pont détruit, les

1. Chasse-les !
2. C'est le Viêt-minh, ils vont nous couler !
– Descends le fleuve !

remous l'empêchaient d'aborder. Kien arracha ses vêtements dont il fit un paquet. Il l'accrocha autour de son cou avec sa mitraillette, ne gardant sur lui qu'un ceinturon où était passé son poignard. Il noua une corde autour de son torse et demanda à ses gardes du corps d'en tenir l'extrémité. Ayant esquissé un signe de la main en direction de François, il sauta à l'eau. Un tourbillon l'emporta ; il refit surface à une dizaine de mètres de l'embarcation. Malgré la force du courant, il parvint à s'éloigner de quelques brasses.

– Aidez-nous ! cria Fred.

François et Thévenet empoignèrent la corde tout en la laissant doucement filer. Au bout d'un laps de temps qui leur sembla interminable, elle se tendit d'un seul coup. Ils l'amarrèrent à la cabine de pilotage tout en ordonnant au passeur de maintenir le moteur à contre-courant.

– Tous à poil ! commanda Thévenet.

François, le premier, se laissa glisser le long de la corde tendue au-dessus des remous.

– Saute ! hurla Kien.

Il tomba dans la boue qui amortit sa chute. Il fallut près d'une heure pour que tous pussent atteindre le rivage.

François intercepta le coup d'œil interrogateur lancé sur Kien au dernier à passer. C'était l'un des coupeurs de têtes, qui acquiesça avec un large sourire : il s'était occupé du passeur.

Malgré sa répugnance, François dut convenir en son for intérieur qu'il n'y avait pas d'autre solution pour garder quelque temps secrète leur équipée.

La nuit était glaciale ; il n'était pas question d'allumer un feu pour sécher leurs vêtements.

– Enduisez-vous de boue, sinon vous allez être dévorés par les moustiques et autres bestioles, recommanda Kien. Nous allons suivre ce qui reste de la voie ferrée ; c'est la ligne Viêt Tri-Lao Cai.

La lune s'était levée et si d'aucuns virent passer, s'avançant sur les diguettes, cette colonne de statues d'argile, ils ne manquèrent pas de s'enfuir en silence, convaincus d'avoir vu de mauvais génies ou des âmes errantes.

Ils contournèrent sans encombres le village de Bao Ha. L'aube les surprit près d'un petit cours d'eau dans lequel ils se baignèrent. Ils mangèrent un peu de riz gluant et burent du thé froid. Lefèvre et deux Méo montèrent la première garde durant le sommeil de leurs camarades. Ils repartirent à la nuit, remontant le ruisseau qui serpentait à travers les rizières. Bientôt, les cultures firent place à une étroite bande de terre marécageuse. Un des Méo revint sur ses pas et chuchota quelque chose à Kien. Celui-ci s'arrêta.

– D'après Tho, nous ne serions pas loin de Nghia Dô.

– C'est un des deux villages cités par Giau, dit François.

– Si c'est le cas, nous sommes en plein territoire viêt-minh. Il faut impérativement trouver un endroit où nous dissimuler et envoyer les Méo en reconnaissance, intervint Fred.

– Ah bon, je n'y avais pas pensé, fit Thévenet d'un ton ironique. Jusqu'à présent, nous avons eu beaucoup de chance... Ça m'inquiète ! Si vous voulez mon avis, les gars, ça ne va pas durer. Les Viêts sont plus malins, ils savent maintenant qu'on est dans le coin.

– Raison de plus pour envoyer les Méo, répéta Fred.

Une nouvelle fois, ils trouvèrent asile dans une grotte où ils passèrent trois jours, sortant à tour de rôle pour explorer la région. Les Méo partaient chasser, deux par deux, à l'aide de leur sarbacane ou de leur lance. Jamais ils ne revenaient bredouilles. Le pays, extrêmement sauvage, semblait dépourvu d'habitants. Une fois, François et Thévenet faillirent se faire surprendre par une patrouille de Viêts visiblement harassés. À leur retour, Kien s'emporta :

– Vous auriez dû faire un prisonnier, on l'aurait fait parler !

– Nous y avons pensé, mais, bien qu'épuisés, ils étaient sur leurs gardes, et trop nombreux.

– Je vais suivre leurs traces. Elles nous conduiront à leur campement. Fred, Vinh ! *Mây dúa kia, di theo luôn*[1], ajouta-t-il à l'adresse des hommes de Deo Van Lang.

Thévenet et Tavernier se glissèrent à l'intérieur de la grotte. Boutin faisait cuire une sorte de chevreuil dans une carapace d'argile afin d'éviter la fumée et les odeurs. Maréchal lisait à la lumière d'une fente entre deux roches.

– Que lis-tu ? s'enquit François en allumant une cigarette.

Le légionnaire tourna la couverture dans sa direction. C'était écrit en cyrillique.

– Pouchkine ?

– Oui.

– Tu es russe ?

– Qu'est-ce que ça peut te foutre ?

– Rien, juste pour savoir.

Maréchal reprit sa lecture. Boutin s'approcha de Tavernier :

– Il n'aime pas qu'on lui pose ce genre de questions. Bien sûr qu'il est russe. Russe blanc, même ! Un soir qu'il était saoul, il m'a dit qu'il s'était engagé dans la Légion à dix-huit ans parce que sa mère n'avait pas voulu qu'il se fasse naturaliser français. Il s'est enfui de chez lui et a pris le premier nom qui lui soit venu à l'esprit : Maréchal, parce qu'il était interrogé par un maréchal des logis.

Boutin baissa encore la voix :

– Je crois même qu'il est prince, ou quelque chose comme ça. Dans sa poche, il a une tabatière, je jurerais qu'elle est en or ; dessus est gravée une couronne.

Kien et ses hommes revinrent sans avoir retrouvé la trace des Viêts.

– Nous allons quitter la piste qui longe la rivière et nous

1. Venez aussi, vous autres.

séparer en deux groupes. Kien et Maréchal, prenez les hommes dont vous avez besoin, ordonna François.

Kien choisit quatre coupeurs de têtes, un Méo, Chau, du commando Vandenberghe, et ses propres gardes du corps.

– Nous sommes dans le pays des montagnards Man. Dans les vallées, ce sont les Thaï blancs qui dominent depuis des siècles, mais il y a aussi des Méo, des Chinois et quelques Nong. La plupart ne comprennent pas le vietnamien, ils utilisent une sorte de dialecte thaï. Tu as dû venir à Pho Lu et à Lao Cai avec mon père, quand tu étais enfant ? demanda Kien à François.

– Oui, nous avions pris le train avec Hai. Ton père avait rendez-vous à Lao Cai avec le *compradore*[1] d'un négociant en soie chinois.

– C'est pas le moment de raconter vos souvenirs d'enfance ! grommela Thévenet. Pour l'instant, nous sommes dans la merde, dans un pays de merde.

– Vous avez tort, c'est un très beau pays, protesta Maréchal, très pince-sans-rire.

– Il ne s'agit pas seulement de souvenirs d'enfance, mais de vous faire comprendre qu'à moins de connaître un peu les coutumes des habitants de cette région, vous ne saurez jamais si vous avez en face de vous un ami ou un ennemi.

– Le mieux est de les considérer tous comme des ennemis, fit observer Thévenet. C'est plus sûr. Pour moi, ces faces de citron se ressemblent toutes.

– On peut voir les choses de cette façon, commenta Kien d'un ton froid en ajustant son barda.

– Foutus moustiques ! s'écria Maréchal en se donnant des claques sur le visage. Puis, à l'adresse de Thévenet : Tu

1. Vocable tiré du portugais : se rapporte à l'exercice d'une profession pratiquée presque exclusivement en Extrême-Orient. Le *compradore* se porte garant, à l'égard du commettant, de la solvabilité de l'acheteur.

devrais faire attention à ce que tu dis, j'ai l'impression que Kien n'aime pas ta façon de parler de ses compatriotes.

– Je m'en fous. D'abord, j'l'aime pas, ce type. Y m'inspire pas confiance. Les métis, j'les sens pas. J'te donne un conseil, t'en fais ce que tu veux : aie-le à l'œil, ce gars-là.

Le groupe comprenant François, Thévenet, Maréchal, Tho, Diem et trois coupeurs de têtes partit le premier, dès la nuit tombée, après s'être enduit le visage de suie et de boue. Le plus âgé des coupeurs de têtes les guidait, escaladant les roches avec une agilité surprenante. Il progressait à vive allure, ayant l'air de très bien savoir où il allait. Au terme de six heures de marche, François donna l'ordre de s'arrêter. Thévenet se laissa tomber en gémissant.

– Putain, il veut nous tuer, ce macaque !... s'exclama-t-il en portant une cigarette à ses lèvres.

– Pauvre con, tu veux tous nous faire repérer ! dit Maréchal d'un ton sec.

– Merde, j'avais oublié. Pardon, vieux... J'vais tout de même boire un coup.

– On n'a pas le temps, il faut filer. Le vieux a repéré un campement viêt à environ deux cents mètres, à l'est de Nghia Dô. On remonte vers l'ouest.

Ils suivirent les tronçons d'une voie ferrée envahie par des herbes coupantes et des épineux, et s'arrêtèrent à l'orée d'un tunnel partiellement effondré. Thévenet, suivi de Tho et de Diem, écarta les lianes qui obstruaient l'ouverture et s'avança dos contre la paroi. Une humidité glaciale les enveloppa. Par-dessus l'odeur de terreau et de sève planait, plus forte, celle du charbon. De grosses gouttes d'eau tombaient de la voûte avec des « ploc » qui résonnaient longuement. Le tunnel ne faisait qu'une trentaine de mètres ; la sortie était presque entièrement bouchée par un bloc de pierre. Cependant, un homme pouvait se faufiler entre le roc et la maçonnerie. Sur un signe de Thévenet, Diem passa. Il revint au bout de dix minutes :

– Il n'y a rien, chef. Le coin a l'air tranquille.

– Va chercher les autres.

Il alluma une torche électrique. De lourdes chauves-souris s'envolèrent en piaillant. Des wagonnets renversés achevaient de rouiller. L'endroit avait servi d'abri : à des Viêts ou à des montagnards ?

– J'crois qu'on va pouvoir s'arrêter là, dit Thévenet à François qui arrivait.

– Vous êtes allé voir de l'autre côté ?

– Oui, ça continue.

– Bien, disposez des sentinelles à chaque bout.

À part François et les deux hommes accroupis à l'entrée et à la sortie du tunnel, tous dormaient, harassés.

François, la nuque appuyée à la roue d'un wagonnet, fumait dans l'obscurité, envahi par un désespoir profond. Par sa faute, la femme qu'il aimait était en danger. Il n'osait penser plus loin. Toutes les fibres de son corps se révulsaient à l'idée que, peut-être, elle était... Sa souffrance était telle qu'il laissa échapper un gémissement. Dans son coin, Maréchal se redressa.

– Qu'est-ce qu'il y a ?

– Rien, rendors-toi.

Il dut malgré tout somnoler car, quand il rouvrit les yeux, la nuit s'était dissipée. Diem lui apporta du thé chaud. Il alla rejoindre Thévenet qui, à l'aide de jumelles, tentait de percer les légères nappes de brouillard accrochées aux arbres.

– Ça vous inquiète pas, la disparition du monstre ? demanda à brûle-pourpoint le légionnaire.

– Non, pas vraiment. À mon avis, il a dû essayer d'atteindre un des villages. C'est plus facile pour lui de passer inaperçu.

– Avec la dégaine qu'il a, ça paraît pourtant difficile..., s'esclaffa Thévenet. Tiens, on dirait que ça se lève un peu.

– Passe-moi les jumelles.

À perte de vue, ce n'était que calcaires et enchevêtrements d'arbres. Pas le moindre signe de vie humaine ; on n'entendait que les cris des singes et le chant des oiseaux. L'un d'eux s'éleva, magnifique, ses plumes de couleurs vives étincelant dans le soleil naissant. Il émanait de cette nature sauvage et forte comme un appel.

François décida de partir en reconnaissance, il emmena avec lui deux Méo. La marche sur ce qu'il restait de la voie ferrée se révéla de plus en plus ardue. Bientôt la jungle se referma sur eux, ils progressèrent en se frayant un chemin à l'aide de leur coupe-coupe. Puis les rails réapparurent brusquement : le terrain montait, la végétation se raréfia. Ils arrivèrent sur une crête que suivait la voie. Il régnait un étrange silence. On avait l'impression d'être sur le toit du monde. Les Méo eux-mêmes semblaient impressionnés. L'un d'eux fit signe à François qu'il fallait rebrousser chemin. François approuva à regrets. Il eût préféré rester là à attendre. Quoi ?... Il n'en savait rien. Attendre, seulement.

Ils revinrent sur leurs pas. Un des Méo tua une sorte d'antilope.

– Alors ? demanda Thévenet.

– Rien, la voie se poursuit sur une crête. Je pense qu'en continuant, on doit arriver à la frontière chinoise. Les Méo m'ont paru inquiets.

– Ça, c'est plus emmerdant, fit Maréchal. Diem, demande-leur ce qu'ils ont vu, là-haut.

Les deux hommes discutèrent longuement en faisant de grands gestes. Diem revint vers Maréchal et François.

– Qu'y a-t-il ?

– Tu vas te moquer, chef.

– Accouche, veux-tu !
– Ils prétendent que là-haut, il y a des mauvais esprits.
– Mauvais esprits ?... Tu y crois, toi, à ces conneries ?
– Non... chef.
L'hésitation était perceptible.
– Ils comprennent un peu le vietnamien. Expliquez-leur que les mauvais esprits, c'est de la foutaise, dit Maréchal.
– Ça ne servira à rien ; les mauvais esprits des Méo ne sont pas les mêmes que ceux des Vietnamiens. Il faut s'attendre à ce qu'ils nous faussent compagnie si nous nous obstinons à continuer dans cette direction.
– Que suggérez-vous ?
Avant de répondre, François consulta sa boussole.
– Nous sommes à l'est de Nghia Dô. Il faut redescendre vers l'ouest, à travers la forêt.
– Foutu programme !
– Je n'en vois pas d'autre !

Kien et Boutin arrivèrent en vue de Nghia Dô deux jours après avoir quitté Tavernier. Le village paraissait paisible ; on ne décelait aucune trace de combattants viêt-minh. Un groupe de femmes quitta le village en portant des palanches dont les paniers étaient vides, hormis ceux contenant deux bébés. Leurs vêtements étaient ceux des Thaï blancs. Elles passèrent devant la petite troupe dissimulée dans les taillis, riant et parlant.
– Chau et Vinh, laissez vos armes, ne gardez que vos poignards. Entrez dans le village en disant que vous faisiez partie d'un convoi qui a été attaqué par les Viêts, que vous n'avez rien mangé depuis trois jours et que vous demandez l'hospitalité, ordonna Kien en vietnamien. Essayez de les faire parler. Que l'un d'entre vous revienne à la nuit me faire son rapport.

Les deux hommes essuyèrent les traces de suie sur leur visage, posèrent leurs armes et se traînèrent en boitant jusqu'à l'entrée du village. Ils marchèrent quelques instants dans la rue principale sans que personne prêtât attention à eux. Peu de monde devant les maisons, à part des vieillards et de petits enfants nus jouant dans la poussière. Les habitants valides devaient être dans les rizières ou les montagnes. Sur une planche d'un bleu délavé était inscrit en lettres maladroites le mot *Restaurant*. Trois caisses tenaient lieu de tables ; des tabourets bas les entouraient. Ils s'y assirent en poussant de gros soupirs. Une femme portant un bébé leur servit du thé. Ils lui commandèrent deux bols de soupe. Le père ou le mari de la femme s'avança sur le seuil en fumant une longue pipe de terre. Pour tout vêtement, il portait une sorte de pagne crasseux et un casque colonial autrefois blanc. Vinh lui débita leur histoire, tandis que l'autre faisait de petits ronds de fumée, les écoutant les yeux à demi fermés.

– *Anh là nguời Saigon*[1], dit-il à Vinh.

C'était si affirmatif qu'il eût été maladroit de prétendre le contraire.

– Les Viêts n'ont fait que passer par notre village, reprit-il en français ; ils ont réquisitionné nos provisions.

– As-tu entendu dire qu'une Blanche se trouvait parmi eux ? questionna Vinh dans la même langue.

– Non. Une Blanche faisant partie de votre convoi aurait été enlevée ?... Non, je n'en ai pas entendu parler. Mais je peux me renseigner.

– Nous allons retourner vers nos compagnons qui étaient plus faibles que nous. Pouvons-nous passer la nuit dans votre village ?

– Ma femme est la fille du chef ; je vais lui en parler. Mais il ne doit pas y avoir de problème. Allez donc chercher les autres.

1. Tu es de Saigon.

Le chef était un très vieil homme édenté, portant barbiche et turban, habillé d'un pagne attaché entre des jambes maigres et arquées. Kien le salua respectueusement, les mains jointes, en lui adressant quelques mots en vietnamien.

– Ne vous fatiguez pas, le vieux ne comprend que sa langue de sauvage, et d'ailleurs il est sourd, fit son gendre. Pourquoi êtes-vous venus vous perdre par ici ? Si c'est pour l'opium, c'est trop tard, notre récolte est vendue. J'ai du mal à croire ce que m'a raconté votre compagnon : vous rechercheriez une femme ?... Aucune femme ne vaut qu'on se donne autant de peine !

– Vous avez raison, mais il y a une bonne récompense à la clef.

– Je comprends mieux. Venez boire une bière ; pas très fraîche, malheureusement.

– Avez-vous entendu parler de quelque chose ? insista Kien.

– Pas vraiment...

– Parlez, vous serez payé.

– Un groupe important de Viêts aurait séjourné dans des grottes du côté de Niou Sang...

– Mais c'est au nord du village ?

– Oui. Ils n'y sont plus aujourd'hui.

– Combien étaient-ils ?

– On a parlé de plusieurs centaines. Je ne le crois pas. Une centaine au plus, et encore... Un tel nombre ne peut passer inaperçu, dans ces contrées désertes.

– On nous a affirmé qu'ils étaient ici ou à Koun Hia. Mais peu importe : la femme, une Blanche, en avez-vous entendu parler ?

– Des marchands chinois, venant de Ha Giang, ont parlé de grands rassemblements viêt-minh à la frontière du Laos.

– Tu te fous de moi ! s'écria Kien en empoignant le villageois. C'est au diable !

– Oui, je sais bien, mais tout l'état-major serait là, et Hô

Chi Minh lui-même sûrement. Son médecin, Pham Ngoc Thach, enseignait les jeunes médecins. Les marchands chinois ont dit qu'une Blanche était soignée par lui.

Boutin, qui n'avait pas proféré un mot, se leva et fit quelques pas devant le « restaurant ».

– Qu'en pensez-vous ? lui lança Kien.

Le légionnaire revint sur ses pas.

– Ça ne me plaît pas. Attendons Tavernier. C'est à lui de décider si nous allons vers le nord, nous jeter dans la gueule du loup. Quelque chose me chiffonne : comment se fait-il que dans un pays infesté de Viêts, nous n'ayons jamais été attaqués ?

– La chance, camarade, la chance ! s'exclama Fred, un peu saoul.

– La chance, je n'y crois pas, bougonna Boutin en reprenant sa promenade.

Kien attira le gargotier à l'intérieur de la case.

– Tu es métis, comme moi, et tu sais comme les Blancs aussi bien que les Vietnamiens nous méprisent. Il y a beaucoup d'argent à gagner pour toi si tu fais comme je te dis.

– Attends, pour les discussions d'affaires, j'ai une vieille bouteille de cognac que je sors dans les grandes occasions. J'ai l'impression que c'en est une.

De dessous le comptoir de planches mal équarries, il tira une bouteille poisseuse et deux verres qu'il essuya avec un coin de son pagne. Il versa le liquide ambré à ras bord.

– Cul sec !

Ils vidèrent leur verre. L'homme remit ça.

– Tu as dit qu'il y avait de l'argent à gagner... en faisant quoi ?

– Aujourd'hui ou demain, un autre groupe va arriver. Il est composé de trois Français et d'indigènes. Leur chef s'appelle Tavernier. Tu lui diras que nous sommes passés par ici et que nous sommes repartis vers Niou Sang.

– C'est par là que vous voulez aller ?

– Ne fais pas l'imbécile. Nous allons vers Ha Giang !

– Pourquoi veux-tu l'envoyer dans une mauvaise direction ?

– Ça ne te regarde pas. Tu acceptes, oui ou non ?... Attention, si tu acceptes, ne me trahis pas ; sinon, je te tue, toi et toute ta famille.

– Fais voir ton argent.

D'un sac de cuir qui ne le quittait jamais, Kien sortit une liasse de billets. Les yeux de son interlocuteur semblaient sur le point de jaillir de leurs orbites. Jamais il n'avait vu autant d'argent.

– Qu'est-ce qu'elle a, cette femme, pour valoir si cher ? fit-il en tendant la main.

Kien retira la sienne.

– Pas si vite. Il faut que ta femme et le chef tiennent leur langue. Comment vas-tu faire ?

– Ne t'inquiète pas, je vais enfermer le vieux et battre ma femme pour qu'elle se taise.

– Parfait. Il y a autre chose...

– Quoi encore ?

– Tu as vu le Blanc qui est avec nous ? Il ne doit pas nous suivre.

– Que veux-tu que j'en fasse ?

Le geste de Kien était explicite.

– Tuer un Blanc ? Tu es fou !

– Et alors ? Tu ne me feras pas croire que tu n'as jamais tué personne. On ne s'enterre pas dans un bled pareil si on n'a pas de bonnes raisons...

– Tais-toi ! s'écria l'autre en regardant autour de lui.

– J'ai trouvé ! T'as peut-être même la police au cul ?

L'homme transpirait abondamment, son teint était devenu terreux.

– C'était il y a longtemps.

– Et alors, tu crois qu'ils ont oublié ? Les flics n'oublient jamais rien. C'était il y a combien de temps ?

Anéanti, sans réaction, le villageois répondit :

– Quatre ans.

– Ça n'est pas très ancien, ils s'en souviennent forcément. C'était où ?

– À Lang Son, un fonctionnaire.

– Un fonctionnaire ! Ah, mon pauvre vieux ! Tu es bon... Attends, ça me rappelle quelque chose... Tu l'as tué à coups de couteau après l'avoir attiré dans un guet-apens ?... Mais tu risques la guillotine !

– Tais-toi !

– Tu ne risques donc pas davantage en en tuant un autre. Sans compter que tu vas gagner du pognon, ce qui te permettra de quitter ce trou pourri. Tiens, j't'en donne un paquet de plus. Mais attention : je veux du bon boulot. Pas de traces !

– C'est d'accord.

L'argent parut lui redonner de l'assurance.

– Ce sera fait proprement. J'vais lui mettre de quoi l'assommer dans sa bière ; comme ça, vous pourrez partir sans qu'y s'en doute.

– C'est une bonne idée, mais, après, tu lui fais son affaire. Pas d'entourloupes !

– Y en aura pas, chef.

– Quel est ton nom ?

– Tu vas te moquer...

– Dis toujours !

– Dieudonné.

Kien riait encore quand il prit Fred et Vinh à part et les entraîna vers la sortie du village.

– Je ne pense pas que Tavernier arrive bientôt, mais, si c'était le cas, empêchez-le d'entrer en lui disant que les Viêts occupent le patelin. On file. Je vais chercher les autres.

Il s'en revint et s'assit sur un tabouret.

– Dieudonné, donne-nous de la bière et à manger. Asseyez-vous, Boutin, un plat chaud nous fera du bien.

– Où avez-vous envoyé Fred et Vinh ?

– Ils montent la garde à l'orée du village. J'ai pensé que ce serait plus prudent.

– Vous avez bien fait, dit Boutin en s'asseyant à son tour.

Le métis apporta les bières tandis que sa femme posait devant eux un mets appétissant.

– C'est du porc laqué, vous m'en direz des nouvelles, fit le gargotier.

Ils mangèrent en silence.

– À votre santé ! fit Kien en portant le goulot de sa bouteille de bière à ses lèvres.

Boutin leva la sienne et but.

– Il y a longtemps que vous connaissez Tavernier ? questionna-t-il.

– Depuis que je suis enfant. Mon père et le sien travaillaient ensemble. C'est surtout l'ami de mon frère aîné. Pourquoi me demandez-vous ça ?

– Pour rien. À cause de Pouchkine, peut-être...

– Pouchkine ?

– Le poète russe que lit Maréchal.

Il but une grande rasade de bière. Kien lança un regard interrogateur en direction de Dieudonné. « Oui », fit celui-ci en battant des paupières.

– Quand pensez-vous que Tavernier doive arriver ? s'enquit le légionnaire.

– Pas avant la nuit. Demain matin au plus tard.

– Ça ne me plaît pas, lâcha-t-il en finissant sa bière.

La bouteille lui échappa des mains. Il voulut se lever, mais ses jambes se dérobèrent sous lui. Il glissa à terre.

– *Nhanh lên, chúng ta di tiếp*[1] ! lança Kien à ses compa-

1. Dépêchez-vous, on repart.

gnons. Puis, s'adressant à Dieudonné : Tu sais ce qu'il te reste à faire ?

Le Méo, le Vietnamien et les coupeurs de têtes obéirent sans paraître étonnés de voir le corps inanimé de Boutin. Ça ne les regardait pas : c'était un Blanc.

18.

Dans leur tunnel, le corps et l'âme transis, Tavernier et ses compagnons attendaient la fin d'un cyclone. Le vent tomba avec l'obscurité. À l'aube, Thévenet se réveilla pour aller pisser. Il lui sembla que quelque chose avait changé durant la nuit. À tâtons, il se dirigea vers la sortie du tunnel, guidé par la vague lueur du début du jour. Pas l'ombre de la sentinelle posté la veille. Il appela à voix basse :

– Diem ?... Tho ?...

On n'entendait que le crépitement de la pluie. Thévenet revint sur ses pas et secoua François et Maréchal.

– Réveillez-vous, une des sentinelles a disparu.

Ils se dressèrent d'un bond et prirent leurs armes.

– Thévenet et Maréchal, allez vers l'entrée ; moi, je retourne vers la sortie.

Ni d'un côté ni de l'autre, ils ne trouvèrent trace des hommes laissés en faction : Tho, Diem et les coupeurs de têtes avaient disparu, emportant armes et vivres. Ce qui les étonna le plus, c'était d'être encore tous les trois en vie.

– Je ne comprends pas pourquoi ces enfants de putain ne nous ont pas zigouillés ! s'écria Thévenet.

– C'est sûrement à cause des esprits, répondit Tavernier.

– Des esprits ?... Qu'est-ce que vous voulez dire ? demanda Maréchal.

– Ils ont craint qu'en nous tuant dans ce site apparemment sacré, nos esprits ne se transforment en âmes errantes et les poursuivent non seulement de leur vivant, mais aussi dans leur mort. Et de ça, ils ont vraiment peur !

– Tu crois à ces conneries ? fit Thévenet.

– Moi, non ; mais eux, ils y croient ! Voyons ce qu'ils nous ont laissé.

L'inventaire fut vite fait : ils avaient chacun leur mitraillette, un pistolet, trois grenades et leur poignard. Quant aux vivres, il n'en restait plus une miette.

– Les gars, nous sommes dans de beaux draps ! s'exclama François en riant. Mais faites pas cette tête-là, nous sommes vivants !

Thévenet lui lança un regard noir, Maréchal eut un sourire narquois.

– Que faisons-nous, maintenant ? demanda-t-il.

– Nous devons rejoindre Kien et Boutin à Nghia Dô. Nous n'avons plus ni guide ni nourriture. On ne peut continuer à aller droit devant, on finirait par se retrouver en Chine ! fit observer Thévenet.

– Tu as raison, on n'a pas le choix, dit François en donnant le signal du départ.

Ils refirent, en sens inverse, le chemin péniblement parcouru, trompant leur faim quand ils pouvaient allumer une cigarette à l'abri d'un rocher. Heureusement, l'eau ne leur ferait pas défaut, avait dit, sarcastique, Maréchal en buvant à même son feutre. Avec toute cette pluie, il ne fallait pas songer à faire fonctionner la radio. La dernière fois qu'ils avaient eu un contact, c'était avant la traversée du fleuve Rouge ; depuis, plus rien.

Quand ils arrivèrent à Nghia Dô, le « restaurant » avait fermé ses portes et les habitants se terraient dans leurs huttes. Après bien des palabres faites de mimiques et de gestes, François obtint du riz et du thé. Ils réquisitionnèrent une case et tentèrent, devant un maigre feu, de se réchauffer et de faire sécher leurs vêtements. À tour de rôle ils montèrent la garde. Le lendemain, il y eut une éclaircie qui fit sortir les habitants de leurs tanières. Thévenet en profita pour « faire les commissions ». Tavernier et Maréchal n'eurent pas le mauvais goût de lui demander comment il s'était procuré ces victuailles. Ils mangèrent de bon appétit, sans remords.

Après le repas, Maréchal décida de se raser et conseilla à ses camarades d'en faire autant.

– Avec nos barbes et notre crasse, nous avons l'air de bandits.

– À ta place, j'y toucherais pas, fit Thévenet. Il vaut mieux leur faire peur, à ces faces de citron !

– C'est ton affaire.

Une heure plus tard, les trois hommes avaient recouvré leur peau de nouveau-nés ; enfin presque...

– T'avais raison, ça vous change un homme, soupira Thévenet.

Après bien des manipulations, Maréchal parvint à établir un contact radio.

– Merde, c'est complètement brouillé...

– Ça marche jamais, ces engins.

– « Aile d'argent » appelle « Aigle noir », parlez...

Il attendit un court instant et répéta son message :

– « Aile d'argent » appelle « Aigle noir », parlez...

– Quel est le con qui a choisi ces noms à la gomme ? grommela Thévenet.

– C'est moi...

Pour toute réponse, ils n'obtinrent qu'une série de grésillements, puis un bruit de pétard mouillé.

– Elle est morte, ta machine, dit Thévenet.

François s'était retiré à l'écart du village pour réfléchir. En plein territoire contrôlé par le Viêt-minh, et sans nouvelles de Kien, leur situation était des plus mauvaises. Les villageois n'avaient apparemment pas compris ses questions ou n'avaient pas voulu y répondre. Quoi qu'il en soit, ils ne pouvaient s'éterniser à Nghia Dô.

Deux vieilles passèrent en trottinant, portant des paniers empilés les uns sur les autres. Tout à leurs bavardages, elles ne le remarquèrent pas. Elles quittèrent le sentier et s'enfoncèrent dans le sous-bois. Peu après, elles revinrent les mains vides. François attendit qu'elles se fussent éloignées pour entrer à son tour dans le taillis. Au bout de quelques pas, il s'arrêta, humant l'odeur du nuoc-mâm. Quelques pas encore et il vit, accroupi à l'entrée d'une grotte, un homme mangeant un bol de riz et portant la robe colorée au safran des moines bouddhistes. Une branche craqua sous le pied de Tavernier.

– Qui est là ?... C'est vous, mes sœurs ? lança le moine dans un dialecte inconnu de François.

Tout en parlant, il s'était retourné ; dans son visage sans nez ni lèvres, ressemblant à un masque de cuir bouilli, seuls les yeux bordés de rouge brillaient, vivants. Un lépreux.

– Non, je suis un étranger, dit François en vietnamien.

Le lépreux lâcha son bol et se cacha le visage derrière un pan de sa robe.

– *Anh Không phai là ngùoi viêt nam,* dit-il à travers le tissu.

– *Tôi là ngùoi Pháp.*

– *Là lính à ?*

– *Không. Tôi di tìm vo.*

– *Nhiêu ngùoi da dên làng ; ho cung tìm môt ngùoi dàn bà... Dùng dên gân*[1] *!*

– Tu parles français ?

1. – Tu n'es pas vietnamien.
– Je suis français.
– Soldat ?
– Non. Je recherche ma femme.
– Des hommes sont venus au village ; eux aussi cherchaient une femme... Ne t'approche pas !

– Un peu ; je l'ai appris à Hanoi, chez les pères.

– Sais-tu ce que sont devenus ces hommes ?

– Ils sont repartis.

– Où ?

– Je n'en sais rien, et les habitants non plus, sinon les vieilles me l'auraient dit, elles ne savent pas tenir leur langue.

– Sais-tu s'il y a encore des postes occupés par des Français ?

Le bonze éclata de rire. La jeunesse de son rire était surprenante.

– Tu pourras trouver quelques Blancs à Lao Cai. Mais ils sont dans le pays depuis si longtemps qu'ils sont devenus plus chinois que les Chinois. Il faut aller jusqu'à Laï Châu pour trouver des soldats français ; Laï Châu est le seul coin qu'ils contrôlent encore... pour pas bien longtemps, sans doute.

– Comment se rend-on à Laï Châu ?

– De Lao Cai à Laï Châu, il y a environ cent kilomètres à vol d'oiseau. Il y a de nombreux cols à traverser avant d'y arriver.

Depuis un certain moment, le moine parlait à visage découvert. Il se versa un peu de thé et but.

– Tu n'en aurais pas un peu pour moi ? demanda François.

Le bonze le regarda longuement de ses yeux sanguinolents et, sans cesser de l'observer, essuya avec sa robe le récipient dans lequel il avait bu, le remplit de thé et le lui tendit. François le remercia d'un signe de tête et vida le gobelet d'un trait.

– Je ne te dégoûte pas ?

– La lèpre n'est pas contagieuse, et j'ai vu pire que ta maladie. Veux-tu une cigarette ?

Ils fumèrent quelques instants en silence.

– Je peux te conduire, si tu veux. J'ai été moine dans un

monastère à Phong Tô. Avec mes frères, nous allions mendier jusqu'à Laï Châu.

– Tu disais que les Viêts contrôlaient tout.

– Presque tout, mais beaucoup de villages ne reconnaissent pas leur autorité ; ils obéissent à leurs chefs coutumiers ou à leurs prêtres, et sont très respectueux des moines... Du moins tant qu'ils ne voient pas qu'ils sont lépreux.

– Que font-ils alors ?

– Ils nous chassent ou bien nous permettent, comme ici, de demeurer à la lisière des bois où les femmes nous apportent un peu de nourriture.

– Pourquoi ferais-tu cela pour moi ? Cela peut être dangereux.

– Nous avons bu ensemble.

– Je ne suis pas seul, j'ai deux compagnons avec moi.

– J'ai confiance en toi. Rassemble des aliments et des vêtements et rejoins-moi dans deux jours, après le passage des vieilles.

Quarante-huit heures plus tard, Maréchal, Thévenet, Tavernier et le moine Nhon quittèrent Nghia Dô. Après cinq journées éprouvantes, ils arrivèrent à Lao Cai, au confluent de la rivière Nam Thi et du fleuve Rouge où cohabitaient des populations aux langues et aux coutumes les plus diverses : Thaï blancs, Méo, Yao, Annamites, Chinois se bousculaient dans cette ville frontalière, tant dans le bourg tonkinois de Cô Lêu, sur la rive droite du fleuve, que dans le quartier yunnanais de Ho H'eou, en bordure de la rivière Nam Thi. Il leur était pourtant difficile de passer inaperçus, tant à cause de leur taille, très au-dessus de la moyenne, que du fait de leur accoutrement : vêtements militaires kaki, vestes matelassées thaï, accessoires de broussards, fusils mitrailleurs en bandoulière. Sales, le visage mangé de barbe, ils avaient des mines patibulaires. La foule s'écartait sur leur passage sans manifester de curiosité particulière ; elle en avait vu d'autres.

À Lao Cai, quelques Européens étaient établis, pour la plupart déserteurs ou « encongaïés[1] », comme ils disaient. Presque tous vivaient de trafics plus ou moins lucratifs : opium, piastres, prostitution. D'autres encore s'étaient faits tenanciers de bistrots. C'est dans l'un d'eux qu'échouèrent les trois Français, leur guide préférant les attendre dehors.

Une espèce de géant roux posa sur la table poisseuse quatre bouteilles de bière chinoise, sans proférer un mot. Thévenet se jeta sur une cannette qu'il ouvrit d'un coup de pouce. Une mousse blanche coula le long de ses doigts et de son menton. Le rouquin, maillot de corps crasseux, mégot aux lèvres, bras repliés sur son ample bedaine, les regardait boire d'un air rébarbatif. Les trois hommes firent semblent de l'ignorer.

– D'où vous venez ? finit-il par demander avec un fort accent alsacien, criant pour dominer le bruit.

Thévenet fit un signe évasif qui pouvait dire « d'ici » ou « de là ». L'autre tapa sur la table de son énorme poing. Les bouteilles vides s'entrechoquèrent.

– Quand je pose une question, je veux qu'on me réponde ! hurla-t-il.

– Alors, demande poliment ! vociféra à son tour Maréchal en allemand.

Un large sourire illumina la trogne de l'alcoolique.

– *Ich wusste es ja. Ihr seid Legionäre? Deserteure? Stimmt's! Hier kommt euch niemand holen*[2], fit-il en s'asseyant et en faisant signe à une très jeune serveuse chinoise d'apporter à boire.

– Nous voulons aller à Laï Châu, déclara Thévenet.

– Quoi ?...

– À Laï Châu !

1. Vivant avec une femme indigène appelée *congaï*.

2. J'en étais sûr. Vous êtes des légionnaires ?... des déserteurs ?... Topez là ! Ici, personne ne viendra vous chercher.

– À Laï Châu ?... Vous voulez vous jeter dans la gueule du loup ! Les gars comme nous, ils les aiment pas, là-bas.

– On leur demande pas de nous aimer, répliqua Maréchal. On a besoin d'y aller. Tu peux nous aider ?

Le géant se gratta la tête, la mine dubitative.

– Ça se pourrait... Tout dépend de vos moyens. C'est dangereux, par là.

– Combien ? demanda Tavernier qui n'avait pas encore desserré les dents.

– Il faut payer beaucoup de monde...

– Ça suffira, je pense ? reprit François en posant sur la table un diamant d'une taille respectable et d'une merveilleuse pureté.

Thévenet, Maréchal et le tenancier sifflèrent d'admiration avec un ensemble parfait.

– D'où tu sors ça ?! s'exclama Thévenet en ramassant la pierre.

– Un souvenir de famille, dit François, laconique, en reprenant son bien pour le placer dans la paume tendue du géant.

– C'est de la belle camelote, pas facile à vendre, grogna le tenancier en l'examinant attentivement.

– Alors, donne. J'irai voir un *compradore*.

– Fais pas le con, faut pas traiter avec ces gens-là, ils sont trop malins pour nous.

– Et le moine ? demanda à voix basse Maréchal. Qu'est-ce qu'on va faire du moine ?

– Laisse-moi m'occuper de ça. Que proposes-tu ? demanda Tavernier en tendant la main vers l'Alsacien.

À regret, celui-ci y reposa la pierre.

– Il me faut deux jours pour réunir les guides qui vous mèneront à Laï Châu. Encore une fois, vous avez tort d'y aller...

– Ça nous regarde, l'interrompit Thévenet.

– Ce que j'en disais, moi... C'est vos oignons, les gars.

– Tu l'as dit, c'est nos oignons. Maintenant, pour le prix, tu peux peut-être nous trouver aussi des gonzesses ?

Le rouquin éclata d'un rire qui domina le tumulte du bistrot.

– Vous pouviez pas mieux tomber, j'ai les plus belles filles du coin ; certaines viennent de Saigon, d'autres du Cambodge ou du Laos...

– T'en aurais pas une qui viendrait de Paris ou de Marseille ? J'en ai marre, des yeux bridés ! soupira Thévenet.

– Y a bien la mienne, fit le géant en se grattant la tête. Mais c'est un sacré morceau. Gégé ! lança-t-il à tue-tête.

Il n'avait pas menti : la dénommée Gégé était une créature aux formes imposantes dont les mains, de la taille d'un battoir, devaient expédier l'homme qui lui aurait manqué de respect à l'autre bout de la salle. Près d'elle, le roux paraissait d'une stature normale et les trois autres Européens, quoique baraqués, avaient l'air de mauviettes.

Thévenet la dévorait des yeux.

– Madame..., fit-il en se levant.

– Tu m'as appelée ? demanda-t-elle à son homme, sans un regard pour le légionnaire, posant son impressionnant postérieur moulé dans du satin rouge sur un tabouret qui craqua sous le poids.

– Oui, ma poule. Notre ami en a assez des miniatures.

– Et alors ? fit-elle d'une voix de rogomme.

– Tu pourrais peut-être faire une exception. On est en affaires, ces messieurs et moi.

La femme dévisagea longuement Thévenet de ses petits yeux bleus noyés dans la graisse d'un visage au teint de blonde. Ses grosses lèvres peintes firent la moue.

– Pas mal... mais c'est bien pour te faire plaisir !

– T'es une brave fille, je savais qu'je pouvais compter sur toi.

Elle se leva, ses énormes seins blancs tremblotèrent, et, quand elle s'éloigna, balançant sa large croupe, Thévenet lui emboîta le pas, fasciné. Ses compagnons suivirent des yeux la débordante femelle. Par quels chemins avait-elle abouti dans ce pays du bout du monde ?

– Elle est belle, hein, ma femme ? fit le taulier avec une conviction enfantine.

Tavernier et Maréchal réprimèrent un sourire et opinèrent du chef.

La vaste salle du café, aux murs de planches et de pisé, ne désemplissait pas. Il fallait crier pour se faire entendre, mais cela ne gênait nullement les buveurs ou les mangeurs de soupe, pas plus que les joueurs de mah-jong qui abattaient avec fracas leurs dominos sur les tables. Après les jours de solitude et de ce silence si particulier en forêt, Maréchal et Tavernier étaient tout étourdis par cet assourdissant remue-ménage.

– On ne pourrait pas trouver un endroit plus calme ? s'époumona François.

– Vous avez raison, on s'entend pas, ici. Venez !

Ils traversèrent l'établissement en évitant les enfants et les chiens qui circulaient entre les tables. Ils passèrent par ce qui devait être la cuisine, glissant sur le sol jonché de détritus, humant un mélange d'odeurs fortes de poiscaille et de viandes, et celle, entêtante, de l'encens brûlant devant un autel suspendu au-dessus d'un antique fourneau. Ils se retrouvèrent dans une ruelle sombre, l'endroit idéal pour un guet-apens. On entendit le bruit caractéristique d'une arme qu'on armait.

– Ça va, les gars, fit le rouquin en s'arrêtant devant une épaisse porte en bois de fer qu'il ouvrit à l'aide d'une clef de taille respectable.

Il fit craquer une allumette. La petite flamme éclaira une lampe à pétrole posée sur une console ; il l'alluma.

– Ça vous en bouche un coin, hein ? reprit-il en voyant la mine ébahie des deux autres. C'est mon trésor de guerre.

Il y avait là non seulement de quoi soutenir un siège de plusieurs mois, mais également de quoi approvisionner en arts chinois et cambodgien tous les grands antiquaires spécialisés de Paris, Londres et New York. Ce n'étaient que bouddhas, meubles, coffres, paravents, soieries brodées, porcelaines à profusion, certaines pièces devant avoir plus de mille ans.

– Quelle beauté ! s'exclama Maréchal en prenant une délicate statuette de jade.

– Vous n'avez pas mauvais goût, dit le géant en la lui retirant des mains. Elle date de la dynastie des Dinh, qui régnèrent sur l'Annam et le Tonkin au Xe siècle. J'ai quelques pièces plus anciennes encore, d'avant la domination chinoise : deux cent cinquante ans avant Jésus-Christ !

Stupéfaits, Tavernier et Maréchal s'entre-regardaient. Décidément, l'Indochine réservait bien des surprises. Pour un peu, l'Alsacien leur aurait fait un cours sur l'art d'Extrême-Orient !

– Suivez-moi en faisant attention à ne rien bousculer, reprit-il.

Ils se faufilèrent dans l'étroit passage ménagé au milieu du butin. Ils s'arrêtèrent devant un mur auquel était accroché un lourd tapis chinois que le rouquin écarta. La porte devant laquelle ils se trouvèrent ressemblait à celle d'un coffre-fort.

– C'est bien imprudent à vous d'amener ici, seul, des gens que vous ne connaissez pas et qui sont armés. Vous auriez pu tomber sur des malfrats, fit observer François.

– Je m'y connais en hommes et, au surplus, je ne suis pas seul.

Sur un signe se dressèrent d'entre le capharnaüm cinq ou six individus dont la physionomie, à elle seule, suffisait à inspirer la crainte. Ils pointaient sur eux le canon d'un fusil.

– Vous voyez que je n'ai rien à craindre...

Il fit un nouveau geste, les armes s'abaissèrent et les gardes disparurent.

La pièce dans laquelle ils pénétrèrent paraissait, par contraste, vide. Mais ce n'était qu'une illusion. Les objets les plus rares de l'étrange collectionneur y étaient rassemblés. Ses traits frustes semblaient s'affiner au contact de tant de beautés et d'antiques vestiges. Ses grosses paluches avaient des délicatesses insoupçonnées pour se saisir de tel ou tel objet précieux.

– Asseyez-vous, dit-il. Le calme de cet endroit vous convient-il ?

– À côté du boucan du bar, c'est presque un peu trop paisible, répondit du même ton ironique François en s'asseyant.

– Vous ne savez pas ce que vous voulez : tantôt il y a trop de bruit, tantôt il n'y en a pas assez...

– Ça me va très bien. Pouvons-nous compter sur vous, pour Laï Châu ?

– Ce n'est pas un problème. J'ai gardé deux ou trois copains dans la Légion ; avec mes guides, ils baliseront la route jusqu'à Laï Châu. Malgré les Viêts, l'expédition ne pose pas vraiment de difficultés. C'est sur place que vous en aurez !

– On l'a bien compris, mais, on te le répète, c'est notre affaire, marmonna Maréchal.

– Dans ce cas, je n'ai plus rien à dire. Pendant les quarante-huit heures qu'il me faut pour organiser votre voyage, évitez de vous montrer ; le coin pullule d'espions tant communistes qu'américains. Moyennant une petite rallonge, je puis vous dégotter un lieu sûr à tous trois.

– Tu ne trouves pas que tu es un peu trop gourmand ? répliqua François.

– Plus rien n'a de prix, aujourd'hui...

– Tu vas être obligé de nous faire crédit et d'attendre que je sois de retour à Saigon pour te payer le supplément.

Perplexe, puis soupçonneux, l'Alsacien se gratta la tête.

– J'y comprends plus rien : tu parles d'aller à Laï Châu, et maintenant c'est Saigon... Qui tu es ?... T'es pas de la Légion !... J'me suis gouré... T'es qui ?... Et tes copains, qui c'est ?...

– Eux sont légionnaires, et ils n'ont pas déserté. Ils sont... disons, en mission, comme moi.

Les paupières du géant battirent très vite ; il eut un mouvement en direction de la porte.

– Ne bouge pas, dit posément Maréchal, la main sur son poignard. Tu n'as rien à craindre de nous. Dès qu'on t'aura quitté, on t'oubliera, comme on oubliera tout ça... N'est-ce pas, camarade ?

– Tout à fait, approuva François. Que décides-tu ? Tu nous fait crédit, ou tu appelles tes gardes ?... Ah, j'oubliais : il vaudrait mieux qu'il ne nous arrive rien ; je te rappelle que notre copain est avec ta femme, et que, de nous trois, c'est le plus mauvais.

Le colosse haussa les épaules, prit sur une étagère une bouteille de cognac et trois verres :

– Trinquons à notre affaire. Buvez, vous m'en direz des nouvelles, ce n'est pas de la camelote.

– Hum ! C'est vrai que c'est bon, grogna Maréchal d'un air connaisseur.

– Il ne manque qu'un cigare pour que le bonheur soit complet, gémit Tavernier.

– *S'esch bigott wohr ! grad vor drej däj haw ich se vun Formosa bekumme*[1].

Il ouvrit devant eux une boîte.

À les voir préparer leur cigare chacun à sa façon, on se serait cru dans le fumoir de quelque club londonien. Pendant un long moment, ces hommes si différents communièrent dans la volupté du tabac.

1. C'est bon dieu vrai ! Tenez, je les ai reçus il y a trois jours, de Formose.

– Je suis sûr que les havanes de Batista ne valent pas mes birmans, affirma l'Alsacien.

Où le tenancier de Lao Cai avait-il entendu parler de l'homme politique cubain qu'un coup d'État, en mars 1952, avait rendu maître de l'île ? « Il n'y a qu'en Indochine qu'on peut rencontrer des numéros pareils », pensa François en tirant avec ravissement sur son cigare.

Les jambes allongées par-devant eux, confortablement installés dans des fauteuils incrustés de pierres dures, les trois fumeurs jouissaient d'une douce béatitude. Maréchal fut le premier à revenir sur terre :

– Merci... Pendant quelques instants, on a oublié, grâce à toi, le merdier dans lequel nous sommes. As-tu une carte du coin ?

– Je dois avoir ça, dit leur hôte d'une voix radoucie tout en farfouillant dans une pile de papiers posée sur un coffre de bois doré. Tiens... Faut pas trop s'y fier, elle date d'avant l'occupation japonaise, et, depuis, beaucoup de routes sont devenues impraticables, beaucoup de ponts ont disparu. Le plus emmerdant, c'est celui sur le fleuve Rouge que les Viêts ont fait sauter après le raid éclair des soldats de Bao Dai ; il faudra traverser le fleuve de nuit, en barque.

Il déplia la carte, l'étala sur le coffre. Du doigt, il désigna une ville : Il vaut mieux passer par Phong Thô que par Cha Pa qu'on atteint, en temps normal, en sept ou huit heures selon les guides. Phong Thô est un chef-lieu de canton avec un poste militaire. C'est une commune très étendue, peuplée par des Thaï blancs et noirs, des Yai, des Yao, des Miao, des Wou-ni et des Chinois. Ils ne parlent pas le vietnamien, mais des dialectes proches du laotien, du thaï ou du chinois.

– Facile pour la conversation ! commenta Maréchal en faisant un rond de fumée parfait.

– Certains baragouinent quelques mots de français, et moi quelques mots de leurs différents dialectes. On arrive à se comprendre. Si on parvient à Phong Thô sans problèmes, on continuera le voyage par voie d'eau jusqu'à Bac Tan. Il faudra être patient, le trajet s'effectue en quinze heures dans les bons jours, en plus de vingt dans les mauvais. Et ce n'est rien à côté de ce qui vous attend pour arriver à Moeuong Lai...

– Je ne vois pas ce nom sur la carte, remarqua Maréchal.

– C'est normal, c'est le nom laotien de Laï Châu. Donc, à Moeuong... je veux dire à Laï Châu, on prend une plus grande pirogue et, en deux ou trois jours, on est arrivé.

– Quelle expédition ! fit Tavernier en repoussant la carte. Au moins, sommes-nous sûrs que Laï Châu soit encore entre les mains des Français ?

– Il y a dix jours, par radio, un sous-off de mes amis m'a appelé ; il m'a dit que, pour le moment, c'était plutôt calme, mais qu'à son avis ça n'allait pas durer ; que, depuis l'armistice de juillet avec la Corée, les Américains intensifiaient leur aide à la France. Il serait même question, d'après lui, d'installer une base aéro-terrestre à Diên Biên Phu, en réoccupant la vallée, à la fois pour conserver le pays thaï et Laï Châu, et pour fermer la route du Laos au Viêt-minh.

– C'est le général Navarre ou le gouvernement français qui est à l'origine de cette intéressante idée ? demanda François.

– Je n'en sais rien, et mon copain non plus. Il n'a qu'une envie, c'est de se tirer d'là avec les Thaï qui sont sous ses ordres. Mais revenons à nos moutons : on vous laissera en amont de Laï Châu, à deux ou trois kilomètres. Là, sur le bord de la route, vous verrez quatre bicoques et puis un café. Vous y entrerez. Il est tenu par un ancien du chemin de fer du Yuncan. Il n'a pas son pareil pour vous raconter la construction des quatre cent soixante-cinq kilomètres de voies entre Lao Cai et Yunnan Fou, en Chine, leurs trois mille cinq cents ponts et viaducs, leurs cent cinquante-cinq tunnels. Une épopée ! Des milliers et des milliers d'Annamites sont morts pour le construire, sans compter les Blancs, ingénieurs comme ouvriers. Au premier regard, vous le reconnaîtrez : c'est un petit vieux tout sec, rabougri. À force de vivre ici, il s'est mis à ressembler aux indigènes. Il s'habille comme eux, à part un béret basque qui n'a plus de couleur. Vous lui direz que vous venez de la part de Valère. Il vous donnera un coup de main ; on se respecte.

– Et lui, comment s'appelle-t-il ? interrogea Maréchal.

– On l'appelle le Basque, sans doute à cause de son béret.

Ils retrouvèrent un Thévenet aux yeux bordés de reconnaissance.

– Ah, putain ! Ça, c'est une femme ! s'exclama-t-il en les voyant entrer dans la gargote de l'Alsacien.

– On est bien contents pour toi, vieux, fit Tavernier. Je n'ai pas vu le moine devant l'entrée. Sais-tu ce qu'il est devenu ?

– Aucune idée, je viens juste de descendre. Tu sais, la grosse, elle m'a à la bonne, elle accepte de nous loger pour la nuit. Qu'est-ce que t'en dis ?... C'est un bon coup !

Valère, qui s'était éclipsé en pénétrant dans le bistrot, revint vers eux, l'air visiblement étonné. Il chassa d'une table une famille de Chinois et fit signe aux trois hommes de s'asseoir. Un *boy* apporta des bouteilles de bière. Il but au goulot, les yeux fixés sur Thévenet. Il rota :

– J'sais pas ce que tu lui as fait, à la patronne... Elle m'a dit que toi et tes copains, vous étiez ses invités... Ça lui ressemble pas. Un coup de cafard, sans doute...

Thévenet baissait la tête, affectant la modestie, tandis que Tavernier et Maréchal avaient du mal à garder leur sérieux.

Ils passèrent une partie de la nuit à boire en compagnie de Gégé, venue les rejoindre. Elle fut la dernière à rester debout avec Maréchal. Quelques instants plus tard, elle ronflait comme les autres, affalée sur la table.

– Savent pas tenir l'alcool, grommela en russe le légionnaire avant de s'effondrer à son tour après une dernière rasade.

Le lendemain, tous avaient une fameuse gueule de bois qu'ils chassèrent à l'aide de soupe chinoise et de nouvelles chopines de bière.

Dans l'après-midi, Maréchal et Tavernier parcoururent les rues et ruelles de Lao Cai en quête du moine Nhon, tandis que Thévenet était requis par Gégé pour la poursuite de leurs jeux amoureux. Lao Cai n'avait rien d'une bourgade vietnamienne : plutôt un gros village chinois, avec son marché flottant, ses enseignes rouges aux caractères calligraphiés en noir ondoyant sur les façades de maisons pour la plupart délabrées. Les odeurs d'épices et du poisson séché avaient bien du mal à supplanter celles de la saleté et des latrines à ciel ouvert. Des observateurs attentifs pouvaient identifier les différentes ethnies à la forme d'un col, au dessin d'une broderie, aux bijoux des femmes, à leur coiffure. Accroupis devant des plateaux où l'on servait le thé, des hommes et quelques vieilles fumaient du tabac dans d'énormes pipes en bambou.

Aucune trace de Nhon, pas plus que de moines bouddhistes. Ils allèrent dans un temple où les seules personnes présentes étaient des femmes faisant brûler des bâtonnets d'encens devant des statues de Confucius et de ses disciples. Pas la moindre robe safran en vue, cependant.

– Ne traînons pas trop ici, dit François. On commence à nous regarder d'un drôle d'œil.

À peine furent-ils de retour dans son établissement que Valère les interpella :

– Je vous ai trouvé une chambre à l'*Hôtel du Commerce* : confort oriental garanti, cafards compris. Le patron, un

Chinois, est un ami. En principe, vous ne risquez rien ; cependant, gardez une arme à portée de la main. Vous partirez demain à l'aube. Il ne devrait pas pleuvoir ; en cette saison, il n'y a plus tellement d'orages. Tu as toujours ton diamant ? demanda-t-il à François.

– Tu veux le voir ?

– Non, ça ira. À propos, c'est moi qui vous accompagnerai demain, avec mon *boy* thaï, il connaît tous les chemins de montagne.

– Hier, tu disais qu'il nous fallait des guides. Aujourd'hui...

– J'ai réfléchi. J'ai pensé que moins il y aurait de gens sur le coup, mieux ça vaudrait, dit-il en coupant la parole à Maréchal.

– Ça ne me plaît pas, ces changements de dernière minute, grogna le légionnaire.

– Ça bouge beaucoup du côté de Laï Châu ; les Thaï n'ont pas envie de se trouver entre les Français et les Viêts. On peut les comprendre...

– De fait, approuva François. Mais toi, on ne comprend pas très bien ton attitude... J'espère pour toi que tu sais ce que tu fais et que tu joues franc-jeu. Sinon...

– À votre place, je me méfierais aussi... Mais réfléchissez : si j'avais voulu vous truander, c'est hier que je l'aurais fait, quand vous étiez saouls comme des bourriques.

François porta la main à sa poche, la palpa et ramena le petit sac de peau dans lequel il avait glissé la pierre précieuse ; il l'ouvrit : elle était toujours là.

– Assez bavardé, la patronne nous attend pour dîner. Et elle aime pas attendre !

19.

Combien de temps Léa resta-t-elle inanimée, la tête fracassée sur les marches de la pagode ? Ce fut une troupe de soldats viêt-minh de l'armée régulière qui la trouva.

– *O kià... Dây là bà dâm da giúp chúng ta o Hà-Nôi, ban cua Nhu-Mai dây mà.*

– *Anh chác không ?*

– *Chác, dâu bà bi cau nhu môt ni-cô, nhung dúng là bà ta. Nhin kìa bà ta còn sông*[1] *!*

Léa avait bougé et ouvert les yeux. Les soldats confectionnèrent un brancard de tiges de bambou et retournèrent vers leur campement. Là, un médecin vietnamien s'occupa d'elle.

– Elle a perdu beaucoup de sang, dit-il en français comme se parlant à lui-même.

– *Dông-chí bác-si, phai cúu bà ta : bà da giúp chúng tôi, Nhu-Mai, Khiêu em tôi, và chinh tôi.*

– *Tôi se có hêt súc. Anh bao bà và Nhu-Mai quen nhau à ? Hay goi cô ta dên*[2].

1. – Mais... c'est la Française qui nous a aidés à Hanoi, l'amie de Nhu-Mai.

– Tu en es sûr ?

– Oui, elle a le crâne rasé comme une bonzesse, mais c'est elle. Regarde, elle est vivante !

2. – Camarade-docteur, il faut la sauver : elle nous a aidés, Nhu-Mai, ma sœur Khiêu et moi-même.

– Je ferai tout ce qui est en mon pouvoir. Tu dis qu'elle et Nhu-Mai se connaissent ? Va la chercher.

Dans la grotte qui servait de salle d'opération, le docteur Thach examina les blessures de la jeune femme. Elle avait une fracture du crâne. Il finissait son pansement quand Nhu-Mai entra.

– *Dông-chí bác-si cho goi tôi ?*

– *Vâng, cô có biêt nguòi bi thuong này không*[1] *?*

Incrédule, Nhu-Mai secoua la tête et s'écria en français :

– Non, ce n'est pas possible !... Léa !... C'est Léa !

– Je te charge de la veiller.

– Il faut prévenir l'oncle Hô.

– Pourquoi ?

– Il la connaît ; les Français l'avaient envoyée à lui, il y a quelques mois.

Prévenu, Hô Chi Minh fit prendre chaque jour de ses nouvelles. Ses plaies se cicatrisaient, mais elle ne reprenait toujours pas conscience. Avec une patience infinie, Nhu-Mai la nourrissait comme un enfant. Le soir, elle allait chercher son violon et interprétait une berceuse. Elle disait au docteur Thach :

– Quand je joue, il me semble que son visage s'apaise et qu'elle m'entend.

De fait, plus tard, Léa lui avoua :

– De l'endroit sombre et lointain où j'étais, j'attendais le moment où tu allais jouer. Dès les premières notes, j'étais comme inondée de lumière. Plus tu jouais, plus j'étais emplie de joie. Tu me parlais, tu me suppliais de rester près de toi, de ne pas partir rejoindre mes ancêtres. J'essayais de te dire que je ne demandais pas mieux ; mais ils m'appelaient si fort dès que tu cessais de jouer... Tous ceux que j'ai connus, aimés

1. – Tu m'as fait appeler, camarade-docteur ?
– Oui. Connais-tu cette blessée ?

et qui sont morts m'appelaient. Il y avait mon père, ma mère, ma petite sœur Laure, mon oncle Adrien, Mathias... Je les entendais : « Viens nous rejoindre. Là où nous sommes, il n'y a plus de peur, plus de souffrances ; il y a le néant. C'est là que nous habitons, maintenant. Viens... » Je luttais, j'appelais François et les enfants, mais ils ne répondaient pas... Jamais ils ne répondaient. Alors je pensais : « Pourquoi ne pas les rejoindre ?... » Mais il y avait ta musique... Oh, comme elle veillait bien sur moi ! Elle me murmurait : « Écoute, la vie est belle, il ne tient qu'à toi de la conserver... » J'essayais, j'essayais très fort...

Un jour, elle rouvrit les yeux et murmura :

– Nhu-Mai...

La violoniste se jeta à son chevet et, le visage mouillé de larmes, couvrit de baisers ses mains amaigries. Le docteur Pham Ngoc Thach entra à ce moment. Nhu-Mai se précipita, s'inclinant à de nombreuses reprises dans des *lai* profonds.

– Camarade-docteur, elle est guérie. Tu l'as sauvée !

– Non, Nhu-Mai ; c'est toi, avec ton amour.

Le lendemain, on conduisit Léa dans une case spacieuse, bien dissimulée dans la jungle. On l'allongea sur un lit de bois. Elle mangea un peu de riz et de viande, but du thé et s'endormit.

Chaque jour, le docteur Thach venait l'examiner ; il était très fier des progrès de sa patiente.

– Bientôt on ne verra plus vos cicatrices, vos cheveux auront tôt fait de repousser. Mais il faut vous reposer. Vous avez été gravement blessée, et votre esprit aussi a été atteint. Il faudra du temps pour que ces plaies-là se referment.

Léa frissonna et devint très pâle.

– Qu'avez-vous, vous vous sentez mal ?

– Non, fit Léa en secouant la tête, tandis que des larmes coulaient sur ses joues.

– Pauvre petite, murmura le médecin.

Un jour, elle lui demanda :

– Il m'a semblé qu'un médecin français était venu m'ausculter. J'ai dû rêver ?

– Non, vous n'avez pas rêvé. Un de mes anciens collègues de l'hôpital Laennec était installé à Viêt Tri. Je lui ai demandé de venir, ce qu'il a fait malgré les ennuis que cela lui a valus.

– Pourquoi a-t-il eu des ennuis ?

– Le haut-commandement français l'a longuement interrogé sur les circonstances de son enlèvement.

– Vous l'aviez enlevé !

– Non, mais c'est ce que nous étions convenus de dire.

– Alors, il n'a pas dit à mes compatriotes que c'était moi qu'il avait soignée ?

– Non, c'était trop dangereux pour nous.

– Mon mari doit me croire morte !...

– Calmez-vous. D'ici quelques jours, nous lui ferons porter un message comme quoi vous êtes en vie.

– C'est vrai ? Vous me le promettez ?...

– Je vous le promets, sur la tête de mes enfants.

Léa ferma les yeux, rassurée. Le docteur Thach lui avait parlé de sa petite fille Colette, de son fils Alain, qui lui manquaient beaucoup, de sa femme Marie-Louise, une infirmière qu'il avait connue avant la guerre, en France, au sanatorium de Hauteville. Elle demeurait seule avec ses enfants, rue Chasseloup-Laubat. Il avait renoncé à son cabinet prospère, à sa clientèle de Français et de riches Vietnamiens, pour rejoindre la Révolution. Après l'éviction des Français par les Japonais, le 9 mars 1945, il avait été désigné par le Comité régional du Parti du Nam Bo[1] pour organiser le mouvement de lutte des jeunes qui prit alors le nom de « Jeunesse d'avant-garde ». Au mois d'août de la même année, il avait été désigné ministre de la Santé publique par le président Hô Chi Minh. En 1947, il avait reçu l'ordre de s'infiltrer à Hanoi où il avait connu la clandestinité. Toujours clandestin, il était revenu à Saigon en tant que président du Comité administratif de résistance de la zone spéciale de Saigon. Début 1953, il avait rejoint le maquis du Viêt Bac[2] en qualité de chef de la commission de la Santé du Parti, chargé plus particulièrement de la santé d'Hô Chi Minh et des membres du Comité central. Là, aimé et estimé de tous, il avait accompli une besogne remarquable, formant de jeunes médecins aux difficultés d'exercer dans la jungle et les hôpitaux souterrains.

Le crépitement d'une machine à écrire et l'odeur sucrée d'une cigarette américaine la réveillèrent. Il faisait nuit. Éclairé par une lampe tempête, un homme assis en tailleur, une couverture jetée sur les épaules, cigarette aux lèvres, tapait sur le clavier. Léa le reconnut. Sentant son regard, l'homme interrompit son travail et se retourna.

– Pardonnez-moi, je vous ai réveillée.

– Non. Pourquoi suis-je ici, monsieur le Président ?

– Appelez-moi « oncle Hô », tous ici m'appellent ainsi... Vous dormiez. Je n'ai pas voulu vous réveiller. J'en ai profité pour travailler. Votre crâne rasé vous donne l'air d'un jeune garçon...

Léa porta la main à sa tête. Ses doigts suivirent le tracé de la cicatrice. Elle fit la grimace ; c'était encore douloureux. Un léger duvet commençait néanmoins à repousser.

1. Sud Viêt-nam.
2. Nord Viêt-nam.

– Je dois être affreuse...

– Ne vous inquiétez pas. Vous aurez bientôt retrouvé vos cheveux. Vous avez surtout besoin de repos et d'une bonne nourriture.

Léa se rallongea sur la natte, ramenant sur elle la couverture. Elle resta un long moment les yeux ouverts puis, insensiblement, se rendormit. Hô Chi Minh n'avait pas repris son travail ; il la regardait sommeiller.

Elle lui rappelait cette jeune militante française qu'il avait aimée, à Paris, dans les années vingt. Comme le temps avait passé ! Il revoyait les après-midi d'hiver passés à la bibliothèque Sainte-Geneviève, ces matinées de printemps au jardin du Luxembourg, à lire Zola ou Victor Hugo, les douces soirées d'été où la Garde républicaine jouait sous le kiosque... Les filles rougissaient sous le regard fiévreux du jeune homme frêle et pauvre qu'il était alors. La vie était dure dans ce Paris des lendemains de la Grande Guerre. Souvent, pour survivre, il avait dû faire la queue, en compagnie d'autres miséreux, devant les locaux de la Soupe populaire. Là, il avait connu la solidarité des expatriés : un ami tunisien avait accepté de partager son modeste logement, dans le treizième. Il s'appelait alors Nguyên Ai Quôc et attendait que ses papiers fussent en règle. Michel Zecchini, membre du parti socialiste, avait été chargé de s'occuper de lui, de lui procurer un logement jusqu'à l'obtention d'un permis de travail. Ce ne fut pas facile de loger un Annamite en situation irrégulière. Zecchini lui avait trouvé une pièce sans confort au premier étage du 9, impasse Compoint, dans le dix-septième arrondissement. Il y avait installé un atelier de retouches photographiques, mais peignait surtout des enseignes pour les commerçants du quartier. Souvent, sur le poêle à coke placé dans une alcôve, il cuisinait pour ses camarades. Mais c'était quand il avait quelque argent ; sinon, on se nourrissait de saucisson, de frites et de vin rouge. Il fumait déjà beaucoup. Victime d'une pneumonie, il avait été admis à l'hôpital Cochin où son ami le journaliste Babut le visitait presque chaque jour. D'autres, les lettrés Phân Châu Trinh et Phan Van Truong, ainsi que Marius Moutet venaient le voir. À sa sortie, il avait consacré plus de temps à ses articles publiés dans *l'Humanité* ou dans *le Paria, la tribune du prolétariat colonial*.

Depuis la publication de son premier article dans *l'Humanité* du 18 juin 1919, la police française s'intéressait au jeune homme. Un indicateur annamite avait réussi à s'introduire parmi le petit groupe et envoyait régulièrement à la Sûreté nationale des rapports qu'il signait « Jean ».

C'est à cette époque qu'il avait rencontré Marie Brière, ouvrière en confection. Elle avait dix-huit ans, et lui trente. Ils s'étaient aimés. Jamais le futur Hô Chi Minh ne devait oublier ce premier amour. Il la revoyait, mince et belle, dansant avec des camarades socialistes dans une guinguette des bords de la Marne, il se souvenait de leurs promenades en barque, de leurs retours sur Paris par le dernier omnibus. Elle n'avait pas voulu le suivre en Union soviétique, disant qu'il y avait trop de travail à faire ici pour les prolétaires français. Il avait failli renoncer à participer à la « révolution mondiale » pour rester auprès d'elle. Mais, le 13 juin 1923, il était parti clandestinement pour l'U.R.S.S. à l'appel du *Komintern*[1].

Léa bougea dans son sommeil. Hô Chi Minh s'approcha, rajusta la couverture. Jamais plus, depuis Marie, il n'avait connu de réelle intimité avec une femme. Les militantes moscovites étaient pour la plupart de fortes personnes assez effrayantes. Et puis, il avait tant à faire !

En Chine, où Moscou l'avait envoyé participer à la Révolution et, surtout, mettre sur pied l'organisation communiste vietnamienne, il avait épousé en 1926 une jeune Chinoise, Tang Tuyet Minh. Minh était sage-femme et membre du

1. Nom donné par les communistes russes à la IIIe Internationale ; dissout en 1943, il fut remplacé par le *Kominform*, dissout à son tour en 1956.

Parti communiste chinois. Leur union n'avait duré qu'un an ; depuis lors, il ne l'avait jamais plus revue. À Canton, il avait aidé à la formation de jeunes garçons venus du Viêt-nam, parmi lesquels son fidèle Pham Van Dong, Tran Phu, Ngo Gia Tu et tant d'autres qui étaient retournés en Indochine fonder des cellules clandestines et diffuser son journal, *Thanh Nien*[1], interdit par la police coloniale.

Jusqu'à la guerre, il avait eu des nouvelles de Marie ; il avait appris sans plaisir son mariage avec un syndicaliste de la C.G.T. Au cours de son séjour en France, pendant l'été 1946, il avait demandé à ses amis Lucie et Raymond Aubrac de la retrouver. Il avait eu le chagrin d'apprendre qu'elle était morte en déportation à Ravensbrück.

Devant Léa assoupie, il se souvenait aussi de Rose, la jolie couturière qui prenait sa défense face aux moqueries des camarades militants auxquels le jeune exilé reprochait de trop discourir et ne pas assez passer à l'action ; il sourit en songeant à ses propos candides de cette époque : « Toutes ces polémiques me donnent mal à la tête, car je m'efforce de comprendre l'essentiel... "Ne discutez pas tant. Vous êtes tous des socialistes. Vous êtes tous résolus à lutter pour la libération de la classe ouvrière. Alors, IIe ou IIIe Internationale, cela ne revient-il pas au même ? Peu importe laquelle vous choisissez ; ce qui est important, c'est de s'unir, d'être ensemble. Pendant que vous discutez ici, dans mon pays mes compatriotes continuent d'être opprimés." »

Un jour qu'il s'était plaint à nouveau des « bavardages » de ses amis, Rose lui avait dit gentiment :

– C'est difficile de t'expliquer, parce que tu es nouveau ; mais je suis sûre que tu comprendras plus tard la raison pour laquelle nous avons tant besoin de discussion ; c'est tellement important pour l'avenir de la classe ouvrière...

Elle avait raison, la petite couturière. Plus tard, il avait

1. « La Jeunesse ».

compris l'importance, pour les opprimés, de pouvoir enfin s'exprimer, quitte à dire et redire les mêmes choses. Qu'auraient pensé les camarades du Parti s'il avait avoué tenir ces principes d'une simple ouvrière française ?

Léa gémit et s'agita. Hô Chi Minh s'approcha ; des larmes humectaient les joues de la jeune femme. Il allait la réveiller pour l'arracher à son cauchemar quand ses gémissements cessèrent. Son sommeil redevint paisible.

Dès qu'elle serait rétablie, il la ferait reconduire auprès des siens. Il alluma une cigarette et sortit.

Grâce aux soins du docteur Thach et à la présence de Nhu-Mai, Léa fut bientôt en état de sortir et de participer à la vie du camp. Un soir, ils durent évacuer en catastrophe : une centaine de soldats français les menaçaient d'encerclement. Le cœur battant à tout rompre, Léa tenta de s'enfuir pour les rejoindre. Nhu-Mai la jeta au sol et lui lia les poignets.

– Ne recommence pas ; sinon, je serais obligée de te tuer.

– Tu pourrais me tuer ? s'exclama-t-elle.

– Sans aucune hésitation, si je pensais que tu irais nous trahir.

– Je croyais que tu étais mon amie, que tu m'aimais !

– Je suis ton amie et je t'aime, mais notre combat est plus important qu'une vie humaine, fût-ce la tienne... et cependant, je donnerais ma vie pour toi !

Léa sentit qu'elle disait vrai et se laissa bâillonner sans opposer de résistance.

Tout avait été prévu pour une évacuation rapide. Après une marche difficile de quelques heures, qu'elle effectua allongée sur un brancard, Léa eut la surprise de découvrir des dizaines de camions militaires couverts de branchages, dans lesquels montèrent les soldats du Viêt-minh.

– D'où viennent ces véhicules ? demanda Léa à Nhu-Mai dès qu'elle lui eut ôté son bâillon.

– Ce sont des camions chinois.

– Où allons-nous ?

– Je n'en sais rien. Veux-tu un peu de riz ?

– Non.

– Alors, dors ; le voyage risque d'être long.

Il fut long, en effet, et cahoteux. La saison des pluies étant terminée, des nuages de poussière enveloppaient le convoi ; d'avion, il devait être facile de le suivre à la trace. Au bout de trois jours et trois nuits par des routes et des pistes défoncées, la caravane s'arrêta.

– *Xuông di, chúng ta dang o bên Lào*[1], dit un soldat en abaissant la ridelle du camion.

Léa sauta maladroitement, les jambes engourdies.

– Qu'a-t-il dit ? demanda-t-elle à Nhu-Mai.

– Que nous étions au Laos.

– Au Laos ?... Pour quoi faire ?...

Nhu-Mai éclata de rire.

– La guerre, bien sûr !

– Je n'y comprends rien. Je croyais que le président Hô Chi Minh devait me relâcher... il me l'avait dit !

– Cela n'a sans doute pas été possible pour l'instant ; mais il tiendra parole.

Découragée, Léa se laissa tomber sur le sol. Sous son chapeau en feuilles de latanier, vêtue du pyjama noir des combattantes, chaussée des mêmes sandales en caoutchouc, les bras et le visage hâlés, on eût dit la grande sœur de Nhu-Mai.

– Qu'y a-t-il, Léa, vous êtes souffrante ? s'inquiéta le docteur Thach.

– Je veux rentrer chez moi, j'en ai marre ! Je veux voir mes enfants !

1. Descendez, nous sommes au Laos.

Le médecin eut un sourire las et l'aida à se relever.

– Soyez courageuse. Bientôt, vous serez près des vôtres ; l'oncle Hô vous l'a promis.

La base, à la frontière laotienne, était à la fois un camp d'entraînement et un centre de repos pour les blessés. Une usine d'armement et une imprimerie de textes de propagande y fonctionnaient jour et nuit. Léa assistait aux cours d'endoctrinement communiste dispensés aux jeunes militants ; ils étaient donnés en vietnamien, et Nhu-Mai traduisait. Tout cela était fort ennuyeux et elle avait du mal à garder les yeux ouverts, malgré les coups de coude de son amie. Les soirées, en revanche, se passaient plutôt agréablement en chants, danses, exercices de calligraphie chinoise pour ceux et celles qui voulaient devenir lettrés, ou de *viêt vô dao* dans lequel Léa excellait, à la grande fierté de Nhu-Mai et en dépit des remontrances du docteur Thach qui craignait pour ses blessures. Ce qui l'étonnait le plus, c'étaient les cours de littérature dispensés par le professeur Hoang Thieu Son qui parvenait à intéresser son jeune auditoire en lui parlant de Dostoïevski, de Montaigne, Shakespeare, Goethe ou... François Mauriac. Quand Léa lui eut dit avoir rencontré à plusieurs reprises l'écrivain, et qu'elle demeurait tout près de chez lui, il n'avait cessé de lui poser des questions sur l'homme, l'œuvre, la région bordelaise, Malagar qu'il rêvait de connaître. Il était capable de réciter de mémoire des pages entières de celui qu'il considérait comme le plus français de nos auteurs contemporains. Pour Léa, ces séances constituaient à la fois un moment d'oubli du quotidien et un tourment ; les questions du professeur Son lui rappelaient trop d'instants heureux ou malheureux. Sur la guerre en France, il voulait tout savoir : comment les Français s'étaient-ils comportés face à l'occupant ? comment s'était organisée la

Résistance ? avait-on dénombré beaucoup de traîtres ? quel avait été leur sort ? Il ne manquait jamais de rapprocher la guerre de libération de son pays de celle qui s'était déroulée dans la France occupée...

Un matin de pluie et de vent, des camions vinrent chercher Léa et une centaine de *bô dôi*[1] pour les reconduire au Viêt-nam sans qu'aucune explication leur fût fournie. Ils traversèrent la rivière Noire à Van Yên où des bacs les transportèrent d'une rive à l'autre. Le voyage était épuisant, non seulement à cause des routes défoncées, des camions qui s'enlisaient ou se renversaient et qu'il fallait redresser, mouillés et transis jusqu'aux os, mais aussi à cause des maquisards anticommunistes et des Français qui, par petits commandos, attaquaient les retardataires et disparaissaient pour resurgir plus loin. Léa priait le Ciel que des soldats métropolitains lancent une offensive et viennent la délivrer. Quand le convoi faisait halte, on l'attachait soigneusement, ce qui la rendait folle de rage.

« Où veulent-ils que j'aille, avec mes sandales déchirées, dans ce pays de bourbiers et de bêtes féroces, sans nourriture, sans armes, sans rien ? » Elle s'apitoyait sur elle-même et se détournait pour qu'on ne la vît pas pleurer. Nhu-Mai essayait d'adoucir son sort en lui procurant, chaque fois que possible, de quoi se laver. C'était du manque d'hygiène, de la saleté que Léa souffrait le plus. Elle ne s'habituait pas à la crasse, aux odeurs et, surtout, aux séances collectives d'épouillage.

– C'est dégoûtant ! s'était-elle écriée la première fois.

– Ce qui est dégoûtant, avait rétorqué Nhu-Mai, c'est de ne pas s'en débarrasser. Chez nous, il est normal de s'épouiller

1. Combattants réguliers du Viêt-minh.

entre parents et amis ; chacun se rend service ; c'était déjà comme ça avant la guerre.

Grâce à ses cheveux courts et aux shampoings qu'elle se faisait quand Nhu-Mai lui procurait un peu de savon, elle avait évité d'être infestée par la vermine.

Et puis il y avait l'ennui, un ennui gluant qui collait à l'esprit comme la boue collait au corps. Pour le tromper, elle se remémorait les poèmes qu'elle avait appris. À son grand dépit, seules quelques bribes lui revenaient en mémoire.

Ô bruit doux de la pluie
Par terre et sur les toits !
Pour un cœur qui s'ennuie
Ô le chant de la pluie !

On voyait bien que le poète n'était pas venu se perdre dans ce maudit pays, car jamais il n'aurait pu parler « du bruit doux de la pluie... » !

Comme on voit sur la branche au mois de mai la rose,
En sa belle jeunesse, en sa première fleur...

Impossible de se rappeler la suite. Et pourtant, elle était sûre de la connaître. C'était un de leurs amusements favoris, avec son père, que de déclamer, de préférence aux heures des repas, pour l'auditoire familial, des vers appris la veille en vue d'éblouir l'autre.

Impossible de se souvenir aussi de ce poème de Ronsard qu'il aimait tant :

Quand vous serez bien vieille, le soir à la chandelle...

Celui-là, elle le connaissait pourtant par cœur. Et Verlaine, son cher Verlaine ? Lui, au moins ne lui ferait pas défaut :

Il pleure dans mon cœur... Mon cœur a tant de peine... Midi sonne. De grâce, éloignez-vous, madame... De la musique avant toute chose... Le bleu fouillis des claires étoiles... Et je m'en vais au vent mauvais qui m'emporte...

Rien, rien, il ne restait plus rien, tout s'était effacé !... Papa, j'ai oublié nos poèmes... Ce n'est pas vrai !... Je vais encore essayer. Tiens, celui-là que tu aimais tant et que Verlaine avait dédié à Germain Nouveau. Attends... :

Dans une rue, au cœur d'une ville de rêve... Ce sera si fatal qu'on en croira mourir :
Des larmes ruisselant douces le long des joues,
Des rires sanglotés dans le fracas des roues,
Des invocations à la mort à venir...

Un cahot de la route la jeta contre Nhu-Mai. Un rire fou sanglota dans sa gorge.

– Qu'as-tu ?... Tu t'es fait mal ? questionna l'amie inquiète.

– Tu te souviens du poème que tu m'avais envoyé ?... Il était de Gérard de Nerval...

– Oui, je m'en souviens très bien : *Quiconque a regardé le soleil fixement/Croit voir devant ses yeux voler obstinément...*

– La ferme ! Je m'en fous que tu le saches, ton poème ! C'est normal que tu aies de la mémoire, toi, on ne t'a pas cassé la tête... Et tu es dans ton pays, avec les tiens... Ton cher oncle Hô te tient lieu de dieu ! Sa parole est sacrée, il connaît par cœur l'Évangile rouge, et toi, tu le récites comme une idiote, prête à tuer sur ordre, sans réfléchir, puisque c'est pour la Grande Révolution prolétarienne si chère aux camarades Lénine et Staline...

– Tais-toi, je t'en supplie, tais-toi !

– Pourquoi me tairais-je ?... Parce que ceux qui comprennent le français vont me dénoncer et que vos commissaires du peuple voudront m'envoyer dans un de vos fameux camps de rééducation ?...

Nhu-Mai posa la main sur sa bouche.

– Tais-toi !

Léa l'écarta avec violence.

– Ne me touche pas ! J'en ai marre, entends-tu ? J'en ai marre !... Je veux revoir mes enfants, mon mari... Je veux rentrer chez moi ! J'en ai marre de cette pluie qui pourrit tout, du riz froid qui sent le moisi, de votre thé dégueulasse, de votre propagande, de votre sale guerre ! Je veux revoir des gens normaux, propres et gentils, je ne veux plus voir vos faces de citron, vos yeux bridés, vos cheveux noirs remplis de poux... Je ne veux plus...

Léa s'effondra sur elle-même, prise de tremblements. Nhu-Mai toucha son front.

– *Bà ta bi nông sôt, dúng là con sôt rét. Nhanh lên, hay mòi bác-si Thach dên*[1].

Une nouvelle fois, Léa se retrouva délirant de fièvre, soignée par le docteur Thach et veillée par Nhu-Mai. Avec l'accord de ses supérieurs, le médecin décida de la confier aux soins d'un village : au paludisme s'était ajoutée la dysenterie ; elle n'était plus qu'un pauvre corps souffrant. Avec Nhu-Mai, le commandant du convoi laissa auprès d'elle trois jeunes *bô dôi*, et le docteur Thach lui remit en cachette des comprimés de quinine. Pour soigner la dysenterie, le praticien chinois du village ferait ce qu'il convenait. Nhu-Mai vit partir ses compagnons le cœur serré, mais un gémissement de Léa, allongée sur un lit de bois de fer, sous une moustiquaire,

1. Elle est brûlante de fièvre, c'est une crise de paludisme. Vite, allez chercher le docteur Thach.

lui fit oublier sa peur de se retrouver dans un endroit inconnu.

La maison prêtée par le chef du village vit défiler tous les habitants, hommes, femmes et enfants, venus contempler cette Blanche qui semblait être la protégée des combattants du Viêt-minh. Nhu-Mai eut beaucoup de mal à leur faire comprendre que la malade avait besoin de calme. Il fallut l'intervention des *bô dôi* pour les faire rentrer chez eux.

Avec la femme du médecin chinois, Nhu-Mai nettoya le corps souillé de son amie. Grâce aux potions d'herbes, la dysenterie cessa au bout de deux jours, et la quinine eut provisoirement raison du paludisme. Sa fièvre tombée, Léa put s'alimenter. Peu à peu, elle sentit ses forces revenir.

– Ton violon est magique, c'est lui qui m'a de nouveau empêchée de rejoindre le paradis des ancêtres. Chaque fois que je me sentais sur le point de partir, tu jouais et ta musique me ramenait à la vie. Comment expliques-tu cela ? Tu es sorcière ?

– Non, fit la jeune fille en riant, heureuse de voir les joues de son amie retrouver un peu de couleur. J'ai remarqué que mon jeu t'apaisait.

– Sais-tu où nous sommes ?

– Dans la région des camps.

– Quels camps ?

– Des camps de prisonniers dans les villages.

– C'est là que l'on me conduira quand je serai en état de marcher ?

– Ça m'étonnerait. Il n'y a eu que des hommes faits prisonniers après nos victoires de Cao Bang et de la R.C.4.

– Pourquoi me rappeler nos défaites ? s'écria Léa avec exaspération.

– Je t'en prie, ne t'énerve pas, ça va faire remonter ta fièvre. Excuse-moi...

Anxieuse, Nhu-Mai la regardait ; elle tressaillit quand elle vit des larmes s'échapper des yeux fermés de Léa et couler le long de ses tempes, tandis que sa frêle poitrine se soulevait et s'abaissait sous l'effet des spasmes. Elle voulut parler, mais se retint. Face à cette détresse, les mots ne servaient de rien. Elle se leva et prit son violon.

Peu à peu, la respiration de Léa redevint régulière ; ses larmes furent plus longues à s'arrêter.

Nhu-Mai joua longtemps. Plus le temps passait, plus elle s'oubliait dans la musique, pour n'en être plus que l'âme. Le soir tomba. Un des *bô dôi* apporta une lampe allumée et resta accroupi à écouter. Cette nuit-là, Nhu-Mai joua comme jamais elle ne l'avait encore fait. Tout ce qui était enfoui en elle s'exprimait par le violon, elle disait son espoir de lendemains heureux, son amour pour son pays, sa compassion envers son amie, son désir d'aimer et d'être aimée, la nostalgie de son enfance, ses doutes, ses joies, ses chagrins, ses peurs et, surtout, ce formidable bonheur de vivre qui l'habitait quand, de son archet, jaillissaient des notes dont la pureté bouleversait.

Elle s'arrêta, épuisée, comme dans un état second, et fit signe au soldat de sortir. Après son départ, elle écarta la moustiquaire et se glissa contre Léa, encore dans l'éblouissement.

– Merci, murmura Léa en lui prenant la main. Je ne connaissais pas ce morceau... J'avais l'impression d'être emportée très loin d'ici. Comment fais-tu, toi si menue, pour déployer une telle force, exprimer ainsi tour à tour l'héroïsme, la volupté, la passion, la tendresse ?... Quand ton archet touche les cordes, tu es si grande... La maîtrise de ton art, la noblesse de ton âme resplendissent rien qu'à t'écouter... On dirait que ton violon nous entraîne vers un ailleurs de sensualité et de pureté mêlées. Je rêve de te voir jouer en haut d'une colline, face à des combattants français et viêt-minh. Je suis sûre qu'après t'avoir entendue, ils déposeraient quelques instants leurs armes et mêleraient leurs larmes devant la fatalité qui pèse sur les hommes... Comment s'appelle ce compositeur ?

– Jean Sibelius, un Finlandais. C'est son concerto pour violon que j'ai joué. Mais ce n'était pas parfait, je m'en rends bien compte...

– Tu es folle, c'était magnifique ! Personne, j'en suis certaine, ne peut l'interpréter comme toi.

– Tu ne dirais pas ça si tu avais entendu Ginette Neveu à l'opéra de Marseille. Je crois que c'est ce jour-là que j'ai compris que le violon serait toute ma vie. Mon professeur m'avait emmenée la voir dans sa loge et lui a dit que moi aussi, je serais une grande violoniste. Elle m'a embrassée en me promettant qu'à son tour elle viendrait m'écouter. Papa et maman étaient là : si tu avais vu comme ils étaient fiers ! Jamais plus elle ne viendra m'entendre...

– C'est elle qui est morte en 1949, dans le même accident d'avion que Marcel Cerdan ?

– Oui. Je me trouvais ici et j'étais très triste, car on parlait bien plus de la mort du boxeur que de la sienne. Elle n'avait que trente ans. Quand la guerre sera finie et que je donnerai mon premier concert à Hanoi ou à Saigon, je le lui dédierai... En attendant, il faut dormir !

Dans le sommeil, leurs doigts restèrent enlacés.

À présent, Léa avait recouvré ses forces. Le médecin chinois se frottait les mains de contentement, persuadé que sa science y était pour beaucoup, ce que le docteur Thach, venu de Tuyen Quang pour prendre de ses nouvelles, ne démentit pas.

– Vous avez une résistance étonnante ; vous vous trouvez au bord de la mort, et hop, vous ressuscitez ! Je sais bien que les femmes sont plus résistantes que les hommes, mais là, vous me stupéfiez, dit-il en parachevant son examen.

Léa referma ses vêtements.

– Je sais aussi, poursuivit-il, que Nhu-Mai a réussi à vous alimenter correctement, ce qui est, dans les circonstances actuelles, une sorte d'exploit. Mais il ne faut plus qu'elle se prive comme elle le fait ; sinon, c'est elle qui va tomber malade.

– Que voulez-vous dire, docteur ?

– Vous ne vous en êtes pas rendu compte, n'est-ce pas ?... Depuis que vous êtes parmi nous, et pas seulement depuis que vous êtes souffrante, Nhu-Mai vous a donné plus de la moitié de sa ration quotidienne, et, depuis que vous êtes dans ce village, elle a réussi à vous procurer de la viande presque chaque jour.

– Je ne savais pas... balbutia Léa, très émue.

– Je m'en doute bien... Il faut que vous preniez un peu d'exercice ; sortez dans le village.

– Il fait un temps épouvantable...

– Ce n'est pas un peu de pluie qui va vous faire peur.

– Vous appelez « un peu de pluie » ce déluge ! Docteur...

– Oui.

– Vous ne me parlez pas de la seule chose qui m'importe : quand vais-je rentrer chez moi ? Pourquoi ne me répondez-vous pas ?

– Parce que je n'en sais rien ; cela ne dépend pas de moi.

– Je le sais bien. Votre président n'a pas de parole ; il m'avait promis que je serais reconduite à Hanoi. Il m'a trompée ; tous, ici, vous m'avez trompée... Je vous hais !

D'un geste las, le docteur Pham Ngoc Thach referma sa trousse.

– Ne vous éloignez pas du village. Les Français, en partant, ont placé des mines, et nos combattants des pièges à tigre, prévint-il avant de sortir.

« Charmant ! » pensa Léa.

Appuyée à la rambarde entourant la paillote, ses jambes nues se balançant dans le vide, Léa regardait d'un œil morne tomber la pluie. Le regard toujours fixe, elle tâtonna sur le plancher, à la recherche du paquet de cigarettes que Nhu-Mai lui avait remis avant de partir accomplir quelque mission dont elle n'avait pas voulu parler. Trois jours s'étaient écoulés... Léa dut s'y prendre à plusieurs reprises pour faire fonctionner un antique briquet qui dégageait une fumée noirâtre et nauséabonde. Enfin elle y parvint et avala avec volupté l'âcre fumée du tabac des combattants viêt-minh. Avec nostalgie, elle songea aux cigarettes américaines de l'oncle Hô et aux cigares qu'aimait François. À cette pensée, tout son corps lui fit mal. Surtout, ne pas laisser les souvenirs affleurer, les maintenir à distance pour avoir la force de vivre, n'être qu'un animal aux besoins sommaires : manger, dormir, n'avoir ni peur ni mal, trouver un coin à l'abri du froid, de la pluie, de la vermine et des bêtes féroces... Depuis des jours, Léa s'appliquait à ne plus se souvenir, à ne plus essayer de reconstituer les poèmes qu'elle aimait. Elle refusait même la musique de Nhu-Mai pour n'être pas distraite dans son œuvre d'annihilation.

La pluie cessa et un léger rayon de soleil tenta de percer l'écorce des nuages. Les gamins sortirent des maisons comme des souriceaux, leurs piaillements emplirent l'espace. Léa descendit les cinq barreaux de l'échelle ; ses pieds nus s'enfoncèrent dans la boue. Elle traversa la place du village au milieu de laquelle flottait le drapeau viêt-minh dont les couleurs tranchaient sur le gris du ciel et le verdoiement de la forêt encerclant la bourgade. En la voyant, les enfants interrompirent leurs jeux et leurs cris, la regardant, attentifs et craintifs à la fois. Ils n'avaient pas oublié quand elle leur avait arraché des mains un chiot qu'ils martyrisaient, ni sa colère quand elle s'était rendue compte qu'il était mort : elle les avait poursuivis, les frappant avec la charogne. Sans l'intervention des *bô dôi*, elle aurait été lynchée par les parents alertés. Depuis, chacun se tenait à distance respectueuse.

La porte aux vantaux massifs, surmontée d'un toit en forme de pagode, ouvrait sur un chemin qui se perdait dans la jungle. Tout autour de l'enceinte de bambou envahie par une végétation inextricable, serpentait un sentier qui disparaissait par endroits sous des plantes au feuillage éclatant de vigueur. Tous ces végétaux semblaient doués d'appétits féroces que l'homme devait refouler sans cesse, non seulement pour survivre, mais pour ne pas être dévoré. Cette sensation retint les pas de Léa. Point n'était besoin de geôliers et de barreaux pour la garder prisonnière ; la nature se chargeait d'elle-même de faire comprendre l'absurdité des rêves d'évasion. Léa s'assit sur une pierre, devant la porte, et se souvint...

... Elle émergeait à peine de sa crise de paludisme quand un convoi de prisonniers français avait fait halte dans le village. Bâillonnée et ligotée, elle avait assisté à leur arrivée sur la place. Ils devaient être une cinquantaine, vêtus de loques, hâves, le teint cireux, le visage mangé par une barbe de plusieurs jours, boursouflé par les piqûres de moustique, les yeux profondément cernés, les jambes écorchées – les mouches s'agglutinaient sur leurs plaies – ou enveloppées de chiffons maculés de sang. Certains, un bras en écharpe, la tête ou le torse bandés, s'appuyaient sur une canne de fortune. Épuisés, ils s'étaient laissés tomber dans le bourbier de la place. Des femmes s'étaient approchées, portant des pots de thé vert et des gobelets de terre qu'elles avaient remplis et tendus aux hommes affalés. De là où elle était, Léa avait deviné plus qu'elle n'avait entendu leurs remerciements surpris. Avec avidité, ils s'étaient jetés sur le breuvage tiède. Des gardes viêts avaient tenté de repousser les femmes. Mais elles, avec un courage têtu, s'étaient obstinées à leur donner à boire, malgré la rage des soldats. L'un d'eux, coiffé d'une sorte de casque en feuilles de latanier dont la forme rappelait celle du casque colonial, une trique à la main, avait aboyé un ordre. Aussitôt, les prisonniers avaient ôté leurs chaussures ou ce qui en tenait lieu, et les avaient déposées devant le petit homme. De sa trique, il avait désigné quatre hommes, puis quatre autres qui avaient quitté le groupe, escortés d'un soldat. Ceux qui n'avaient pas été désignés restaient assis, avachis, harassés. L'un d'eux s'était levé péniblement et était allé de l'un à l'autre. « Un prêtre ou un médecin », avait pensé Léa. La première petite troupe était revenue, portant des fagots ; la seconde n'avait pas tardé. Un grand Noir au visage hilare avait crié :

– Les feuillées sont prêtes, patron !

Ç'avait été comme un signal pour ces gens en guenilles qui s'étaient levés en se bousculant. Rongés de dysenterie, ils éprouvaient comme un réconfort à l'annonce de l'achèvement des latrines improvisées. La pluie, après avoir cessé un instant, avait repris avec violence. Les prisonniers avaient été poussés sous les paillotes construites sur pilotis ; l'espace servait d'étables aux buffles. Là, recroquevillés dans la bouse et les miasmes, ils avaient attendu la fin de l'averse. La nuit tombait, quelques torches avaient été fichées sur la place, devant la maison du chef de village. Sans ménagements, les captifs avaient été rassemblés face à l'homme au casque debout en haut des marches. Marchant de long en large, il les avait considérés avec une mine dégoûtée, puis s'était arrêté, les dévisageant un à un.

– Vous n'êtes que de la vermine ! avait-il hurlé. Sans la magnanimité de notre président, nous vous aurions tous exterminés. Mais le noble peuple vietnamien ne veut pas employer les méthodes des colonialistes décadents et des capitalistes corrompus. Par son exemple, le valeureux peuple vietnamien, qui a montré au monde sa détermination dans sa lutte contre l'occupation des Français sanguinaires, auteurs contre lui d'une guerre injuste et criminelle, veut vous aider à devenir les instruments nécessaires et utiles aux justes combats que mènent les peuples opprimés contres les impérialistes assoiffés de sang et de piastres. Vous n'êtes que les vils mercenaires de ces lâches et, pour certains d'entre vous, des frères d'esclavage dévoyés : le Marocain, le Noir et le Vietnamien devraient s'unir dans le même combat contre la perfidie colonialiste et pour l'avènement du communisme international !

Exténués, les hommes avaient visiblement déjà entendu ce type de discours ; pas Léa. Du moins, pas dans ces termes ni dans ce contexte. Elle avait l'impression d'assister là à une sorte de broyage des cerveaux. Nhu-Mai, le docteur Thach, le président Hô Chi Minh avaient un double langage : jamais elle ne reverrait les siens. Un profond désespoir l'avait envahie.

Une nouvelle fois, elle avait essayé de se libérer de ses liens, mais ses efforts n'avaient fait que les resserrer. Le bâillon l'étouffait. Elle allait mourir...

Le thé coulant entre ses lèvres l'avait ranimée ; Nhu-Mai était là, essuyant son front couvert de sueur. À la faible lueur de la lampe posée sur le sol, Léa avait deviné les silhouettes de deux *bô dôi* appuyés sur leur fusil. De la place lui parvenaient des bruits de toux, de râclements. Elle avait tenté de s'échapper des bras de Nhu-Mai ; brusquement, elle s'était endormie.

Le matin, à son réveil, la place était vide, des cochons noirs et des canards avaient pris la place des prisonniers français. Au goût bizarre qu'elle avait dans la bouche, Léa avait compris qu'on l'avait droguée. Le chagrin l'avait envahie au souvenir du thé que Nhu-Mai lui avait fait boire. Depuis ce jour, elle s'était laissé submerger par la tristesse...

Elle rajusta la mince couverture dont elle s'était enveloppée, se leva et pénétra dans le village. À l'intérieur des masures aux toits de chaumes, les femmes préparaient le repas, les vieilles berçaient les bébés devant l'autel des ancêtres, les enfants faisaient leurs devoirs, accroupis sur une natte, les vieux fumaient leur pipe. Tout était calme, la fumée des foyers s'élevait mollement, des fillettes puisaient de l'eau dans la mare, près de leur chaumière, sans souci de la boue noirâtre dans laquelle elles s'enfonçaient jusqu'au mollet. On avait l'impression que ce mode de vie durait depuis des temps immémoriaux et qu'il ne connaîtrait jamais de fin. La guerre n'était qu'un accident comme il en survenait de temps à autre, mais qui ne modifiait en rien les comportements ancestraux.

Des cris venant de l'extérieur du village rompirent brusquement cette quiétude.

– *Chúng tôi dâm phai mìn ! Chúng tôi dâm phai mìn !*[1]

Le garçon, d'une vingtaine d'années, montra une main ensanglantée amputée de deux doigts. Léa reconnut un des compagnons de Nhu-Mai. Prise d'un affreux pressentiment, elle écarta la foule des villageois qui entouraient le blessé.

– Où est Nhu-Mai ? Elle était avec toi ?

Il ne comprit pas, mais se mit à pleurer.

– Nhu-Mai, où est Nhu-Mai ? cria Léa en le secouant.

Il tendit sa main valide en direction de la forêt. Léa le lâcha et partit en courant, guidée par les traces de sang. Ses pieds nus ne sentaient pas les pierres du chemin. Elle dut ralentir ; chaque foulée résonnait dans son crâne. Elle porta les mains à sa tête pour comprimer la douleur. Le chemin fit peu à peu place à un mince sentier, puis à une piste où elle devait se courber pour ne pas s'accrocher aux branches qui se rejoignaient et masquaient par endroits le ciel. Un point de côté l'obligea à s'arrêter pour reprendre souffle. Ses pieds écorchés la faisaient souffrir. Elle déchira une bande de la couverture

1. Nous avons sauté sur une mine ! Nous avons sauté sur une mine !

qu'elle coupa en deux et les entortilla. Le silence était écrasant.

Léa reprit sa marche en claudicant.

Au détour de la piste, elle buta contre un corps. Des images se succédaient dans son esprit à une vitesse folle, des bribes de conversations entendues à Hanoi lui revenaient : « ...« ne pas retourner un corps... il peut être piégé... ce peut être un simulateur... » Léa se pencha et, de ses deux mains, retourna le cadavre. Elle poussa un cri : du ventre déchiqueté s'échappaient les intestins. L'odeur était insupportable. Ce n'était pas Nhu-Mai, mais un des jeunes garçons qui se faufilaient dans la maison pour écouter jouer la violoniste. Ses yeux grands ouverts semblaient regarder avec étonnement et reproche. Léa lui abaissa les paupières. Comme elle se redressait, elle entendit un gémissement, puis des pleurs.

– Nhu-Mai... Nhu-Mai...

Trébuchant, tournant sur elle-même, elle chercha d'où venaient les plaintes. La piste bifurquait : les geignements venaient de la droite. Les jambes molles, Léa s'arrêta et porta les mains à son cœur, tentant d'en comprimer les battements, prise d'une envie folle de s'enfuir pour ne pas voir ce qu'elle craignait de voir. Au prix d'un effort immense, elle s'arracha à la terreur qui la clouait sur place.

L'explosion avait pratiqué une sorte de clairière ; le feuillage déchiqueté y formait un tapis très vert. Sur ce tapis gisait Nhu-Mai. Une lamentation bouleversante montait de ses lèvres. Comme à regret, Léa s'avança.

– Non !...

Son hurlement dut parvenir jusqu'au village. Elle tomba à genoux. Nhu-Mai avait les deux mains arrachées.

Des garrots faits d'herbes tressées empêchaient le sang de gicler. Ses yeux grands ouverts roulaient en tous sens ; ils s'arrêtèrent sur le visage de son amie. Elle sourit comme un enfant heureux de retrouver sa mère.

– Léa !

Puis le sourire fit place à une grimace de douleur. Elle leva ses moignons dégoulinants de sang et se mit à sangloter.

– Regarde... je n'ai plus de mains... Plus jamais je ne jouerai... Mon violon... je veux mon violon !

Léa regarda autour d'elle, à la recherche de l'instrument. Jamais Nhu-Mai ne s'en séparait, quelle que fût la mission dont on la chargeait. Elle le portait accroché sur son dos. La boîte gisait non loin, à peine endommagée. Elle la posa sur la poitrine de la blessée.

– Ouvre la boîte... Montre-le-moi...

Léa obéit et sortit l'instrument de son écrin. Les deux jeunes femmes le contemplèrent en pleurant.

– Mets-le contre ma joue... J'ai mal !... Oh, Léa !... Il ne m'a jamais trahie... C'est moi, aujourd'hui, qui l'abandonne.

– Tais-toi, ne te fatigue pas. Au village, on va te soigner...

– Non ! Je ne veux pas. Sans la musique, je ne pourrai pas vivre. Ne dis rien, écoute-moi. Je ne veux pas qu'on me guérisse, je ne veux pas être infirme... Le violon était toute ma vie... plus que le Parti... Sans le violon... Tu es mon amie ?

– Oui, je t'aime... Ne parle pas, cela te fatigue.

– Léa, je t'ai soignée, je t'ai aidée comme une sœur. Promets-moi de faire ce que je vais te demander... Promets-le-moi !

– Oui, ma chérie, je te le promets.

– Tue-moi !

Léa se rejeta en arrière en poussant un cri.

– Je t'en supplie... Tu as promis !

– Pas ça !

– Pense à ce que sera ma vie... Aie pitié !

Nhu-Mai se mit à ramper, prenant appui sur ses coudes pour se rapprocher de son amie.

– Fais-le, Léa, fais-le... Tu le ferais pour un animal...

– Je ne peux pas... Je t'aime.

– Fais-le justement parce que tu m'aimes... J'ai mal, Léa,

j'ai peur... Tue-moi, prends mon fusil... Ne me laisse pas comme ça !

Elle était à genoux, ses bras sans mains tendus vers son amie.

– Prends mon fusil, prends-le... Par pitié, tue-moi !...

Comme dans un rêve, lentement, Léa se baissa, prit l'arme, releva la gâchette et appuya sur la détente. Nhu-Mai s'écroula, atteinte en pleine poitrine.

– Merci, souffla-t-elle en s'affaissant.

Les villageois qui arrivaient, guidés par le *bô dôi* blessé, la trouvèrent debout, immobile, les doigts crispés sur le fusil, le regard fixe. Figés à leur tour, silencieux, ils contemplèrent la scène. Le chef de village connaissait les liens qui unissaient les deux femmes et comprit ce qui venait de se passer. Il s'approcha de Léa et, doucement, desserra ses doigts un à un.

20.

Des jours qui suivirent la mort de Nhu-Mai, Léa ne garda aucun souvenir. Pas plus que de l'endroit où elle fut conduite et de ses retrouvailles avec Kien.

Un matin, elle ouvrit les yeux, reconnut la chambre de la jonque du métis, sentit la douceur de la soie sur son corps, discerna l'odeur de l'encens et s'étira de bien-être ; ses seins lui semblèrent lourds et tendus, elle les serra à pleines mains avec un frisson de plaisir et s'assit sur le lit. En face se tenait une très jeune fille, torse nu, un peu maigrelette, aux cheveux bouclés courts comme ceux d'un garçon. Gênée, Léa se recouvrit ; la jeune fille fit de même. L'espace d'un instant, elle fut perdue, regarda autour d'elle, puis éclata de rire en se levant. Elle voyait venir dans la psyché quelqu'un qui lui ressemblait, qui devait être elle mais ne l'était pas. La nudité de l'autre la surprit ; dans ce corps que sa maigreur rendait juvénile, elle ne retrouvait pas la splendeur de celui de la femme qu'elle se souvenait d'avoir été dans un autre temps. « Quel temps ? » se dit-elle. Elle n'avait pas de réponse.

On frappa à la porte ; avant qu'elle ait eu le temps de répondre, Kien entra. Il resta immobile sur le seuil à la contempler. Du regard, Léa chercha quelque vêtement. Il comprit et ramassa un châle de soie brodée dont il l'enveloppa. La douceur des franges qui lui frôlaient les pieds était agréable.

– Merci, dit-elle avec un joli sourire, en le dévisageant intensément.

Il lui semblait plus âgé que dans son souvenir. Son visage était toujours aussi beau, mais plus marqué. Il ne portait qu'un short blanc qui faisait ressortir une peau si bronzée qu'elle en paraissait noire. Soudain, elle eut la certitude que, cette nuit, puis la nuit d'avant, peut-être d'autres et d'autres nuits encore, il avait été son amant. La pensée lui devint soudain désagréable car, si elle savait connaître cet homme, elle ne se rappelait plus ni son nom ni quand elle l'avait connu.

Doucement, il referma la porte et s'avança. Elle recula, heurtant le lit sur lequel elle tomba tandis qu'il continuait de progresser en la regardant droit dans les yeux. Il y avait dans ce regard une autorité, un désir contre lesquels elle ne pouvait pas se défendre. Ses mains avaient lâché le châle et reposaient, paumes en l'air, de part et d'autre de son corps ; ses lèvres s'entrouvrirent, ses cuisses s'écartèrent. Sans la quitter des yeux, il défit les boutons de son short qui glissa. Nu, il était magnifique ; son sexe long et mince, collé contre son ventre, tressaillait. Il la souleva dans ses bras et la posa au milieu du lit ; sa bouche s'empara de la sienne. Ses doigts la caressaient, l'ouvraient, pinçaient les mamelons dressés. Les yeux grands ouverts, elle se laissait faire, silencieuse et cependant réceptive. Quand il s'enfonça en elle, elle frémit de la tête aux pieds et jouit sans un gémissement, seulement trahie par l'abondante sécrétion qu'il but avec avidité. Quand il se redressa, le visage luisant, elle s'était assoupie.

De la part d'une autre femme, il aurait ressenti de la colère ou de l'amusement, mais, en l'occurrence, il éprouva un sentiment de frustration : au lieu d'y voir la fatigue d'une amoureuse comblée, il se sentait rejeté par son sommeil. Il faillit la reprendre brutalement, puis se dit que, depuis plus d'un mois qu'il l'avait enlevée au Viêt-minh, il lui avait fait tant et tant de fois l'amour qu'elle avait bien droit à un peu de repos.

Il s'allongea près d'elle et, les mains sous la nuque, revit les moments précédant sa libération...

... Marchant la nuit, évitant les villages, n'y pénétrant que pour voler de quoi se nourrir, tuant parfois pour cela, descendant le fleuve dans des embarcations de fortune, Kien, Fred, Vinh et Chau étaient arrivés au village de Thâp Mieu, à une trentaine de kilomètres de Hanoi. Après s'être assurés que les Français occupaient bien le village, Kien s'était présenté au lieutenant commandant le poste qui avait appelé ses supérieurs à Hanoi après avoir entendu le récit rocambolesque de leur expédition.

– Passez-le-moi ! avait hurlé une voix dans le récepteur. Allô ! Je suis le commandant Garnier. Qu'est-ce que c'est que cette foutue histoire ? On croyait que vous étiez tous morts, surtout quand on a vu revenir le monstre qui vous accompagnait... Allô !... Que sont devenus les trois légionnaires ?... Disparus ?... Il ne reste qu'un survivant du commando Vandenberghe ?... Tavernier est mort, vous êtes sûr ?... Bon Dieu !... Pas trace de sa femme ? Les bandits, ils ont dû la tuer aussi... Putain ! Quel bordel, ça va faire un sacré tintouin... Déjà que le haut-commandement n'avait pas apprécié que trois légionnaires fassent partie de ce foutu commando... C'est bien une idée de civil que de vouloir partir à la recherche de sa femme... Et vous, qu'est-ce que vous foutiez là-dedans ?... Aider votre ami d'enfance !... Eh bien, vous vous êtes mis dans un sacré merdier... C'est quoi, votre nom, déjà ? Rivière ?... Un nom bien d'chez nous... Vous êtes parent avec le sous-lieutenant Rivière, Bernard Rivière ?... C'est votre frère !... Félicitations ; il se bat comme un lion contre ces foutus Viêts... Vous devez venir à Hanoi faire votre rapport...

Bien décidé à n'en rien faire, Kien avait quitté le lieutenant pour rejoindre ses compagnons.

– Regardez, patron, qui est là ! s'était exclamé Fred en désignant un tas de guenilles.

Du pied, le métis l'avait repoussé.

– *Giàu dây à ? Mây sông dai thât, dô sâu bo*[1] !

– L'avez-vous retrouvée ? avait demandé l'infirme.

– Non.

– Où est son mari ?... Et les autres Blancs ?

– Ils sont morts.

– Morts ! Tous ?...

– Que veux-tu, tous n'ont pas une peau aussi coriace que la tienne, avait ricané Kien en lui décochant un coup de pied qui l'avait expédié dans la poussière en direction de Fred, lequel l'avait renvoyé à Vinh qui l'avait à son tour retourné à Chau.

– C'est mieux qu'un ballon de football ! s'était écrié Fred.

Mais le monstre avait lancé un cri. Aussitôt, une nuée de mendiants s'était abattue sur les quatre hommes. Sans doute eussent-ils passé un très mauvais moment si des soldats africains n'étaient intervenus, dispersant les miséreux à coups de crosse.

Une nouvelle blessure ensanglantait la face de Giau qui s'était traîné, telle une bête blessée, à l'ombre d'un flamboyant. Kien s'était approché de lui.

– On voulait plaisanter...

– Un jour, c'est moi qui te tuerai, avait répondu calmement l'infirme.

Pour la première fois de sa vie, Kien avait éprouvé un sentiment de crainte et pressenti que cet avorton était le seul ennemi qu'il avait à redouter, tant la haine qui émanait de ses yeux glauques était tangible. « Je le tuerai avant », s'était-il dit.

1. Giau ? Mais tu es increvable, vermine !

Mais, la nuit suivante, une nouvelle lui avait fait oublier complètement le monstre.

Des soldats viêt-minh avaient été faits prisonniers et venaient d'être amenés dans le poste pour être questionnés. Ils étaient six ou sept ; trois furent sauvagement torturés, mais ne dirent rien. On les jeta en piteux état dans la cabane de bambou où se trouvaient leurs compagnons. Sans doute fatigués, leurs tortionnaires avaient remis au lendemain leur interrogatoire. Pendant un long moment, on n'entendit dans la cabane que des gémissements et les pleurs d'un des hommes. À la nuit tombante, le lieutenant leur fit apporter de l'eau et du riz. Deux sentinelles montaient la garde. Kien se faufila derrière le cachot quand il sut que ces *bô dôi* venaient de la région des camps. Il pensait que si Léa était toujours en vie, elle devait se trouver dans l'un de ces camps. Il colla ses lèvres devant une fente du mur de bambou.

– *Ai chi huy*[1] ? chuchota-t-il.

Il y eut un silence qui lui sembla très long.

– *Tôi,* dit une voix faible.

– *Tôi có thê giúp các anh trôn thoát nêu anh tra lòi hai câu hoi*[2].

Personne n'émit le moindre son.

– *Các anh se không chiu nôi su tra tân... chúng se giêt các anh !*

– *Anh là ai ?... Môt tên phan bôi duói quyên chúng à ?*

– *Không. Dê chúng to thuc tâm, anh hay lây luoi dao nây*[3].

Kien glissa un fin poignard par l'interstice devant lequel il parlait. Une main s'en saisit.

1. Qui commande ?
2. – Moi.
– Je peux vous aider à vous évader si vous répondez à deux questions.
3. – Vous ne résisterez pas à la torture... ils vous tueront !
– Qui es-tu ?... Un traître à leur solde ?
– Non. Pour vous prouver ma bonne foi, prenez cette lame.

– *Anh muôn biêt gì ?*

– *Anh có nghe nói dên môt ngùoi dàn bà da tráng bi giu o Cao-Nguyên không ?*

– *Anh muôn gí bà ta*[1] *?*

Elle était donc vivante !

– *Bà ây o dâu ?... Tôi có thê cung câp vu khí và cho các anh trôn thoát ngay...*

– *Ai chúng minh anh không nói dôi ?*

– *Doi dây và hay nhìn qua song cua*[2].

Tel un félin, il fit sans bruit le tour du cachot, bondit sur la sentinelle la plus proche qu'il entraîna derrière le mur et lui trancha la gorge.

– Marcel, qu'est-ce que tu fous ? Ah, tu pisses... Voilà une excellente idée, j'vais en faire autant, lança la seconde sentinelle en posant son arme contre la paroi de bambou.

– Ahah !

Son cri s'étouffa dans un gargouillis sinistre.

L'espace d'un instant, Kien, aux aguets, resta immobile, puis il revint derrière la prison.

– *Anh thây chua ? Bây giò, nói tôi biêt bà ây o dâu.*

– *Có thê không phai nguòi anh tìm... Nguòi ta có thây môt nguòi dàn bà da tráng trong làng Na Hon, o vùng Bác Can*[3].

Une dizaine de minutes plus tard, les corps des deux sentinelles étaient retrouvés, les prisonniers extraits de leur

1. Que veux-tu savoir ?

– Avez-vous entendu parler d'une femme blanche retenue en Haute-Région ?

– Que lui veux-tu ?

2. – Où est-elle ?... Je peux vous procurer des armes et vous faire évader sur-le-champ...

– Qui nous prouve que tu ne nous mens pas ?

– Attendez et regardez à travers les barreaux de la porte.

3. – Vous avez vu ? Maintenant, dites-moi où elle est.

– C'est peut-être pas celle que tu cherches... On a vu une femme blanche dans le village de Na Hon, dans la région de Bàc Can.

cellule et torturés. Au matin, n'ayant rien compris de ce qu'ils racontaient, malgré les traducteurs, on les fusilla. Pendant ce temps, Kien et ses compagnons étaient censés partir en Jeep pour Hanoi. Ce n'est que plusieurs jours plus tard qu'on découvrit dans une rizière le cadavre du chauffeur, égorgé comme l'avaient été les sentinelles.

Les Français n'occupaient plus qu'une quarantaine de kilomètres au nord, à l'est et à l'ouest de Hanoi, avec une échappée sur Haiphong et une bande de terre jusqu'à la frontière chinoise. Le reste du Tonkin – mis à part la région de Laï Châu, celle du camp retranché entourant la piste d'aviation de Na Sam, et celle de Lang Son, récemment réoccupée par les parachutistes – et les deux tiers de l'Annam étaient aux mains du Viêt-minh, de même que le sud de la Cochinchine.

Après s'être assuré que la jonque du pirate et ses sampans espions seraient prêts à prendre la mer dès que l'ordre leur en serait donné, Kien décida que Fred rejoindrait Hanoi, puis Saigon par ses propres moyens. Il regrettait l'absence de Fred, mais la présence d'un Blanc eût été dangereuse et aurait compromis l'expédition.

À Thaï Nguyen, ils furent fêtés par de jeunes *bô dôi* à qui ils racontèrent comment ils avaient volé la Jeep aux Français. On les accueillit comme de véritables héros. On alla même jusqu'à leur donner de l'essence pour qu'ils puissent poursuivre leur mission : informer les camarades de Bàc Can des préparatifs ennemis en vue d'une attaque de parachutistes...

Il faisait un temps magnifique, chaud le jour, frais la nuit. La route n'avait jamais été aussi bien entretenue depuis sa construction par des ingénieurs français. À plusieurs reprises, ils avaient croisé des convois de femmes portant dans les paniers de leur balancier des pierres destinées à combler les nids-de-poule. Elles répondaient en riant aux plaisanteries de

Vinh et de Chau. À Cho Moi, c'était jour de marché. Femmes, enfants, vieillards et animaux traversaient devant le véhicule avec cette nonchalance propre aux Asiatiques. De son côté, Vinh conduisait comme si la voie eût été dégagée.

– Ralentis, lui dit Kien. Ce n'est pas le moment d'avoir un accident !

Ils firent halte pour avaler un bol de soupe, puis repartirent sans que personne ne leur prêtât attention. Ils continuèrent le long du Sôn Câu, traversèrent une vallée bordée de falaises escarpées et couverte d'une végétation exubérante. Des singes graciles faisaient des cabrioles de branche en branche en poussant des cris aigus. Par endroits, les falaises s'écartaient, laissant place aux rizières.

À Bàc Can, ancienne principauté thaï, ils furent arrêtés et leur véhicule réquisitionné. Moyennant un joli paquet de piastres, le commissaire politique de la ville les laissa aller en se gardant bien de leur restituer la Jeep. Ils passèrent la nuit dans une auberge tenue par un Cantonnais.

À l'aube, munis de provisions, ils partirent à pied en direction de Cho Dôn. Là, ils ne seraient qu'à quelques kilomètres de Na Hon et sauraient bien glaner des renseignements sur la Blanche détenue par le Viêt-minh. Avant son départ, Fred avait objecté que bien des Blanches avaient été enlevées par les Viêts depuis 1946, et que la plupart n'avaient jamais été retrouvées ; certaines, capturées très jeunes, avaient épousé des Vietnamiens et n'avaient jamais manifesté le désir de rejoindre leur patrie d'origine. Mais Kien avait rétorqué :

– Je sais que Léa est là-bas.

Fred avait haussé les épaules. Il avait bien raison de se méfier des femmes : elles étaient capables de vous transformer un homme, un vrai, en lavette !

Jusqu'à Cho Dôn, la route, bien que défoncée de loin en loin, fut praticable. Ensuite, ce fut un chemin qui disparaissait souvent, noyé par la végétation. Tout au but qu'il s'était assigné, Kien ne voyait rien des beautés du paysage, des hauteurs calcaires couronnées de verdure, du ciel bleu se mirant dans les rizières en étages, des arbres aux fleurs éclatantes, des singes ou des oiseaux qui s'enfuyaient à leur approche.

La nuit les surprit à trois ou quatre kilomètres de Na Hon. Après un frugal repas et quelques instants de repos, ils décidèrent de continuer.

Sur un ordre de Kien, ils se mirent nus, s'enduisirent de graisse à canon et se barbouillèrent de terre ; ainsi, ils étaient à la fois insaisissables et effrayants.

Les portes du village étaient fermées et n'étaient pas gardées. Kien commanda à Vinh de faire le tour de la muraille de bambou et de s'assurer d'éventuelles issues. Vinh revint vite : il avait découvert une ouverture petite mais assez large pour un homme, dissimulée par un bouchon de paille.

Un chien aboya, puis un autre. Les trois hommes s'immobilisèrent.

– *Hay cú di vòng khâp ca làng*[1], chuchota Kien à Vinh.

Il obéit et partit en courant sans bruit sur ses pieds nus. Sur un geste, Chau se faufila par l'ouverture et s'avança à l'intérieur ; tout paraissait tranquille. De temps à autre filtrait une lueur à travers une cloison, on entendait une toux, un ronflement, le vagissement d'un nouveau-né, le grognement d'un cochon, le rire d'une femme, le cri d'un oiseau de nuit. Chau revint sur ses pas. Brusquement, il se jeta derrière le pilier d'une maison : un homme armé d'un fusil se tenait accroupi devant une construction basse qu'il n'avait pas remarquée. Impossible de passer sans être vu par l'homme. La chance le servit : une voix de femme appela. Le factionnaire regarda autour de lui et, rassuré, partit en direction de la voix. En quelques pas, Chau fut devant la petite hutte. Les parois de paille de riz tressée ne laissaient rien apercevoir ; cependant, quelqu'un se trouvait là, à en juger par les bruis-

1. Fais quand même le tour complet du village.

sements qu'on entendait, pareils à ceux d'un corps se retournant sur une natte. Chau repassa par l'ouverture.

– *Tôi nghi da tìm thây gì rôi*[1], chuchota-t-il à Kien.

Un craquement les alerta. Ils s'appuyèrent contre le rempart, cherchant à se confondre avec lui, poignard entre les dents. Vinh revenait vers eux.

– *Tôi không ghi nhân lôi nào khác.*

– *Tôt, hay o lai dây, chúng tôi se vào*[2].

Dans l'enceinte de Na Hon, tout était assoupi. La sentinelle n'était pas revenue à son poste. Ils s'approchèrent de la porte de la hutte ; un cadenas rudimentaire la fermait. Ce fut pour Chau un jeu d'enfant de le faire sauter. La porte s'ouvrit avec un grincement qui les riva au sol. Rien ne bougea. Kien entra ; l'obscurité était totale. Il régnait dans l'étroit local une forte odeur d'herbes et d'excréments. On remua sur sa droite ; il bondit au jugé. Une forme féminine tressaillit sous lui, puis tenta de se dégager.

– Léa ?... N'aie pas peur, c'est moi, Kien.

Le corps s'était raidi, puis avait frémi de tout son long, tandis qu'un gémissement s'échappait de la bouche de la femme.

– Tais-toi, ne crie pas... C'est Kien, parle tout bas.

Dans le noir, une petite main chercha le visage du métis.

– Kien ? murmura-t-elle.

– Viens, nous allons te sortir d'ici.

Elle se traîna derrière lui, mais, au dehors, fut incapable de se relever. Les ténèbres ne permettaient pas de distinguer ses traits. Kien la souleva – comme elle était légère ! – courut vers la brèche en la serrant contre lui. Chau referma la porte et le suivit.

Toujours courant, ils traversèrent le chemin entourant le

1. Je crois que j'ai trouvé quelque chose.

2. – Je n'ai pas remarqué d'autre passage.
– Bien. Reste là, nous allons entrer.

village et se jetèrent dans un bois. Vinh les rejoignit avec les vêtements et les armes.

– *Dua bât lua cua tôi dây*[1], ordonna-t-il.

La brève lueur de la flamme, qui leur parut à tous aussi vive que la lumière d'un projecteur, permit à Kien de reconnaître celle pour laquelle, depuis des semaines, il trahissait et tuait. Il lui tendit une poignée de riz gluant sur laquelle elle se jeta.

– Encore !

– Non, ça risque de te faire du mal. Bois un peu de thé.

Elle but une gorgée à la gourde, puis se mit à vomir. Il lui essuya les lèvres avec douceur.

– Bois maintenant, ça va aller mieux.

Le but de Kien était de rejoindre Ha Coi ou Mông Cai, au nord de la baie de Ha Long, là où devait se trouver sa flottille. Pour cela, le plus simple était de repasser par Bàc Can, d'essayer d'éviter Lang Son, aux mains des parachutistes, et de gagner la côte en fuyant à la fois les Viêts et les Français.

Ils confectionnèrent une sorte de brancard pour porter Léa et parvinrent aux premières lueurs de l'aube dans les bois entourant Bàc Can. Vinh fut chargé d'aller au ravitaillement. Vers midi, il revint avec une large écuelle de soupe à la viande, un bidon de thé et des fruits. Kien fit manger à Léa un peu de riz et de soupe. Puis il attendit deux heures pour lui en donner de nouveau. À la nuit, elle pouvait se tenir assise, mais n'était pas encore en état de marcher. Ils contournèrent Bàc Can et empruntèrent la piste conduisant à Phô Binh Gia. Kien se souvenait qu'une de leurs nourrices, d'origine chinoise, y avait habité. Il avait huit ou neuf ans quand elle était retournée chez elle sur l'ordre de son père. À deux

1. Passe-moi mon briquet.

reprises, avec ses parents, il était venu lui rendre visite. À chaque fois, la jeune femme l'avait accueilli comme son fils. Si elle vivait toujours, reconnaîtrait-elle en lui le garçonnet de douze ans qu'elle avait vu lors de son dernier passage ? Elle s'appelait Xia-jing.

Ils mirent trois nuits pour atteindre Phô Binh Gia. Le village avait beaucoup souffert de la guerre. Kien confia Léa à ses compagnons et entra dans le bourg. Dans la rue principale, des commerçants présentaient leurs pauvres marchandises devant des maisons éventrées ; des « restaurants » s'étaient établis près de la mare où les cuisinières puisaient l'eau pour cuire les aliments. Kien s'accroupit devant l'une d'elles, une vieille aux dents laquées qui semblait régenter les « cuisines ». La vieille poussa quelques brindilles sous un trépied où reposait un plat rond en aluminium. Des lamelles de viande y grésillaient ; elle ajouta des herbes, des rondelles d'oignon qu'elle mélangea d'une main experte avec des baguettes, puis elle versa de l'eau sur le tout. Le fumet qui s'en dégageait fit saliver Kien.

– *Có ve ngon dây. Cho tôi môt phân, vói môt tô com*[1].

La femme le regarda en plissant les yeux. Elle puisa le potage à l'aide d'une louche en bois et le versa dans un bol ébréché, ajouta quelques gouttes de nuoc-mâm et une pincée de tiges d'oignon vert finement hachées. Elle posa le tout sur la planche qui servait de comptoir. Tout en continuant ses préparatifs culinaires, elle jetait de fréquents coups d'œil en direction de Kien. Elle s'enhardit quand il lui tendit son bol pour être resservi.

– *Anh không phai o vùng này*[2] ? dit-elle en le lui rendant plein.

– *Cung phai mà cung không ; tôi có dên dây khi còn bé*[3].

1. Ça a l'air bon. J'en voudrais une part, avec un bol de riz.
2. Tu n'es pas d'ici ?
3. Oui et non ; je venais ici quand j'étais enfant.

Il continua à se restaurer.

– *Canh cua bà ngon dây. Da lâu tôi không duoc an món ngon nhu thê... Còn bà, bà là nguòi vùng này ?*

– *Tôi duoc sanh de o dây, cung nhu bô me tôi.*

– *Tôi tìm môt bà tên là Xia-jing. Bà có biêt bà ta không*[1] *?*

Les rides du front de la vieille semblèrent se rapprocher.

– *Bà ây có làm vú em o Hà-Nôi không ?*

– *Có.*

– *Bà vân còn sông. Chông con bà da bi giêt chêt. Tù dó bà không còn duoc tinh.*

– *Bà ta o dâu ?*

– *Khi dây, khi dó... Thinh thoang bà dên an xin môt tô canh. Anh cho tôi biêt tên. Nêú có gap bà, tôi se nói có anh tìm. Anh hay tro lai chiêu nay hay ngày mai*[2].

Kien donna son nom, paya en ajoutant un généreux pourboire. Il acheta de la nourriture pour ses compagnons, des vêtements, des chaussures et un chapeau en feuille de latanier pour Léa.

La jeune femme pouvait maintenant faire quelques pas et ses joues avaient perdu leur teinte cireuse. Kien lui parlait doucement, comme à une enfant. Elle souriait, l'esprit visiblement ailleurs, la mémoire gommée. Le cœur du métis se

1. – Fameuse, ta soupe. Ça fait longtemps que je n'en ai pas mangé de pareille... Et toi, tu es d'ici ?
– J'y suis née, comme mon père et ma mère.
– Je cherche une femme du nom de Xia-jing. Peut-être la connais-tu ?

2. – A-t-elle été nourrice à Hanoi ?
– Oui.
– Elle est toujours vivante. Son mari et ses enfants ont été tués. Depuis, elle n'a plus toute sa tête.
– Où demeure-t-elle ?
– Ici ou là... Elle vient de temps à autre mendier un bol de soupe. Donne-moi ton nom. Si je la vois, je lui dirai que tu la cherches. Reviens ici ce soir ou demain.

serrait chaque fois qu'il la regardait. Fermant les poings, il se jurait de la guérir.

Il faisait nuit quand il revint à Phô Binh Gia. Les lampes à alcool, posées à terre ou accrochées dans les arbres jetaient des lueurs tremblotantes. L'animation était plus grande qu'en fin de matinée. Kien remarqua quelques *bô dôi* qui paradaient devant les jeunes filles. Il abaissa son chapeau pointu et courba les épaules dans l'espoir de réduire sa haute taille. Il retrouva la cuisinière, s'assit devant elle et commanda à dîner. Elle lui servit du porc séché cuit avec des pousses de bambou, des tubercules de scirpe, du céleri, des feuilles de laitue coupées en lamelles, parfumé d'ail et revenu dans l'huile. C'était un délice à la fois sucré et salé. Il en redemanda. La vieille le resservit avec un sourire satisfait, puis elle tira de son corsage une pipe de terre dont elle pressa le tabac d'un doigt expert, et fuma en le regardant mastiquer.

– *Xia-Jing không có dên hôm nay. Anh hay tro lai ngày mai, bà ây se có mat*[1].

Kien cacha sa déception et dit qu'il reviendrait le lendemain, non pour Xia-jing, mais pour elle, à cause de sa cuisine.

Elle ne manifesta aucun étonnement quand il lui acheta trois portions de porc séché et de riz qu'elle enveloppa dans de larges feuilles de lotus.

Il dut faire un détour pour éviter un groupe de *bô dôi* qui barrait la route.

Le jour suivant, le cordon-bleu était à sa place habituelle. À ses côtés, une autre vieille préparait les légumes. Quand la marchande de soupe aperçut le jeune homme, elle se pencha vers sa compagne et lui chuchota quelque chose à l'oreille. La

1. Xia-jing n'est pas venue aujourd'hui. Viens demain, elle sera là.

nouvelle venue suspendit son geste et leva les yeux en direction de Kien. Un cri guttural sortit de son maigre corps.

– *Con*[1] *!*

Un goût amer envahit la bouche de Kien : non, ce pauvre être rabougri ne pouvait être son *assam*... et cependant ! La forme du visage ridé, le sourire qui révélait des brèches dans la denture, ce regard tendre... Elle s'était levée péniblement et venait vers lui à petits pas pressés.

– *Con*[2], redit-elle.

– Xia-jing !

Elle glissa à ses pieds et lui enlaça les jambes en bredouillant des mots incohérents. On commençait à s'attrouper autour d'eux en émettant divers commentaires ; cela pouvait devenir dangereux. Kien la releva et la tira à l'écart. À regret, chacun retourna à ses occupations.

– *Chúng ta vê nhà u di.*

– *U không còn nhà nua ; bon Viêt-minh da dôt tiêu nhà u rôi.*

– *Tai sao ?*

– *Vì u da làm viêc cho Tây*[3].

Devant son air déçu, elle ajouta :

– *Nhung u dang o môt noi rât yên tinh mà không ai dên : môt ngôi dên rât cô mà ho cho là bi trù êm. Nào theo u*[4].

Malgré sa frêle apparence, elle trottinait vite, appuyée sur son bâton. Par deux fois, elle s'arrêta pour reprendre souffle, puis repartit de plus belle. Xia-jing pénétra dans une sorte d'enclos gardé par ce qui avait dû être autrefois des dragons. Une végétation exubérante exhalait des senteurs fortes, à la

1. Mon enfant !
2. Mon enfant.
3. – Allons chez toi.
– Je n'ai plus de chez moi ; le Viêt-minh a brûlé ma maison.
– Pourquoi ?
– Parce que j'avais servi chez les Français.
4. Mais j'habite un endroit très tranquille où personne ne vient : un très ancien temple qu'ils disent maudit. Viens, suis-moi.

fois sucrées et opiacées. Les respirant, on pouvait croire qu'on inhalait quelque poison mortel. Un enchevêtrement de lianes, de tiges, d'épineux, de bambous, de fleurs et de ruines arrêtait les plus téméraires ; un courant d'air glacial enveloppait ceux qui osaient s'aventurer par là. C'était incontestablement le signe de la présence d'un mauvais génie.

Ils pénétrèrent dans le fouillis végétal par un étroit passage et, au bout d'une vingtaine de mètres, débouchèrent sur une cour encombrée de stalles, de tortues de pierre et de statues brisées, d'escaliers effondrés, de piliers de bois pourri, de tuiles. Dans un bassin aux eaux croupies s'épanouissaient des fleurs de lotus aux teintes délicates. Cette beauté rendait plus pénibles la vue du désastre et l'impression de malaise qui se dégageaient de ces murs écroulés, de ces toits crevés, de ces salles abandonnées. Que s'était-il passé de si terrible, dans ce lieu sacré, pour que la population s'en soit écartée ? Il posa la question à Xia-jing ; elle répondit qu'elle ne savait pas. Ils traversèrent des pièces dévastées où la nature reprenait ses droits. Au bout de l'enfilade, la nourrice poussa une porte sur laquelle était sculpté un serpent avalant une grenouille. Elle avait rassemblé là tout ce qui lui restait d'une vie de labeur. L'ensemble était misérable mais propre. Près de la natte soigneusement roulée, il y avait une caisse recouverte d'un bout de soie brodée, et, accrochée au mur, une étagère sur laquelle étaient posées trois statuettes et des photos devant lesquelles fumaient quelques bâtonnets d'encens ; c'était l'autel des ancêtres. Kien s'en approcha et fit les *lai* rituels, ému de reconnaître des portraits de son grand-père et de ses parents mêlés à ceux de la famille de Xia-jing. Cependant, une photographie n'avait rien à faire là : c'était celle représentant les trois enfants Rivière entourés par leurs *assam*.

– *Con chua chêt mà*[1] *!* dit-il en l'embrassant.

Elle gloussa comme une jouvencelle à son premier baiser.

1. Je ne suis pas encore mort !

Doucement, il lui expliqua ce qu'il attendait d'elle. Souriant de sa bouche édentée, elle hochait la tête tout en l'écoutant.

À la tombée de la nuit, Kien et ses compagnons s'étaient transportés dans le temple maudit. Chau portait les nattes qu'il avait achetées au village.

– *Vo con dây à ?* avait demandé Xia-jing à Kien en apercevant Léa.

– *Vâng*[1], avait-il répondu.

Léa n'avait rien manifesté et avait accepté en souriant le thé de bienvenue qu'on lui offrait.

Vinh était parti en éclaireur et avait réapparu le surlendemain. La piste était en mauvais état, mais peu fréquentée, et de nombreuses grottes permettaient de se cacher. Il fallait absolument éviter Lang Son, en passant par Than Moi. Une fois là-bas, on devait encore trouver le meilleur chemin pour se rendre à Tiên Yên.

– *U có chi và anh o Tiên Yên. Dê u cùng di, u se dân duòng. Ngùoi ta se không dê ý dên môt mu già.*

– *Chúng ta không thê dua bà ây theo, se làm chúng ta bi châm trê. Vói bà kia da là*[2]... avait objecté Vinh en désignant Léa.

Il n'avait pas eu le temps de finir sa phrase que Kien l'avait empoigné à la gorge.

1. C'est ta femme ?
– Oui.

2. J'ai une sœur et un frère à Tiên Yên. Laissez-moi venir avec vous, je vous guiderai. On ne se méfie pas d'une vieille femme.
– On ne peut pas l'emmener avec nous, ça nous retarderait. Déjà, avec elle...

– *Anh còn nói dến vo tôi nhu thê, tôi giêt anh !*

– *Dê mac hán. Nhín bê ngoài, hán không thê biêt duoc u khoe manh và dung cam, cung nhu không biêt vo con da khoe hon nhiêù*[1].

Il avait repoussé Vinh qui se frottait le cou.

– Excusez-moi, patron.

– Ça va, ça va !

Il s'était approché de Léa qui regardait des petites grenouilles sautiller d'une feuille de lotus à l'autre.

– Te sens-tu assez en forme pour marcher longtemps ?

Elle avait souri et acquiescé de la tête.

Cette nuit-là, il lui avait fait l'amour.

1. Si tu parles encore de ma femme de cette façon, je te tue !
– Laisse-le. Il ne peut savoir que je suis forte et vaillante, malgré les apparences, ni que ta femme va beaucoup mieux.

21.

Des coups violents furent frappés à la porte de la chambre sordide. Tavernier et Maréchal se redressèrent, pistolet au poing.

– Ne tirez pas les gars ! C'est moi, Valère... Venez vite, il y a du nouveau.

Les deux hommes chaussèrent leurs Pataugas fatigués, rassemblèrent leurs sacs et leurs armes, et suivirent l'Alsacien. L'aube se levait, il faisait froid ; le vent s'engouffrait par les ruelles fangeuses. Dans le café, des marchands chinois, des paysans thaï, des montagnards man lapaient de la soupe ou buvaient du thé. Valère les entraîna à l'écart et fit signe à une servante qui revint presque aussitôt, chargée d'un lourd plateau.

– Mangez, il faut prendre des forces, dit-il en aspirant bruyamment son thé brûlant.

– Tout à l'heure, tu nous a gueulé qu'il y avait du nouveau ; que voulais-tu dire par là ? interrogea Maréchal.

– Attendez, voici votre copain ; ça m'évitera de répéter. Alors, t'as bien dormi ? fit-il à l'adresse de Thévenet qui venait les rejoindre.

– J'ai pas fermé l'œil... Quelle santé, ta bonne femme !

Valère haussa les épaules.

– C'est une forte nature... Maintenant, les gars, ouvrez vos oreilles : hier, trois mille parachutistes ont sauté dans la vallée de Diên Biên Phu.

– Où c'est, ça ? s'enquit Thévenet en bâillant.

– Au sud de Laï Châu. L'opération s'est déroulée sous les ordres du général Gilles.

– Le Borgne ? s'exclama Thévenet. Je l'ai connu à Na San. Je l'croyais rentré en France. Ça veut dire quoi, tout ce cirque ?

– À mon avis, ils vont évacuer Laï Châu et concentrer leurs forces sur Diên Biên Phu pour barrer la route de Luang Prabang.

– Pas plus tard qu'hier, tu nous disais qu'ils voulaient conserver Laï Châu et le pays thaï, remarqua Maréchal.

– Ils auront changé d'avis, fit laconiquement le rouquin.

– Nous pas, répliqua Tavernier. Mais toi, es-tu encore partant ?

– Ça va pas être de la tarte, d'arriver jusque-là... Si vous êtes toujours d'accord, j'en suis, et pas seulement pour le diamant : j'ai besoin de changer d'air... J'm'encroûte, ici. On est quel jour, aujourd'hui ?

– J'sais plus... 20, 21 novembre... C'est ça, hier, on était le 20 novembre 1953... Putain, c'était mon anniversaire ! s'écria Thévenet.

– Bon anniversaire, camarade ! On arrosera ça dès qu'on sera à Laï Châu, dit François en lui tendant la main.

– Joyeux anniversaire ! lancèrent d'une même voix les deux autres.

Ils firent leurs adieux à Gégé et la remercièrent de leur avoir procuré des vêtements chauds, des vivres – et, pour Thévenet, des provisions d'amour. Dehors tombait un petit crachin glacial. Armes et grenades fournies par l'Alsacien, dissimulées sous la couverture qui les protégeait de la pluie, ils contournèrent le poste de *bô dôi* installé à la sortie de Lao Cai et marchèrent le long du fleuve Rouge pour atteindre le lieu d'embarquement, à quelques kilomètres en amont, où ils attendraient la nuit. Grâce à Paul – c'était le nom chrétien du *boy* thaï de Valère –, ils naviguèrent jusqu'à Ba Xa, sur la rive opposée. De l'autre côté du fleuve s'étendait la Chine.

Quarante-huit heures plus tard, ils attaquèrent la montagne, grelottant la nuit et transpirant le jour, cachés dans les hautes herbes. Ils faillirent être surpris par une patrouille viêt puissamment armée et descendant sur Phong Thô. Des murs de broussailles enchevêtrées d'épineux ralentissaient leur progression ; au bout d'une semaine, ils n'avaient parcouru qu'une quarantaine de kilomètres.

– À ce train-là, quand nous arriverons à Laï Châu, la garnison aura été évacuée et les Viêts occuperont la place, dit Valère. faut-il que je sois con pour m'être foutu dans ce merdier !

– Arrête de geindre comme une vieille femme ! s'exclama Thévenet.

– De quoi tu m'as traité, fils de pute ?... J'vais t'casser la gueule...

Tavernier s'interposa.

– Arrêtez ! Vous croyez que c'est le moment de vous chamailler alors que les Viêts sont partout ?

– T'as raison, fit Valère. Mais s'il recommence à me comparer à une femelle, j'le tue. Compris, enculé ?

– Ça va, ça va. T'as tort de prendre la mouche... C'était juste une façon de parler.

– C'est pas des façons, entre hommes.

– Nous sommes tous crevés, dit Roger Maréchal. Essayez de dormir, je prends le premier tour de garde.

La nuit se passa sans encombres. Ils se réveillèrent transis, enveloppés de bruine. Après avoir bu un peu de thé froid et grignoté un morceau de viande séchée, ils repartirent par un sentier qui, d'après Paul, conduisait à Sinh Hô. De là, ils suivirent une piste le long des crêtes, avançant péniblement à travers le *tran*, l'herbe à éléphant dont les tiges coupantes et poussiéreuses atteignaient parfois deux mètres. Leur seul avantage était de les dissimuler, tout comme elles pouvaient dissimuler l'ennemi.

Ce n'est pas l'ennemi qu'ils rencontrèrent, mais une compagnie de supplétifs thaï commandée par un jeune sous-officier français. N'eût été la surprise éprouvée de part et d'autre, qui les paralysa un bref instant, les deux groupes se seraient entre-tués. Mais le sergent, remarquant quatre hommes de race blanche, s'interposa.

– Halte !... Vous êtes français ?... Déserteurs ?...

– Français, oui. Déserteurs, non ! répondit Tavernier. Voici le lieutenant Thévenet et l'adjudant Maréchal, tous deux détachés de la Légion et en mission spéciale. Monsieur Valère... c'est votre nom ?

– Mon nom est Meyer. Valère Meyer.

– Notre guide, Paul.

– Et vous ?

– François Tavernier, chargé de mission par le haut-commandement.

– Vous avez des preuves de ça ?

– Mon jeune ami, dans ces régions, il vaut mieux avoir sur soi le moins de preuves possible.

Le jeune homme rougit sous sa barbe. Pour se donner une contenance, il haussa le ton :

– Où alliez-vous ?

– Nous essayons de rejoindre Laï Châu et de faire notre rapport aux autorités militaires, dit Tavernier.

– Nous aussi, nous essayons... Mais les Viêts sont partout et j'ai déjà perdu onze hommes.

– Sommes-nous loin de Laï Châu ? questionna Maréchal.

– Non, une vingtaine de kilomètres. Mais, ici, ça ne veut rien dire. Après une hésitation, il ajouta : Je suis obligé de vous demander de venir avec nous, mon lieutenant.

– Ne t'inquiète pas, petit, on prend tout sur nous, répondit Thévenet.

Ensemble, ils reprirent leur progression dans la poussière

jaune de l'herbe à éléphant qui leur piquait les yeux et leur desséchait les poumons. En cinq heures d'une marche harassante, ils ne parcoururent que quatre kilomètres.

– Halte ! murmura le jeune sergent.

– À cette allure, on n'est pas rendus à Laï Châu, observa Thévenet en se laissant tomber sur le sol, imité par tous.

Épuisés, les hommes n'avaient même pas faim ; soif, oui, mais les gourdes étaient vides.

– Et cette saloperie de radio qui ne marche pas ! dit le sergent en tapant sur la mallette.

Soudain, une bande hurlante de Viêts surgit d'entre les herbes et ouvrit le feu. Cinq supplétifs tombèrent. Roulant sur lui-même, Thévenet décrocha une de ses grenades, la dégoupilla et la lança sur les assaillants, pratiquant une brèche dans leurs rangs. Tavernier et Maréchal l'élargirent au fusil-mitrailleur. Quant au colosse alsacien, il fit mouche à chaque tir de son pistolet.

Les *bô dôi* se regroupèrent et foncèrent. Une rafale faucha les premiers, tandis que les autres engageaient le corps à corps, armés de poignards ou de machettes. Valère réussit à se dissimuler dans les herbes et, contournant les combattants, abattit à bout portant quatre Viêts avant d'être à son tour mortellement blessé d'un coup de poignard.

Une vingtaine de minutes plus tard, le sergent, blessé à l'épaule, dénombra vingt-cinq tués de part et d'autre. Parmi eux, Meyer, l'amateur de cigares, le collectionneur d'antiquités, qui voulait « changer d'air », et Paul, son *boy*.

– J'commençais à m'habituer à lui, fit Thévenet en guise d'oraison funèbre.

François lui ferma les yeux et posa son chapeau sur son visage. C'était tout ce qu'il pouvait faire. Maréchal emporta son sac et ses armes.

Au matin du 7 décembre 1953, il y eut dans le ciel un ballet aérien qui mit du baume au cœur du sergent, de ses

Thaï survivants et de Maréchal. Thévenet et Tavernier se montrèrent plus réservés ; ils avaient gardé en mémoire les paroles de Meyer évoquant l'évacuation de Laï Chaû. On aurait dit qu'elle avait commencé... Des avions atterrissaient tandis que d'autres décollaient. Au nord et à l'est, des *Dakota* parachutaient des vivres et du matériel. Cela dura deux jours pendant lesquels ils tentèrent de gagner la ville. On aurait dit que la nature entière se mobilisait pour les empêcher d'avancer. Outre la végétation sur laquelle ils s'acharnaient, mains et bras en sang, ils devaient, par endroits, contourner de profondes crevasses, escalader, descendre, glisser, le visage déformé par les piqûres de moustiques, redoutant à la fois les Viêts et les bêtes féroces.

Puis tout redevint calme. Un grand silence s'abattit sur la région. Pas pour longtemps.

– Les salauds ! Ils nous ont abandonnés, dit le sergent, les larmes aux yeux.

– Y a des caisses qui sont tombées pas loin d'ici. Allons voir si y a d'quoi bouffer là-d'dans, s'écria Thévenet.

Le contenu de deux caisses s'était éparpillé. Les supplétifs ramassèrent en riant des boîtes de conserve, des cigarettes, des bidons d'eau et de bière, des rations de survie, des couvertures, deux coffrets de pharmacie et même des gâteaux secs. Ce soir-là, face au soleil rougeoyant qui se couchait derrière les montagnes dominant Laï Châu, tous, malgré leur angoisse, firent bombance.

Le lendemain, ils furent réveillés par le crachotement de la radio :

– Allô ? ici Hirondelle... à vous, parlez ! hurla le sergent.

Rien ne répondit. Puis, brusquement, une voix sortit de l'appareil :

– Alerte à toutes les compagnies, alerte à toutes les compagnies : rejoignez la base de Diên Biên Phu.

– Diên Biên Phu ? C'est un endroit qui devient à la mode, on dirait ! fit Thévenet.

Après examen des cartes, il fut décidé de ne pas tenter d'entrer dans Laï Châu, où les Viêts n'allaient plus tarder à arriver, si ce n'était déjà fait, mais de descendre sur Mu'ong Tong et, de là, de suivre la piste Pavie[1] en direction de Diên Biên Phu.

Longtemps après, François devait se demander comment ils avaient fait pour atteindre le petit hameau thaï qui deviendrait célèbre sous le nom de Gabrielle.

La journée s'annonçait torride quand ils pénétrèrent dans la vallée de Diên Biên Phu, encadrée ici de collines doucement arrondies, là de calcaires déchiquetés émergeant de forêts qui abritaient des tigres. De part et d'autre de la piste Pavie, des vergers d'orangers et de citronniers, dominés par d'amples manguiers, étaient agités par une brise légère. Quelques paillotes sur pilotis formaient un hameau. Des femmes et des enfants les regardaient passer, serrés les uns contre les autres. Des vieilles fumaient. De vilains chiens jaunes les poursuivirent en aboyant, des porcs noirs pataugeaient dans leur bauge, des poules s'enfuirent et de petits chevaux secouèrent leur crinière.

« La vallée heureuse... », pensa Maréchal.

Ce charme bucolique fut rompu par l'irruption de camions militaires, précédés d'une Jeep qui s'arrêta à hauteur de la troupe dépenaillée.

– Sergent Noir ! Heureux de vous revoir ! s'écria un lieutenant en descendant du véhicule.

– Moi aussi, mon lieutenant.

À peine eut-il prononcé ces mots qu'il s'évanouit. On le transporta dans un des camions ; les Thaï montèrent avec lui.

1. Auguste Pavie : explorateur et diplomate, administrateur de Diên Biên Phu à partir de 1887.

Tavernier, Maréchal et Thévenet prirent place dans la Jeep, qui fit demi-tour.

À mesure qu'ils avançaient, le paysage idyllique faisait place à de vastes chantiers d'aménagement du site ; divers véhicules se croisaient et se recroisaient. Des milliers d'hommes creusaient des trous, des tranchées, élevaient des murs de sacs de sable, déployaient des rouleaux de barbelés, installaient des bivouacs, rassemblaient et vidaient les caisses parachutées un peu plus tôt, abattaient les grands arbres bordant la piste d'atterrissage. Des cuisines aménagées sous la tente montaient des odeurs de tambouille. De petits garçons thaï, le béret vissé sur la tête, ne perdaient pas une miette d'un spectacle beaucoup plus amusant que celui des buffles au milieu des rizières ou de la pêche dans la rivière Nam Youn. Sur le terrain d'aviation construit par les Japonais et agrandi par les Français, un *Bauer* se posa, vite entouré de soldats qui déchargèrent des bicyclettes tandis que, sur la piste, allongés sur des brancards, des blessés attendaient d'embarquer. Une jeune femme en combinaison de parachutiste, coiffée d'un chapeau cabossé, faisait des photos.

– C'est Brigitte Friang, reporter-photographe. Elle est ici depuis le début. Une sacrée bonne femme : elle a sauté avec nous.

Le vent rabattit un nuage de fumée en provenance des broussailles que l'on brûlait. La Jeep fit une embardée pour éviter trois paras qui faisaient la course, juchés sur de petits chevaux thaï. Les chevaux étaient si courts sur pattes que les pieds des hommes raclaient le sol. Près de leurs maisons encore debout, des jeunes femmes en longues robes noires au col orné de galons brodés, les cheveux relevés en chignon, soulevaient le pilon à décortiquer le paddy.

Tavernier et les deux légionnaires furent conduits au P.C. du colonel de Castries. L'entretien de Maréchal et Thévenet dura une dizaine de minutes ; l'état-major les envoya au commandant Guiraud, patron du B.E.P.[1].

– On va retrouver les copains, dit Thévenet en quittant François.

Pour ce dernier, en revanche, la rencontre avec le colonel se révéla orageuse :

– Et vous voudriez que je gobe toute cette histoire ?... Vous me prenez pour un imbécile ! s'exclama Castries, haussant ses épais sourcils noirs après l'avoir longuement écouté.

– Mon colonel, télégraphiez au général Navarre ; le général Salan l'avait mis au courant.

– Le général Salan n'a pas été très explicite au moment de son départ.

– Quoi qu'il en soit, je vous demande la permission d'appeler Saigon pour savoir si on a des nouvelles de ma femme.

– Avant de vous accorder ce que vous me demandez, je dois m'assurer de votre identité. En attendant, considérez-vous comme prisonnier.... sur parole, s'entend. Lieutenant !

– Oui, mon colonel.

– Conduisez monsieur Tavernier à la rivière pour qu'il se lave, puis à la visite médicale...

– Mais je ne suis pas malade !

– Ce sera au major d'en juger. Si monsieur Tavernier est en bonne santé, trouvez-lui un lit. Vos armes, monsieur.

À contrecœur, François remit au lieutenant poignard, machette, pistolet et fusil-mitrailleur.

Il se lava dans une boucle de la rivière Nam Youn. Nu jusqu'à la taille dans l'eau glacée, il se frotta avec le savon de Marseille que lui avait procuré le caporal-chef sénégalais chargé de le surveiller. La tête et les yeux pleins de mousse, il trébucha sur des galets et s'étala dans l'eau, à la plus grande hilarité de l'Africain.

1. Bataillon étranger parachutiste.

– Hé, patron ! Tu vas faire peur aux poissons !

François sortit de l'eau et ramassa la serviette kaki qu'il noua autour de ses hanches.

– As-tu pensé au rasoir ?

– Oui, patron. Moi, j'pense à tout.

Lavé et rasé, François se sentit prêt à affronter tous les colonels et généraux de Diên Biên Phu. Il fit la grimace à la vue des vêtements souillés qu'il devait remettre.

– Tes fringues sont dégueulasses, patron...

– Monsieur Tavernier !

Le lieutenant venait vers eux.

– Le colonel m'a chargé de vous accompagner chez le fourrier pour vous faire donner une tenue propre.

– Vous remercierez le colonel pour sa courtoisie, fit François avec un clin d'œil au caporal-chef.

Très dignement, vêtu de sa seule serviette, il traversa le camp jusqu'à la tente du sergent-fourrier.

– Sergent, voici un bon pour un habillement complet ; faites pour le mieux.

– À vos ordres, mon lieutenant.

Une demi-heure plus tard, toujours suivi du caporal-chef, François Tavernier, habillé de frais, se rendit chez le coiffeur qui lui fit la coupe à la mode, c'est-à-dire au plus ras.

Examiné par le médecin, il fut reconnu « apte pour le service »...

Ce n'est qu'au bout de trois jours qu'il fut autorisé à prendre ses repas en compagnie des officiers. Il n'était question que de l'entretien accordé par Hô Chi Minh au journal suédois, *Expressen*, dans lequel le leader vietnamien se disait prêt à examiner les propositions d'armistice du gouvernement français. On racontait que le ministre des Affaires étrangères, Georges Bidault – « Encore lui ! », se dit François – avait opposé son veto formel à la reprise des pourparlers avec le Viêt-minh, malgré l'avis favorable du ministre de la

Défense, René Pleven, et même celui du président du Conseil, Joseph Laniel. Forçant la censure, les informations parvenaient jusqu'au camp. François Tavernier eut du mal à ne pas laisser s'exprimer sa colère et son mépris envers les « bureaucrates », comme les appelaient les militaires. Combien de fois n'avaient-ils pas laissé passer la chance de mettre fin à cette sale guerre !

Le 17 décembre 1953, le général Navarre vint à Diên Biên Phu en compagnie du général Cogny. Quand il descendit de son *Dakota*, une section de Marocains en turban et guêtres blanches lui rendit les honneurs. Il faisait beau, il salua d'un air satisfait. Après un déjeuner sommaire, le colonel de Castries, conduisant lui-même sa Jeep, pare-brise couché sur le capot, lui fit visiter les nouvelles installations, suivi par une dizaine d'autos militaires dans lesquelles avaient pris place officiers et photographes. Castries montra l'emplacement choisi pour créer le point d'appui[1] « Gabrielle », sur la piste Pavie, au nord de la cuvette.

Peu avant son départ, François réussit à approcher Navarre et à lui dire quelques mots.

– Je suis au courant. Je vous emmène à Hanoi ; nous ferons le point là-bas.

– Merci, mon général.

Il aurait aimé faire ses adieux à Thévenet et à Maréchal, mais il était dix-sept heures, le soleil allait se coucher et le départ était imminent.

Vue d'en haut, la vallée semblait minuscule, emprisonnée par les collines et les montagnes. « Un vrai piège » pensa-t-il en détournant les yeux.

1. Des prénoms féminins (Claudine, Huguette, Dominique, Éliane, Isabelle, etc.) avaient été donnés aux différents points d'appui de la cuvette de Diên Biên Phu.

– La division 308 a parcouru cinquante kilomètres en deux jours. Dans moins d'une semaine, elle sera à Diên Biên Phu, dit le général Cogny.

François se redressa sur son siège, attentif.

– Vous vous inquiétez à tort ; nous avons de quoi les recevoir, riposta Navarre d'un ton agacé.

– Mais...

– Taisez-vous ! Nous avons des civils dans l'avion.

Le *Dakota* atterrit à Hanoi dans la pluie et le froid.

Consigné pendant deux jours à la caserne de la Citadelle, François fut interrogé par les officiers des services de renseignements. Ce n'est qu'à la veille de Noël qu'il se retrouva enfin libre de ses mouvements. Il avait répondu aussi exactement que possible à toutes les questions, sans obtenir la réciproque au sujet de Léa.

– Ici, nous ne savons rien. Nous attendons une réponse de notre bureau de Saigon.

Le cœur serré, il quitta la forteresse sous l'averse. Il marcha dans ces rues où Léa et lui aimaient tant se promener : rue de la Laque, rue de la Soie... Devant l'endroit où il avait été blessé, rien ne semblait avoir changé ; malgré la pluie, la même activité régnait, les marchandes de soupe s'abritaient sous de grands parapluies, les mendiants étaient à leur poste.

François s'arrêta brusquement, les yeux rivés sur une forme accroupie à demi dissimulée sous un bout de tôle ondulée.

Si, un jour, on lui avait dit qu'il serait heureux de revoir le monstre, au point d'avoir envie de l'embrasser, il eût été bien étonné. À l'appel de son nom, le malheureux releva la tête. Il était encore plus affreux que dans son souvenir. Ses yeux purulents brillaient de fièvre et le regardaient sans paraître le reconnaître. François se baissa.

– Je suis le mari de Léa.

À ce nom, le regard de l'infirme s'éclaira, il tenta de se redresser, mais retomba.

– Va chercher un pousse, dit Tavernier à un gamin en lui tendant un billet.

Le garçonnet partit en courant et revint peu après avec un cyclo-pousse qui avait largement dépassé l'âge de la retraite. Aidé de l'enfant, François hissa Giau sur la banquette malgré les protestations du conducteur.

– À la gare !

Donnant sur la voie de chemin de fer, se dressait autrefois un hôtel pour indigènes dont le patron avait été, des années durant, le *boy* attitré du père de Hai.

– Attends-moi, lança-t-il au conducteur.

Dès qu'il eut poussé la porte, une odeur de soupe et de crasse l'assaillit. Dans des fauteuils de rotin étaient assises deux femmes, l'une maigre et très âgée, l'autre grosse et plus jeune. Aucune ne bougea à son entrée.

– Je suis un parent de la famille Rivière. Je voudrais une chambre avec deux lits, dit-il en vietnamien.

– L'hôtel est plein, lui répondit la grosse en français.

Il sortit une liasse de piastres qu'il agita sous son nez.

– Et avec ça ?

Elle s'empara des billets et dit avec un sourire ignoble, en désignant un tableau où pendaient trois ou quatre clefs :

– La numéro deux.

Il prit la clef, sortit et revint en portant Giau. La grosse femme le considéra durement, mais le regard qu'il lui rendit stoppa net ses éventuelles récriminations.

La chambre n'était pas aussi sale qu'il le redoutait. Il coucha Giau dans un des lits, le couvrit et redescendit.

– Où puis-je trouver un médecin ?

– La prochaine rue à droite ; vous verrez, il y a une plaque. Y va pas crever ici, au moins ?

François ne répondit pas.

– Il a une bronchite et, surtout, il crève de faim, diagnostiqua le médecin, un métis chinois.

Au bout de quarante-huit heures, Giau avait recouvré ses forces et n'avait plus de fièvre. Émerveillé, il regardait tout autour de lui :

– C'est la première fois que je dors dans un lit !

Pendant ces deux jours, François Tavernier avait essayé de téléphoner à Lien, à Saigon. Sans succès. À l'hôtel *Métropole*, il fut accueilli avec chaleur par le directeur et le personnel. Aucun visage connu au bar : les correspondants de guerre, les photographes avaient changé. Certains, devant son visage marqué et ses cheveux ras, voulurent lier conversation : il se montra à peine poli. Il avala un cognac-soda et s'en retourna auprès de Giau.

Dans les rues, en dépit de la pluie, régnait une certaine animation ; c'était Noël.

Giau savait peu de choses, au sujet de Léa. Il avait perdu sa trace près de Chiêm Hoa, sur le Song Gâm. Là, il avait appris qu'une femme blanche, prisonnière du Viêt-minh, était morte. D'après la description qui lui en avait été faite, ce pouvait être elle. Mais comment en être sûr ? Pour les Asiatiques, tous les Blancs se ressemblent... Tout ce qu'il avait pu recueillir ultérieurement paraissait confirmer cette mort. Il était revenu à Hanoi pour essayer d'en apprendre davantage. Il ne savait rien de plus. Peut-être que lui... ?

Deux jours après Noël, François fut convoqué, tard dans la soirée, par les Renseignements. Gêné mais visiblement pressé de partir dîner, le chef du service lui tendit un feuillet ; le texte dactylographié était rédigé en style télégraphique : « Une femme blanche, après avoir tué une jeune violoniste, combattante viêt-minh, a été exécutée au mois d'octobre ou novembre dernier, près Ngân Son. »

Hébété, il regardait devant lui, revoyant Léa au chevet de Nhu-Mai... Pourquoi l'aurait-elle tuée ? Ça ne rimait à rien ! Et pourtant...

– Hé, mon vieux ! Vous n'allez pas vous trouver mal ?

François se leva et sortit. Les rues étaient sombres, le vent soufflait, une petite pluie froide tombait régulièrement tandis que les cloches de la cathédrale de Hanoi annonçaient l'office du soir. Machinalement, il se dirigea vers le carillon.

La nef était remplie de femmes, d'enfants et de vieillards qui priaient et chantaient avec ferveur. Il se glissa dans un coin sombre, s'agenouilla et, la tête entre les mains, se mit à pleurer.

22.

Sans les soins attentifs de Xia-jing et l'amour de Kien, Léa ne serait pas arrivée en vie à Tiên Yên.

Le petit groupe avait parcouru les cent cinquante kilomètres qui les séparaient de la mer dans des conditions épouvantables, se gardant à la fois des Viêt-minh et des Français, volant, tuant pour se procurer un peu de nourriture. Dans cette partie du Tonkin dévastée par la guerre, ils avaient croisé à plusieurs reprises des enfants errants, nus, qui se jetaient sur eux en criant et pleurant de faim. À certains il manquait un bras ou une jambe arrachés par une mine. La plupart du temps, Kien et Xia-jing les chassaient, tandis que Chau et Vinh leur donnaient parfois un peu de riz en cachette.

La mort de Nhu-Mai semblait avoir paralysé les facultés de discernement chez Léa. Quant à sa mémoire, elle était à éclipses. Par moments, on la voyait froncer les sourcils, puis rire ou sangloter en appelant son père ou sa mère. La vue des gosses estropiés suscitait invariablement ses pleurs, mais en aucun cas ne la faisait penser à ses propres enfants. De fréquents maux de tête la laissaient abattue, se serrant les tempes à pleines mains. À chaque halte, Kien l'entraînait à l'écart et lui faisait l'amour. Elle se laissait faire, les yeux grands ouverts, éprouvant du plaisir, mais sans exhaler aucun soupir, aucun mot. Seul, un long frémissement de tout son corps en apportait la preuve à son amant qui l'aurait voulue gémissante, provocante. Mais cette Léa-là était restée dans la clairière auprès du cadavre de Nhu-Mai. Souvent, aux heures de repos, elle entendait le violon de son amie et, couchée, s'assoupissait, un sourire aux lèvres, tandis qu'une larme roulait doucement dans ses cheveux courts.

Jusqu'à Lôc Binh, à cinq jours de marche de Phô Binh Gia, Léa avait suivi le train de ses compagnons. Mais la traversée, de nuit, de la plaine lacustre de Lôc Binh, le vent glacial descendant des mille cinq cents mètres du Mâu So'n avaient eu raison de ses forces. Sur l'ordre de Kien, Vinh et Chau lui avaient fabriqué un brancard. Pour échapper aux patrouilles françaises, ils se reposaient le jour et ne se mettaient en route qu'au crépuscule. La progression était lente. À l'aube, après avoir soigné et nourri Léa, Xia-jing partait en avant ; elle croisait des soldats ou des paysans qui ne lui prêtaient aucune attention, ce qui lui permettait d'acheter aux petits marchands en bordure de la route du riz, des fruits, quelquefois de la viande ou du poisson séché qu'elle fourrait dans une sorte de besace accrochée dans son dos. Il ne venait à l'idée de personne de se méfier de cette vieille *nhà quê* édentée.

Après Dinh Lâp, ils s'étaient trouvés avec des familles yao qui se réchauffaient auprès d'un feu et qui leur avaient fait place sans poser la moindre question. Les enfants avaient regardé Léa à distance respectueuse. Puis ils avaient longé le Sông Ki Cung ; les roches de grès rouge ensanglantaient le paysage. Peu avant de prendre le bac à traille pour traverser le cours d'eau, ils avaient été surpris par des tirailleurs Marocains qui, ne s'attendant pas à découvrir une Européenne étendue sur une civière, avaient réagi trop tard et payé de leur vie leur étonnement. Une poignée de piastres et la pointe d'une dague au creux des reins du trailleur avaient activé l'ardeur de ses bras et fait franchir les quinze mètres de la rivière en un temps record. Ils étaient entrés dans Tiên Yên à la nuit tombée.

Xia-jing partit dans la petite cité dévastée à la recherche

de la maison de ses frère et sœur ; mais tout le quartier avait disparu. Elle apprit d'un vieil homme que sa sœur, Da-luo, s'était réfugiée dans le village de Dam Ha, près de la mer. Vinh accompagna la nourrice, avec pour mission de trouver une jonque ou, à défaut, un sampan. Sur la plage proche de Dam Ha, Xia-jing courut aussi vite que le lui permettaient ses pauvres jambes, usées par ces jours et ces jours de marche, vers une ramasseuse de coquillages en qui elle avait reconnu Da-luo. Les deux femmes s'embrassèrent en poussant de grands cris de joie. Grâce à Da-luo, Vinh put louer une petite jonque qui se révéla en assez bon état. Moyennant quelques milliers de piastres, le propriétaire accepta de caboter dans le golfe du Tonkin jusqu'à Ha Côi, puis le long de l'île de Vinh Thuc, à la recherche de la jonque de Kien, sans poser de questions.

Ils embarquèrent le lendemain. Xia-jing les accompagnait ; elle avait refusé de rester auprès de sa sœur qui devait rejoindre son mari au bagne militaire de Pointe-Pagode où l'on « rééduquait » les fortes têtes de l'armée, au grand plaisir des Vietnamiens préposés aux basses besognes par des « cadres » pervers. C'est au sud de l'île de Trà Cô, réunie au continent par une digue de plus d'un kilomètre, que Kien retrouva sa jonque, escortée par trois sampans où des hommes en armes se tenaient cachés sous des sacs de riz. Fred avait fait du bon travail.

La jonque de Kien s'éloigna nuitamment des côtes indochinoises. Les trois sampans l'escortèrent à mi-chemin de l'île de Wei Tcheou et de celle de Vinh Thuc, puis s'en retournèrent. Cinq hommes, tous excellents tireurs, étaient montés à bord. À l'aube, on aperçut une jonque d'où l'on faisait des signaux.

– C'est Fred ! s'exclama Kien en regardant à travers ses jumelles de marine. Il doit venir de Pak Koi. Jusqu'ici, nous avons échappé aux garde-côtes français et chinois. Que les démons de la mer continuent de nous protéger !

Les deux jonques naviguèrent de conserve sans rencontrer d'obstacles jusqu'au détroit de Hai Nan. Le passage entre la Chine et la grande île fut difficile, à cause du brouillard ; la lumière des deux phares protégeant le détroit était à peine visible. Le pilote redoutait de s'échouer sur les bancs de sable dont il connaissait la présence. Penché à l'avant du bateau, Kien le guidait. Au sortir du chenal, le brouillard se dissipa.

Léa, malade, restait enfermée dans sa cabine.

À quelques miles de Hai Nan, les deux jonques furent arraisonnées par une vedette des douanes chinoises. Malgré leurs papiers en règle, Kien dut verser une forte somme aux douaniers ; ce qu'il fit sans rechigner : c'était la coutume et mieux valait tomber sur des douaniers malhonnêtes que sur des pirates qui tuaient pour s'emparer du bâtiment et violer les femmes, quand il y en avait à bord, avant de les revendre dans les bordels.

Le beau temps était revenu et Léa, ne ressentant plus de nausées, monta sur le pont. Cela faisait quatre jours qu'ils voguaient. Ils passèrent à proximité de dizaines d'îles et d'îlots.

– C'est ici qu'est enterré saint François Xavier, l'apôtre des Indes, comme disent les catholiques.

– Comment s'appelle cette terre ? demanda Léa.

– Les Portugais l'ont nommée Sancian ; elle fait partie des îles Saint-Jean.

Plus tard, ils passèrent au large de Macau, le Monaco chinois.

– Je t'y emmènerai, lui dit Kien. Tu verras, dans le quartier de la Praïa Grande, on se croirait sur la côte d'Azur, et dans la rua de Felicidade, à Cholon, au *Grand Monde*, en plus extravagant encore ! Dans les rues du quartier chinois, chaque maison est un tripot – une *casa de jorgo*, comme disent les habitants. Depuis 1946, Macau est aussi l'un des plus gros importateurs d'or du monde.

Enfin, dans l'immense embouchure de la rivière des Perles, ils aperçurent la première île de l'enclave de Hong Kong, Lantau.

Le soir même, Léa dormait dans une suite de l'hôtel *Peninsula*, un somptueux palace des années vingt et qui semblait on ne peut plus loin de l'Indochine et de la guerre.

Ils étaient arrivés depuis trois jours quand un gigantesque incendie éclata le jour de Noël, dans le quartier de Shek Kip Mei, pauvre et surpeuplé. Toute la journée et toute la nuit, voitures de pompiers et ambulances sillonnèrent les rues. La Croix-Rouge et les associations charitables se démenèrent pour reloger ceux qui n'avaient plus rien. Des villages de tentes s'élevèrent un peu partout, des collectes furent organisées pour venir en aide aux cinquante-trois mille rescapés.

C'est un médecin chinois qui apprit à Léa qu'elle était enceinte de trois mois. L'annonce de cette grossesse la laissa indifférente. Au contraire, Kien laissa éclater sa joie.

Cependant, l'état général de la jeune femme s'améliorait de jour en jour ; sa maigreur avait fait place à une élégante sveltesse et ses joues avaient recouvré quelque rondeur. Seul son regard trahissait le trouble de son esprit. Peu à peu lui revenaient des bribes de ce qu'avait été sa vie avant le cauchemar qu'elle avait vécu dès l'instant où elle avait pris place à bord du convoi de la *Rafale*. Chaque souvenir retrouvé représentait pour elle une telle somme de souffrances qu'elle s'efforçait aussitôt de le gommer, en se jetant dans des plaisirs immédiats, depuis l'emplette d'une pièce de soie ou d'un bijou jusqu'à l'oubli total dans l'opium.

Pendant tout le temps passé dans le maquis viêt-minh, Léa avait porté autour du cou, accrochée à un lacet de cuir, une bourse en daim contenant tous ses trésors : le carton confié par Nhu-Mai lors de l'attentat de Hanoi, en réalité une sorte de carte d'identité du combattant viêt-minh (quand elle faisait l'inventaire de cette bourse, Léa lissait le bout de carton sali, passant longuement son index sur la bande rouge, étoilée de blanc, qui barrait la carte sur laquelle était dactylographié le nom de Nhu-Mai), un minuscule bouddha de jade, offert par Giau, qu'elle aimait à réchauffer dans sa paume, un dragon en bois sculpté par Nhu-Mai, puis un dessin d'enfant, une alliance trop grande et une photo, racornie, usée, où l'on voyait trois enfants, dont un bébé. Elle ne savait plus qui étaient ces enfants et n'osait en parler à son amant.

Kien avait loué une grande villa au pic Victoria, le quartier résidentiel de l'île de Hong Kong, réputé pour son climat tempéré. Il avait fallu beaucoup de dollars pour que la propriétaire, une richissime Chinoise, acceptât un métis comme locataire ; heureusement que sa « ravissante femme » était européenne... Xia-jing s'y installa. En attendant que l'endroit fût aménagé au goût de Kien – Léa ne manifestant qu'indifférence à ces embellissements –, ils demeurèrent à l'hôtel *Peninsula*, sur Salisbury Road, à Kowloon.

Au début, Léa restait de longs moments dans l'immense salon à colonnes dorées, à boire, selon l'heure, du chocolat chaud, du thé ou du champagne, assise près des grandes baies. Elle contemplait l'incessant trafic de voitures, de vélos, d'autobus à impériale, de *rickshaws*[1], tandis que coolies et piétons se précipitaient en direction des ferries reliant le continent chinois aux différents ports de l'île. Souvent, elle empruntait l'un de ces ferries et descendait à Central District, puis elle en prenait un autre qui la conduisait à Wanchai, quartier où les marins venus du monde entier s'entassaient, à la nuit tombée, dans une dizaine de bars, en quête de bonnes fortunes. De jour, le quartier grouillait d'une population pauvre et industrieuse, bruyante et colorée, qui fei-

1. Pousse-pousse : mot d'origine japonaise.

gnait d'ignorer cette élégante Européenne. Elle aimait à se promener le long des quais où se tenaient les meilleurs fabricants de meubles chinois ; l'endroit sentait bon la colle, le bois fraîchement raboté. Le travail d'ébénisterie s'effectuait sur le trottoir même. Léa marchait entre les commodes, les tables et les fauteuils, ou, le plus souvent, sur la chaussée au risque de se faire renverser par un *rickshaw* ou un taxi trop pressé. Elle avait beau s'habiller simplement, elle faisait tache. Un jour, elle se fit confectionner par le tailleur du marché un vêtement de coton noir semblable à celui que portaient les vieilles femmes des quartiers populaires ; à sa grande surprise, quand elle se mit à le porter, tous ces gens qui feignaient jusque-là de l'ignorer lui sourirent, surtout les femmes qui allaient jusqu'à la toucher comme pour vérifier qu'elle était bien réelle.

Sous la courte veste, son ventre s'arrondissait. Kien était entré dans une fureur folle quand il l'avait vue ainsi vêtue.

– Tu me déshonores ! avait-il rugi.

Mais Léa avait tenu bon et ajouté même à son pyjama noir, un vaste chapeau, grand cercle de paille tressée bordé d'un volant noir, noué autour du cou, tel qu'en portaient les femmes de la tribu Hakka. Quand elle traversait, ainsi « déguisée », disait Kien, le hall du *Peninsula*, il se faisait un grand silence réprobateur parmi la clientèle huppée, à majorité blanche, comme dans le personnel indigène. Elle n'en avait cure, trouvant cette tenue plus pratique pour aller à la découverte de la colonie de Sa Très Gracieuse Majesté britannique, la jeune reine Elisabeth II

De Wanchai, elle retournait en tramway dans Western, le premier quartier occupé par les Anglais en 1841, et descendait près du marché central. Dans cette partie de l'île, elle pouvait passer des journées entières à déambuler le long des ruelles qui lui rappelaient le quartier chinois de Hanoi. La plupart des commerçants et artisans étaient regroupés par corporations : restaurateurs ne cuisinant que des serpents, herboristes et pharmaciens, fabricants de cercueils, écrivains publics, imprimeurs, graveurs de sceaux et, parmi eux, les sculpteurs sur ivoire, jade, pierre ou bois, costumiers, médiums, réparateurs de bicyclettes, etc. – presque tous installés sur moins de trois mètres carrés, dans des boutiques faites de tôles ondulées et de caisses en bois. Aussi, leurs marchandises débordaient-elles sur le trottoir, quand ce n'était pas sur la chaussée.

Pour Léa, l'endroit le plus fascinant était le *Thieves Market*, le « marché aux voleurs », à l'angle de Ladder Street et de Hollywood Road. Cette rue, souvent en escalier, et celles avoisinantes étaient le lieu de prédilection de tous les amateurs d'antiquités et de matériaux de récupération de la colonie. Se côtoyaient là la marchande de broderies anciennes ou de porcelaines millénaires, le bricoleur de moteur et le réparateur de ventilateurs. Léa marchandait sans vergogne et revenait tantôt avec de jolies statuettes de déesses, tantôt avec des tabatières délicatement sculptées.

Dans ses déambulations, elle ne manquait jamais de s'arrêter au temple du dieu de la littérature et des mandarins, Man Mo, où elle faisait brûler de l'encens au milieu de la foule des fidèles. Parfois aussi, une envie d'air pur, de verdure la prenait ; elle allait visiter le jardin zoologique qui abritait trois cents espèces d'oiseaux différentes, puis le jardin botanique où, à l'aube comme au crépuscule, les habitants faisaient leur gymnastique qui ressemblait à un ballet au ralenti, le *tai chi chuan*. « Je devrais m'y mettre », songeait Léa chaque fois qu'elle voyait vieux et jeunes, les hommes comme les femmes appliqués à leurs exercices. Puis elle prenait le funiculaire sur Garden Road et montait jusqu'au terminus, au pic Victoria. La première fois qu'elle y était allée, elle avait été saisie par l'immensité de la baie et la surprenante beauté de la vue plongeant sur Hong Kong, Kowloon, les îles et les îlots, et par l'importance du trafic maritime entre les différents points de l'île et le continent : voiliers de plaisance, bâtiments de guerre, pétroliers, ferries, jonques, bateaux de pêche, navires marchands, paquebots, remorqueurs sillonnaient la rade dans un impressionnant chassé-croisé. Les jonques aux voiles rousses, en forme d'ailes de chauve-souris, glissaient, harmonieuses et immémoriales, au milieu de cette armada des temps modernes ; les sampans, tels une myriade d'insectes, vibrionnaient alentour. Remontant Lugard Road, elle découvrait l'autre partie de l'île, du port d'Aberdeen à celui de Repulse Bay, aux îles de Lamma et de Lantau, éprouvant toujours le même étourdissement face aux concours d'inventivité que se livraient le génie humain et celui de la nature. Assise sur un des bancs de la promenade, elle reprenait peu à peu possession du monde.

C'est là, sur l'un de ces bancs, qu'elle sentit pour la première fois son enfant bouger. Ce long tressaillement fut la clef qui rouvrit la porte aux souvenirs. Dans un éclair, elle revit les visages de ses enfants : celui d'Adrien, qui ressemblait tant à son père ; celui de Camille, sa si jolie petite fille. Elle crut sentir leurs corps contre le sien, les baisers mouillés de son fils, la bouche mignonne de sa fille tétant son sein. La douceur de leur peau, la couleur de leurs yeux lui revenaient. D'autres visages, des paysages surgissaient – « Montillac ! » articula-t-elle à haute voix.

Un groupe de lycéens chinois en uniforme passa devant elle. Ils détournèrent la tête avec mépris devant cette Blanche, affublée du vêtement noir des humbles, assise sur un banc, qui se balançait d'avant en arrière, les mains posées sur la pierre de part et d'autre de son corps, un sourire resplendissant sur sa figure couverte de larmes.

Comment avait-elle pu les oublier ?... La réponse lui vint sous la forme d'images sanglantes dont la violence la laissa sans force, face au ciel immense où couraient quelques nuages. Au fur et à mesure que des pans entiers de sa mémoire lui revenaient, elle tentait de les occulter pour ne pas trop souffrir. Mais elle y parvenait de moins en moins.

Le lendemain, elle se réveilla en criant :

– François !

Kien, qui dormait auprès d'elle, se réveilla à son tour en sursaut.

– François ? redit-elle d'un ton interrogateur en se tournant vers lui.

Depuis quelque temps, la rage au cœur, le jeune homme voyait Léa lui échapper au fur et à mesure que son passé lui revenait.

Il voulut la prendre dans ses bras ; elle le repoussa.

– Réponds-moi dit-elle durement.

Nu, allongé sur le dos, les mains derrière la nuque, il murmura avec un vague sourire :

– Il est mort.

Lentement, elle se leva, écarta la mousseline de la moustiquaire et traversa la chambre. Elle appuya le front, puis son ventre rond contre la vitre fraîche... Non, ce n'était pas vrai !... François était vivant, elle le sentait. Kien se trompait... ou bien il la trompait... Non, il ne ferait pas cela, ce serait trop cruel, trop lâche !... Elle porta les mains à sa tête. Elle devait réfléchir, rassembler tous ces souvenirs qui lui arrivaient en vrac, en faire le tri. Si François n'était pas mort, que faisait-elle avec Kien, enceinte de lui ?

Pour l'heure, elle devait dissimuler son doute à Kien. Elle se tourna vers lui, inconsciente des larmes qui baignaient son visage et s'évanouit.

Quand elle revint à elle, Léa était allongée sur le lit, recouverte d'un drap. Le médecin de l'hôtel venait de lui faire une piqûre.

– Madame, vous devez vous reposer. Songez à votre enfant.

Quand ils furent seuls, Kien s'assit auprès d'elle et lui dit :

– Je ne voulais pas te l'apprendre aussi brutalement... C'est arrivé en Haute-Région, quand nous étions partis à ta recherche. Nous sommes tombés dans une embuscade. François a été tué sur le coup ; je n'ai rien pu faire...

– Où l'avez-vous enterré ?

– À Nghia Dô.

– Il y a eu d'autres tués ?

– Deux légionnaires et des Méo.

– As-tu prévenu les autorités françaises ?

– Oui, à Thâp Mieu, non loin de Hanoi.

– Quand la guerre sera finie, j'irai chercher le corps de François et le ramènerai chez moi... Maintenant, laisse-moi.

Kien se pencha pour l'embrasser ; elle détourna la tête. Il sortit, soulagé. Il avait craint des cris, des larmes ; non, rien ! Elle prenait plutôt bien la chose... Les femmes sont étranges, songea-t-il. Comme des chiennes, elles ont besoin d'un maître ; si l'un vient à disparaître, elles s'attachent à un autre. Surtout, si celui-ci leur donne du plaisir et leur fait un enfant. Dès que le sien serait né et qu'ils seraient installés dans la villa de Victoria, il la reprendrait en main, elle mettrait fin à ses escapades dans les quartiers chinois et deviendrait l'élégante maîtresse de maison dont il avait besoin pour séduire ceux avec lesquels il était en affaires.

Dès cet instant, malgré le doute qui la taraudait parfois « S'il avait dit vrai ?... Si François était vraiment mort ?... », elle n'eut de cesse de préparer son évasion.

D'abord, elle exigea qu'un médecin britannique suivît sa grossesse. Elle eut des caprices de plus en plus onéreux. Chaque jour, Kien lui remettait une importante somme d'argent pour acheter ces antiquités qu'elle aimait tant. Elle dépensait sans compter dans les luxueuses boutiques proches du *Peninsula*, au bas de Nathan Road, faisant livrer bijoux, landau anglais pour le bébé, layette et vêtements que Kien, souriant, réglait sans commentaire.

Elle avait lié connaissance avec la jeune Chinoise responsable de la décoration florale de l'hôtel. Celle-ci parlait plusieurs langues, dont un français sommaire mais suffisant pour se comprendre. À maintes reprises, Léa l'avait félicitée pour ses compositions. Chin-hua[1] avait été touchée qu'une Européenne lui en fît compliment et s'ingéniait à fleurir l'appartement de Léa de ses plus beaux bouquets.

Un jour, Léa lui demanda de l'emmener chez les fleuristes auprès desquels elle se fournissait. Chin-hua accepta avec nombre de salutations, et, le lendemain, elles partirent pour le marché de Kowloon. Elles y passèrent toute la matinée à circuler entre les éventaires de Lion Rock Road et des rues adjacentes. Tout le quartier n'était qu'un vaste marché ; l'acheteur pouvait y trouver tout ce qu'il désirait. Dans Nga Tsin Long Road, on avait l'impression de se promener à travers un jardin enchanté. Après d'âpres marchandages, Chin-hua passait commande aux fleuristes qui, chargés de hottes odorantes et bariolées, s'en allaient livrer à l'hôtel.

– Avez-vous faim ? Voulez-vous manger quelque chose ? demanda Chin-hua en désignant les comptoirs des cuisiniers.

Elles se rassasièrent de bananes grillées et burent du thé. Au bout de Lion Rock Road, Léa aperçut une grande toiture de tuiles jaune vif, et la désigna à Chin-hua.

– C'est le temple de Wong Tai Sin, fit la Chinoise.

– Allons-y, dit Léa sans remarquer l'hésitation de la jeune fille.

Devant le temple aux colonnes rouge et or, les fidèles faisaient la queue avant d'entrer, ou, agenouillés au pied des marches, déposaient leurs offrandes et priaient.

– Qu'est-ce que ce bruit ? demanda Léa.

– C'est le *chim*, répondit son accompagnatrice en tendant

1. « Fleur de printemps ».

vingt cents à une vieille assise sur le seuil. Autrefois, c'était un temple interdit au public ; à présent, en payant un droit d'entrée, on peut venir s'y recueillir.

À l'intérieur, le bruit du *chim* remplissait le sanctuaire. Chin-hua prit deux bols en bois qu'elle remplit de bâtons de prières, et en tendit un à Léa.

– Vous le secouez comme font les autres, jusqu'à ce qu'un bâton tombe. Vous notez le numéro qui y est gravé et la diseuse de bonne aventure vous expliquera ce qu'il signifie.

Léa ramassa le chiffre 6.

– C'est un très bon chiffre, dit Chin-hua tout en continuant à agiter sa tasse. Vous pouvez continuer à l'intention d'un parent ou d'un ami.

« François », pensa-t-elle très fort en secouant son bol.

Le numéro 913 tomba.

– Vous avez de la chance : c'est très, très bon !

– Pourquoi ?

– Cela signifie « vie éternelle ».

« Je savais bien qu'il ne pouvait être mort », pensa Léa.

Après avoir brûlé de l'encens, elle sortit radieuse du temple. Elle s'avança sur Tung Tau Tsuen Street, indifférente aux mendiants, aux mines inquiétantes des hommes qui la dévisageaient, oubliant même la présence de sa compagne qui la rattrapa et la retint par la manche.

– Venez, ne restons pas là ! C'est dangereux.

Léa regarda autour d'elle. En quoi cette artère différait-elle des autres rues populeuses de la colonie ? Les mêmes banderoles rouges à inscriptions blanches ou noires pendaient le long des façades lépreuses des maisons aux fenêtres desquelles séchait du linge ; des cages y étaient suspendues dans lesquelles s'égosillaient deux ou trois oiseaux. La même foule se pressait pauvrement vêtue d'une sorte de pyjama taillé dans ce tissu noir et brillant que les Chinois appellent « toile de nuage parfumé », à la démarche rythmée par le bruit des claquettes à semelles de bois. Chin-hua courait presque et Léa, dont le ventre commençait à peser, avait du mal à suivre.

– Attendez-moi... Que fuyez-vous comme ça ?

– Nous sommes trop près de la « Ville murée ».

– La « Ville murée » ?

– Oui, Kowloon-city, si vous préférez...

– Mais ne sommes-nous pas à Kowloon ?

– C'est un peu compliqué à vous expliquer. L'histoire remonte à 1898, quand les Anglais louèrent pour quatre-vingt-dix-neuf ans au gouvernement impérial ce qu'on a appelé les Nouveaux Territoires. Il y avait un village qui resta sous administration de Pékin. Ce village s'appelait Kowloon-City. À l'époque, il n'y avait rien autour, cela ne posait donc aucun problème. Mais le développement des Nouveaux Territoires a été tel que la « Ville murée » s'est trouvée englobée dans la ville moderne, sans être pour autant soumise à la juridiction britannique. Très vite, elle est devenue refuge de bandits de toutes sortes, et la police refusait d'y entrer. Après en avoir chassé les habitants par la force, les Japonais rasèrent les murs d'enceinte. Dès leur départ, les anciens habitants revinrent, suivis par d'autres qui fuyaient le communisme. C'est ici que les riches marchands de Chang-hai ou de Canton viennent recruter des hommes de main et des tueurs. Surtout, ne venez jamais seule au temple : c'est la limite entre l'ex-« Ville murée » et le reste de Kowloon. Chaque jour, il y a des meurtres, des viols, des enlèvements.

– La police ne fait rien ?

Chin-hua haussa les épaules.

– Personne ne veut d'ennuis avec la Chine communiste. C'est l'univers de la drogue, de la déchéance. Les rues, paraît-il, y sont très étroites, encombrées de détritus, avec des escaliers qui ne mènent nulle part, des corridors qui traversent les maisons de part en part. Le plus souvent, il n'y a pas d'électricité, le téléphone est coupé. L'étranger qui entre est sûr de ne pas sortir vivant.

– Pourtant, rien n'indique la frontière entre la « Ville murée » et Kowloon. Sur Tung Tau Tsuen Street, je n'ai vu que des boutiquiers, des officines médicinales ou d'arracheurs de dents.

– Il y a aussi des banques clandestines, des fabricants de faux papiers ou de fausse monnaie, des fumeries, des maisons closes...

– De faux papiers ?, murmura Léa, songeuse.

Dans son périple indochinois, elle avait perdu tout ce qui attestait son identité. Depuis qu'elle avait recouvré la raison, elle en avait parlé à Kien qui avait prétendu s'occuper de régulariser sa situation.

– C'est en cours, avait-il répondu quand elle lui en avait reparlé.

Elles arrêtèrent un taxi. En montant dans l'automobile, Léa aperçut Fred qui se dissimulait derrière un éventaire de marchand de journaux. Elle pâlit de colère : partout où elle allait, Kien la faisait suivre par Fred, Vinh ou un de ses gardes du corps chinois. Ils n'allaient pas jusqu'à se glisser dans les magasins de Nathan Road ou les boutiques du marché aux voleurs, mais ils se tenaient non loin de là. Elle avait d'abord feint de ne pas les remarquer, jusqu'au jour où elle avait demandé à Kien de faire cesser ces filatures. « Cela me fait de la peine, on dirait que tu n'as pas confiance en moi », avait-elle reproché, câline. Il avait promis, mais, manifestement, ne tenait pas sa promesse.

Le temps changea brusquement. De grandes rafales d'un vent froid, puis une brume épaisse s'abattirent sur Hong Kong. Léa resta plusieurs jours sans sortir, jouant aux cartes en compagnie de sa nouvelle amie qui venait la rejoindre après son travail. La jeune Chinoise était issue d'une modeste famille vivant de la pêche qui logeait sur une jonque dans le port d'Aberdeen. Au prix de grands sacrifices, ses parents avaient envoyé leur fille unique dans les meilleurs établissements scolaires de la colonie. Elle avait pour eux non seulement du respect mais une grande affection. Quand Léa demanda à les rencontrer, Chin-hua parut confuse.

– Ce sont des gens très simples, dit-elle ; ils ne parlent que le cantonnais.

– Ne sois pas sotte ! Cela me ferait tellement plaisir de connaître ta famille.

Vers le 15 mars, avec le début de la saison des pluies, les températures remontèrent. La maison de Victoria était prête, mais Léa trouvait chaque jour une nouvelle raison pour ne pas s'y installer : tantôt c'était l'odeur de la peinture qui risquait de l'incommoder et de faire mal au bébé, tantôt c'était l'éloignement de son médecin. Finalement, elle dut se résoudre à quitter le *Peninsula*, mais avec la promesse que Chin-hua viendrait la voir souvent, et qu'elle-même pourrait continuer ses promenades à travers l'île.

Trompant la vigilance des « espions » de Kien, elle réussit, avant de partir, à poster deux lettres, l'une à l'intention de Lien Rivière, l'autre pour sa sœur Françoise :

Ma chère Lien,

Sans doute me donne-t-on pour morte à Saigon. Si vous recevez cette lettre, à sa date d'envoi, vous verrez qu'il n'en est rien. Après des épreuves qu'il serait trop long d'énumérer, je me retrouve à Hong Kong en compagnie de Kien.

Je suis sans nouvelles de François depuis des mois. Si vous en avez, écrivez-moi au nom et à l'adresse suivante :

Mademoiselle Wong Chin-hua
Peninsula Hôtel
Salisbury Road
Tsimshatsui, Kowloon

Pardonnez-moi la brièveté de cette lettre. J'espère que vous allez bien. Croyez en mon amitié.

Je vous embrasse.

Léa.

Chère Françoise, chers tous,

Je suis en vie et je me porte bien. Comment vont Adrien, Camille et Charles ? Ils me manquent terriblement. Avez-vous des nouvelles de François ? Ici, je ne sais rien.

Je suis sans papiers, sans ressources. Pouvez-vous joindre Jean Sainteny afin qu'il se renseigne auprès des autorités compétentes sur la marche à suivre pour me permettre de rentrer à la maison ? J'habite chez Kien Rivière, à Hong Kong. Si cette lettre vous parvient, écrivez-moi au nom et à l'adresse suivante :

Mademoiselle Wong Chin-hua
Peninsula Hôtel
Salisbury Road
Tsimshatsui, Kowloon

Je vous embrasse tous, surtout mes trois petits.

Léa.

P.-S. : Envoyez-moi des photos.

Sur la porte d'entrée de la villa, était collée une grande affiche rouge où figuraient, imprimés en noir, des dessins abstraits et des caractères chinois.

– Qu'est-ce que c'est ? interrogea Léa.

– C'est une coutume d'ici, à laquelle on ne peut déroger sous peine d'exclusion, expliqua Kien. C'est un *fung shui*, qui chasse les mauvais esprits et protège la maison. Rien ne se construit à Hong Kong sans qu'un expert en *fung shui* donne son avis sur l'orientation de l'immeuble, l'emplacement où il sera élevé, afin d'être sûr de ne pas déranger les esprits du lieu. S'il constate la présence de quelque mauvais sort, le prêtre indiquera les cérémonies qu'il conviendra de faire pour se concilier l'esprit ou exorciser l'endroit. Aucune personne résidant à Hong Kong ne s'aviserait de passer outre.

– Tu as bien fait ; on n'est jamais assez prudent, avec les esprits !

La demeure était fastueuse et Léa faillit se laisser attendrir en voyant la nursery richement aménagée. Elle remercia Kien avec effusion.

– Rien n'est trop beau pour mon fils.

– Et si c'est une fille.

– Cela m'est égal, puisqu'il s'agira de notre enfant.

Le cœur de Léa se serra ; François aussi avait dit cela. Elle détourna la tête pour cacher son émotion. Kien se trompa sur la signification de son geste et l'attira à lui.

– C'est un beau cadeau que tu me fais là, ma chérie.

Il avait changé depuis qu'il était à Hong Kong. Presque chaque soir, il dînait avec des hommes d'affaires chinois, quelquefois américains. Il avait aménagé des bureaux dans un building, sur Jordan Road. Il était toujours séduisant, mais son beau visage s'était légèrement empâté. Quand il n'était pas en affaires, il passait les après-midi du samedi et du dimanche sur le champ de courses de Happy Valley où il pariait des sommes énormes. Léa l'avait accompagné une fois aux courses nocturnes du mercredi. Une foule de joueurs de tous âges et toutes conditions se pressait au *Royal Jockey Club*. Un grand silence s'était fait quand les chevaux s'étaient élancés sur la pelouse éclairée par les projecteurs. Puis, la masse hurlante avait encouragé, debout, les jockeys. Le spectacle de toutes ces faces grimaçantes, modelées par les ombres et la lumière, le vacarme qui semblait l'élément constitutif de toute assemblée chinoise étaient impressionnants. Léa, qui avait joué un triple[1], avait gagné cinq mille dollars.

– Que vas-tu faire de cet argent ? s'était enquis Kien.

– La vie ! avait-elle répliqué en agitant les billets à l'effigie de la reine.

– Ta vie ? Elle est avec moi, pour toujours !

Une vague d'angoisse l'avait submergée. Elle avait peur de lui, et cette peur la paralysait, la rendait lâche, incapable de

1. Les trois vainqueurs de trois courses données.

se précipiter au consulat de France ou chez le gouverneur de la colonie pour solliciter son rapatriement. Cette incapacité la minait. Il lui avait fallu faire un effort surhumain pour rédiger et envoyer ses deux lettres. Depuis lors, elle vivait dans la terreur qu'il ne vînt à l'apprendre et n'usât de représailles. Qu'était donc devenue la fille hardie, capable de tenir tête à la Gestapo et à la Milice ? Elle se bornait à mettre de l'argent de côté et à continuer ses sorties, seule ou en compagnie de Chin-hua.

Au début du mois d'avril, la jeune Chinoise invita Mme Rivière à la fête annuelle de Tin Hau, la déesse de la mer. Son père la conviait à bord de son bateau de pêche jusqu'au temple de Da Miao, dans la baie de Joss House. C'était un grand honneur, car très peu de Blancs pouvaient assister à ces cérémonies qui duraient trois jours pleins.

À l'aube, les deux jeunes femmes, très élégantes, prirent place à bord de la jonque décorée de banderoles, d'oriflammes, de guirlandes rouges et dorées. L'embarcation, pleine de parents et d'amis dans leurs plus beaux atours, quitta le port d'Aberdeen en compagnie de dizaines de jonques, de sampans, de chalands, de petits caboteurs, tous pavoisés et bondés de pèlerins. Les enfants portaient des vêtements de satin ou de soie. Maquillées, les petites filles, les cheveux relevés en chignon orné de fleurs ou de perles, leur mignon visage encadré par de longs pendants d'oreille, avaient l'air de ravissantes poupées. Elles prenaient leur rôle très au sérieux et se tenaient droites et sages près de leur mère.

De partout, tout ce qui flottait affluait vers les différents sanctuaires dédiés à la « Reine céleste », celle qui apaise les tempêtes, protège le peuple de la mer et remplit les filets des pêcheurs. Le temple qui attirait le plus de monde était celui de Da Miao. Au bout de trois heures de navigation, ils arrivèrent dans la baie de Joss House où des centaines d'embarcations se serraient déjà les unes contre les autres. Aidée de Chin-hua et de sa mère, Léa passa de l'une à l'autre pour atteindre l'appontement. Ensuite, pressée par la multitude portant en offrande de gros bâtons d'encens, des fleurs ou des cochons grillés, elle suivit la procession. À l'intérieur du temple, la fumée de l'encens était telle qu'on n'y voyait pas à dix pas devant soi. L'odeur était insupportable. Léa se sentit mal et fut portée à l'extérieur de l'édifice. Des milliers de personnes attendaient pour y entrer. Deux policiers lui frayèrent un passage à travers la foule jusqu'au port. Une vedette la déposa à Kowloon où elle se fit conduire chez son médecin. Chin-hua l'accompagnait.

Le praticien faillit perdre son flegme britannique quand il apprit d'où elle venait. Il ordonna un repos absolu jusqu'à l'accouchement. Autrement, il ne répondait de rien. Consciente de son imprudence, Léa ne répliqua pas. Elle ne voulait pas perdre cet enfant, bien qu'il fût la preuve et le fruit de son adultère. Il était désormais une part d'elle-même.

Trois semaines plus tard, elle accoucha prématurément d'une petite fille aux abondants cheveux noirs qui, bien que fluette, se révéla en excellente santé. C'était le 7 mai 1954. Diên Biên Phu venait de tomber.

23.

Le 1er janvier 1954, François Tavernier monta à bord d'un *Dakota* qui ramenait à Saigon plusieurs journalistes français et étrangers. On sabla le champagne en l'honneur de la nouvelle année. Cela ne suffit pas à dérider les visages moroses ; chacun aspirait à rentrer chez soi.

La pluie griffait les vitres de la voiture conduite par Bernard Rivière, dans laquelle François avait pris place. Sa surprise avait été grande quand il avait reconnu, sous la tôle d'un hangar, la silhouette de son camarade d'enfance. Depuis l'assassinat de sa femme et de sa fille par le Viêt-minh, un profond changement s'était opéré chez l'ambitieux employé de la Banque d'Indochine, maintenant sous-lieutenant dans l'armée vietnamienne. Il combattait non pour préserver son pays du communisme, mais pour se venger et tuer le plus d'adversaires possible. En commando, la nuit, avec quelques-uns de ses hommes vêtus de noir, le visage barbouillé de suie, il partait en expédition punitive dans les villages soupçonnés d'avoir hébergé des Viêts. Ces meurtres en série avaient donné à son regard clair une expression froide et détachée qui mettait son interlocuteur mal à l'aise. Dans la lumière blafarde de l'aéroport de Tan San Nhut, l'impression de mort qu'il dégageait, sanglé dans son uniforme impeccable, était presque palpable. « l'ange de l'Apocalypse », pensa François en lui serrant la main.

– J'ai été blessé à la jambe, ce qui m'a valu quelques jours de permission que j'ai passés avec Lien.

– Comment va-t-elle ?

– Bien... enfin...

– Enfin quoi ?

– C'est elle qui m'a demandé de venir te chercher.

– Pourquoi n'est-elle pas venue ?

– Elle voulait que je te parle avant.

– Eh bien, parle-moi ! fit-il d'un ton excédé.

Bernard ralentit pour laisser passer une ambulance qui fonçait, tous phares allumés.

– C'est au sujet de Léa... Attention ! Tu es fou !

La voiture heurta une borne avant de s'immobiliser à deux pas d'un cyclo-pousse.

– Parle !... Que sais-tu ?

Agrippées à la veste de son ami, les mains de François le secouèrent.

– Elle est morte.

Les mains relâchèrent brusquement leur prise et retombèrent, sans force.

– Comment es-tu au courant ?

– Un pli non cacheté des services de renseignements de l'Armée est arrivé à ton nom, en fin de matinée, en même temps qu'une lettre de Kien à Lien.

– Allons à la villa.

La voiture redémarra et s'arrêta une demi-heure plus tard devant la maison de la rue Pellerin. Dans l'embrasure de la porte se tenait Lien, tout de blanc vêtue, couleur de deuil chez les Vietnamiens. Ils se regardèrent longuement sans mot dire. La jeune femme s'effaça pour le laisser entrer.

– Montre-moi, ordonna-t-il.

Elle désigna une table. Il s'approcha, prit une feuille de papier recouverte d'une écriture d'écolier.

Ma chère sœur,

J'espère que ta santé est bonne. J'ai à te faire part d'une bien triste nouvelle et je te demande pardon de te l'annoncer ainsi : notre amie Léa est morte.

Comme tu le sais, nous étions partis à sa recherche avec François. Nous nous sommes séparés et nous n'avons pu nous rejoindre. J'ai continué avec mes hommes. Quand nous avons retrouvé sa trace, c'était trop tard, le Viêt-minh l'avait abattue. J'ai pu reconstituer ce qui s'était passé. Pour une raison que j'ignore – et les Viêts aussi, semble-t-il –, elle aurait tué Pham Thi Nhu-Mai qui était chargée de la surveiller.

Tu peux deviner le chagrin que j'ai éprouvé. Pour tenter d'oublier, je vais voyager à bord de ma jonque. Où ? Je n'en sais rien. Si je me décide à m'installer quelque part, je te le ferai savoir. Si tu revois François, dis-lui que j'ai fait tout ce que j'ai pu pour la retrouver vivante, et que je partage sa peine.

Ma sœur bien-aimée, prends bien soin de toi et n'oublie pas ton frère qui t'aime.

Kien.

François s'assit lourdement et vida d'un trait le verre que Bernard lui tendait.

– Je sais ce que tu éprouves, je suis passé par là. Viens avec moi, nous la vengerons.

Les yeux dans le vague, François alluma une cigarette, puis prit la dépêche.

Monsieur,

Nous vous confirmons, hélas, ce que vous ont annoncé nos services de Hanoi. Madame Tavernier a bien été tuée près de Ngân Son. Les circonstances ne nous permettent pas de rapatrier son corps, mais soyez assuré que nous ferons le nécessaire dès que cela sera possible. En attendant, veuillez accepter, monsieur, nos sincères condoléances.

Le feuillet lui glissa des mains. Lien s'agenouilla devant lui.

– Je te demande pardon, je n'ai pas pu la retenir...

Il regarda sans le voir le beau visage tourné vers lui, caressa ses cheveux noirs en esquissant un pauvre sourire. Elle aurait préféré des cris, des injures, des coups, même, plutôt que ce sourire.

– Tu as tes enfants, pense à eux...

Il se leva, passa sur la terrasse donnant sur le jardin et resta un long moment sous la pluie, le front levé. Quand il se retourna, l'expression de douleur qui se lisait sur ses traits était telle que le frère et la sœur détournèrent les yeux.

– Si tu le permets, Lien, je vais aller me reposer.

– Ta chambre est prête.

Pendant une semaine, il resta enfermé, ne rouvrant sa porte que pour prendre les bouteilles de gin et de cognac qu'il exigeait. Bernard avait dit à Lien de lui donner tout l'alcool qu'il demanderait.

– Il vaut mieux le voir saoul que mort, avait-il déclaré.

Au huitième jour de sa retraite, François appela. Lien entra et recula devant l'odeur. Affalé sur le lit souillé de déjections, de cendres et de mégots, les yeux cernés de brun, barbu, d'une saleté repoussante, il lui dit :

– Apporte-moi de quoi écrire et trouve-moi des vêtements propres.

– Ils sont dans la penderie, fit-elle d'une petite voix.

Elle sortit et revint avec du papier et un stylo.

– Laisse-moi maintenant.

– Tu ne vas pas... ?

– Ne crains rien. Je te verrai tout à l'heure.

Il débarrassa une table encombrée de bouteilles vides et s'assit.

Saigon, le 9 janvier 1954.

Ma chère Françoise,

Notre petite Léa n'est plus. Par ma faute, elle est morte. Je ne peux me le pardonner. Je vous confie nos enfants. Par le même courrier, j'entreprends les démarches auprès de mon notaire qui vous délivrera les fonds nécessaires à leur entretien et à leur éducation. Je sais que je peux compter sur vous et sur Alain, et je vous en remercie de tout cœur. Dites-leur combien leur mère était belle, courageuse, et combien elle les aimait. Dites-le également à Charles, que nous considérions comme notre fils aîné, qu'il prenne soin d'eux.

Par testament, je vous nomme tous les deux tuteurs de Camille et d'Adrien. Vendez ce qui vous semblera utile. Mon notaire, qui est un honnête homme, vous aidera de ses conseils. Pardonnez-moi, chère Françoise, d'ajouter ces charges à votre chagrin, et ne me jugez pas trop sévèrement.

François.

Calmement, il fit son testament, l'adressa à son notaire, puis écrivit au général Salan :

Saigon, le 9 janvier 1954.

Mon général,

Votre compréhension m'a permis de partir à la recherche de ma femme disparue et je vous en remercie. La nouvelle officielle de sa mort m'est parvenue. Je n'ai plus de raison de vivre. Je veux mourir en combattant. Je vous demande instamment d'user de votre influence afin que je puisse m'engager dans la Légion étrangère et rejoindre, à Diên Biên Phu, mes camarades légionnaires, le lieutenant Thévenet et l'adjudant Maréchal. Vous connaissez mon passé, vous savez que je serai une bonne recrue pour l'Armée.

Mon général, je sais que vous me comprenez, comme je sais que ce que je demande n'est pas dans les traditions de la Légion. Mais je n'ai pas le temps d'aller faire mes classes à Sidi-Bel-Abbès.

Par avance, mon général, je vous remercie de votre aide et vous prie d'agréer l'expression de ma haute considération.

François Tavernier.

Toujours calme, il cacheta les enveloppes, puis ouvrit en grand les fenêtres. Il ne pleuvait plus, mais l'air était chargé d'humidité. Du jardin mouillé montaient les exhalaisons fortes de la terre qui lui rappelaient celles de Montillac, certains matins d'été, après l'orage. Il revit Léa humant ces effluves avec avidité. Sa vision fut si précise qu'il chancela et laissa échapper un gémissement. Jamais plus elle n'irait, courant à travers les vignes, se riant des éclairs, défiant le ciel sombre, offrant son corps à la pluie, heureuse de sentir le sol vibrer à chaque coup de tonnerre. Depuis des années, il s'émerveillait de cette vitalité qui était en elle, de cet appétit de vivre conservé en dépit des souffrances endurées. Cette vie détruite était une insulte à la vie même. Par son goût du risque, des situations tordues, il l'avait poussée à la mort. Pour cela, il n'y avait pas de pardon. Il avait songé à se tuer, mais il y aurait eu de la lâcheté dans une fin comme celle-là. Puisqu'il avait aimé la guerre, il lui fallait mourir en la faisant.

Pourtant, cette guerre n'était pas la sienne, il ne se reconnaissait pas dans ces soldats combattant à dix-huit mille kilomètres de leur patrie contre d'autres qui défendaient la leur. Il n'avait pas sa place dans ce conflit qui opposait communistes, armée vietnamienne de Bao Dai et soldats se battant sous le drapeau français. Par moments, il ne pouvait s'empêcher de redouter la victoire du Viêt-minh, celle du communisme dont une partie des peuples vivant au Viêt-nam ne voulait à aucun prix. Par endroits, c'était déjà la guerre civile qui se répandait : des villages ralliés aux Français étaient dévastés, des populations déportées ou contraintes de combattre aux côtés de ceux qui avaient anéanti leur famille, détruit leur maison. Malgré sa sympathie pour Hô Chi Minh et sa lutte en faveur de l'indépendance de son pays, il n'ignorait pas qu'au nom de l'oncle Hô, des exactions et des exécutions sommaires avaient lieu chaque jour. Mais il n'éprouvait pas de haine envers ceux qui avaient supprimé celle qu'il aimait. La haine, il la tournait contre lui-même. Depuis son enfance, il s'était senti proche du peuple vietnamien, révolté par les inégalités et les injustices dont on l'avait accablé. Il avait compris l'engagement de Hai aux côtés du Viêt-minh ; à sa place, il aurait fait de même. S'il n'avait été aussi profondément attaché à la France et à l'idée qu'il se faisait de son honneur, il aurait rejoint son ami dans son juste combat. Mais il était français, et des Français allaient mourir au fond d'une jolie vallée, dans l'indifférence générale, pour une mauvaise cause, victimes de dirigeants irresponsables, de spéculateurs avides. Tout cela était tristement absurde et, parce que c'était absurde, c'était là qu'il devait être.

Il avait ouvert la porte de la chambre et appelé Lien.

François Tavernier sortit du quartier général de Navarre en ayant obtenu que sa lettre au général Salan fût acheminée par les voies les plus rapides.

Il passa alors de longues journées en compagnie de Lien, l'écoutant évoquer leurs souvenirs d'enfance et d'adolescence. La nuit, il se saoulait dans les bouges de Cholon d'où il rentrait au petit matin, à demi conscient. Il avait écrit à Thévenet et à Maréchal pour leur annoncer la mort de Léa et sa volonté de s'engager dans la Légion. Ils avaient répondu : « On t'attend, tu ne seras pas de trop. »

Trois autres semaines s'écoulèrent durant lesquelles François s'enfonça dans sa douleur. À Paris, René Coty avait remplacé Vincent Auriol à l'Élysée. À Saigon, la vie continuait avec la même agitation, le commerce battait son plein, proxénètes et tenanciers de bars faisaient fortune ; les soldats en permission dépensaient toute leur solde avec les filles en se saoulant de bière. Malgré la présence de l'armée et quelques attentats, la guerre paraissait loin. La ville et sa banlieue vivaient en feignant d'ignorer que l'ennemi était à moins de cinquante kilomètres. Quant aux douze mille hommes engagés à Diên Biên Phu, on n'en parlait guère, à l'exemple de la presse de la métropole. Là-bas, dans le camp retranché, la routine s'installait, à en juger par une lettre de Maréchal remise à la fin janvier par un légionnaire :

DBP ressemble de plus en plus à une ville de garnison : chapelle avec ses aumôniers, hôpital avec ses médecins, bordel avec ses filles. Il fallait voir la tête des mecs devant ce bataillon d'un genre spécial, relevant les pans de leurs tuniques aux couleurs tendres tout en faisant de l'œil aux troufions qui les regardaient la bouche en cœur ! Pour la construction du BMC[1]*, tous les hommes étaient volontaires. Les filles n'ont pas chômé.*

Le camp a bien changé depuis ton départ, les différents points d'appui ont pris leur forme définitive, chacun formant un bastion entouré de barbelés, de tranchées, avec ses réserves de vivres, de munitions et de bidons de napalm. Les chars M 24 ont été remontés et des chasseurs Bearcuts, *prêts à décoller, stationnent sur l'aérodrome. Les parachutages continuent.*

Te souviens-tu du premier hameau rencontré après notre descente de Laï Châu, sur la piste Pavie, au pied de la colline ? Le hameau a disparu. La colline qu'on appelait « le Torpilleur », à cause de sa forme, est devenue « Gabrielle ». J'ai connu autrefois une très belle femme brune prénommée Gabrielle et que nous appelions Gaby... Quelle drôle d'idée de donner des noms de femmes à des lieux qui attirent la mort !

Nous avons de temps en temps des visites de gradés de Hanoi ou de Saigon, de journalistes et même d'écrivains. Graham Greene, de passage dans le coin, est venu déjeuner avec le colonel de Castries. C'est devenu le dernier lieu à la mode... On murmure beau-

1. Bordel militaire de campagne.

coup, ici, que tout ne va pas pour le mieux entre Castries et Navarre. Si c'est le cas, c'est regrettable, et nous risquons d'être les dindons de la farce.

Le camarade légionnaire qui te remet ce pli est un ancien de la Wehrmacht où il devait, à mon avis, avoir un grade important. C'est un copain en qui tu peux avoir toute confiance. Je lui ai parlé de ton désir de nous rejoindre. Il a une idée, il t'en parlera.

Je suis sous les ordres de cette brute de Thévenet qui te serre la main.

Voici la mienne,

Maréchal.

– Voulez-vous remettre une réponse ? demanda le légionnaire dans un français presque dépourvu d'accent, tout en finissant le verre de cognac offert par Lien.

– Dans sa lettre, Maréchal dit que vous avez une idée.

– Elle est simple : prenez l'identité d'un autre.

– Comment celà ?

– À l'hôpital, des légionnaires blessés ou malades meurent tous les jours. Arrangez-vous avec un infirmier ou un médecin indigènes pour obtenir les papiers de l'un d'eux. Moyennant quelques piastres, rien de plus facile.

– Vous-même en avez fait l'expérience ?

– Sous d'autres cieux, oui.

Le 2 février 1954, François fut convoqué par le contre-amiral Cabanier, du Secrétariat général permanent de la Défense nationale. Enfin, il allait recevoir la réponse tant attendue.

– Asseyez-vous, monsieur Tavernier, ce que j'ai à vous dire est extrêmement confidentiel. Vous n'êtes pas sans savoir que M. René Pleven, ministre de la Défense nationale, doit venir se rendre compte par lui-même de la situation à Diên Biên Phu. Il s'est souvenu de la mission dont il vous avait chargé et souhaite savoir, en accord avec le chef du gouvernement, M. Laniel, si vous accepteriez de tenter une nouvelle démarche auprès de Hô Chi Minh.

Tout le temps que le contre-amiral avait parlé, François se disait : « Non, ils ne vont pas oser ! » Eh bien si, ils osaient ! « Je vais lui casser la gueule ! » bouillonna-t-il.

Il y eut un long silence.

– Eh bien, répondez quelque chose... Qu'en pensez-vous ?

– Est-ce que vous vous foutez de moi ? lâcha-t-il d'une voix presque suave.

– Mais enfin, monsieur !...

– Taisez-vous ! Avec les conneries de votre gouvernement, j'ai perdu ma femme, et la France va perdre l'Indochine, et, après l'Indochine, Madagascar, la Tunisie, l'Algérie...

– Monsieur !

– Oui, c'est le sort de tout l'empire colonial qui va se jouer à Diên Biên Phu, et la place de notre pays dans le monde. Depuis 1946, nos dirigeants ont cru pouvoir se jouer du bonhomme Hô Chi Minh. Par leurs dérobades, leurs mensonges, ils l'ont installé plus sûrement que le Parti communiste. Chaque fois qu'il a tendu la main, on a craché dedans. Je ne me ferai pas le complice d'une nouvelle tentative. Cette guerre, il va la gagner par les armes et par la volonté de son peuple...

– Aidé par les communistes chinois !

– Et alors ? Cela ne nous concerne pas. Le Viêt-nam sera communiste parce que nous n'avons pas su l'écouter quand il était encore temps !

– Vous étiez à Diên Biên Phu ; vous laisseriez donc ces milliers d'hommes s'y faire massacrer ?

– Parce que nous en sommes là ? » demanda François en détachant chaque mot et en regardant son interlocuteur droit dans les yeux.

Pour apaiser sa colère, il alluma une cigarette tandis que le contre-amiral se levait pour se donner une contenance. Planté devant une carte du Tonkin, il gratta à son tour une allumette.

– Si j'ai bien compris, vous refusez ?

– Oui. Je ne crois pas à la sincérité des dernières déclarations de Hô Chi Minh. Elles sont faites pour épater l'étranger et nous faire perdre la face une nouvelle fois. Par contre, si M. Pleven veut m'envoyer combattre à Diên Biên Phu, je suis prêt à prendre le premier avion et à sauter là-bas. J'ai déjà rédigé une demande en ce sens. En venant ici, je croyais que vous me donneriez la réponse.

– Je ne suis pas au courant, lâcha froidement Cabanier en lui tendant la main. Au revoir, monsieur Tavernier. Bien entendu, tout ceci est « secret-défense ».

– Si vous le dites..., marmonna François en sortant.

Le surlendemain, par l'intermédiaire de Bernard Rivière, il fit la connaissance d'un Américain, ancien pilote de la compagnie de Chennault, les Tigres volants, qui avait accompagné en 1946 une mission des États-Unis chargée d'analyser la situation indochinoise. Tombé amoureux d'une Annamite, fille d'un professeur de littérature au lycée Albert-Sarraut de Hanoi, il n'était plus jamais reparti et s'était installé avec sa jeune femme à Saigon où il avait monté une petite compagnie d'aviation spécialisée dans les vols d'affaires entre Calcutta, Bangkok et Hanoi. Pendant trois ans, ils avaient vécu heureux, jusqu'au décès de Ngoc-lan, morte en mettant au monde la petite Thuy-chaû. Depuis lors, laissant l'enfant aux mains d'*assam* successives, il s'était mis à boire, perdant un à un ses clients. Ceux qui le faisaient encore travailler ne l'embauchaient que pour des voyages dangereux, des coups tordus. Plus c'était périlleux, plus il était content. Une fois, il avait été abattu au Laos, par la D.C.A. viêt-minh ; il s'en était tiré avec quelques côtes cassées, le corps farci d'amibes ; après trois cents kilomètres à travers la jungle, il avait été recueilli par des Cambodgiens et renvoyé à Saigon.

C'est au bar de l'hôtel *Continental* que François Tavernier et Samuel Irving sympathisèrent en buvant force bourbons. Irving avait un cœur tendre et une âme droite dans un corps de brute alcoolique. Cela lui avait valu bien des déboires, sans parvenir à l'endurcir vraiment. Il avait connu Bernard Rivière à l'occasion d'un vol sur Haiphong au cours duquel il avait appris ce qui était advenu à sa femme et à sa fille. Le vieux baroudeur en avait été ému. Un an après, ils s'étaient retrouvés par hasard, et c'est à cette occasion que Rivière lui avait parlé d'un ami qui désirait rejoindre Diên Biên Phu.

Une quinzaine de jours plus tard, n'escomptant plus de réponse du général Salan, François Tavernier sauta au-dessus du camp retranché.

Il atterrit entre la route provinciale 41 et une boucle de la rivière Nam Youm sur un terrain défoncé par les camions et sur lequel se dressait, incongrue dans ce décor lunaire, une délicate paillote encore d'aplomb sur ses pilotis. Il avait replié son parachute et s'avançait dans cette direction quand on se jeta sur lui, l'obligeant à se coucher à plat ventre.

Le souffle de l'explosion le fit rouler sur lui-même ; la jolie construction avait été volatilisée.

– Nom de Dieu, qu'est-ce que vous foutez là... Mais vous n'êtes pas des nôtres !

– Je viens d'arriver, dit François en montrant le ciel.

– Vous étiez dans l'appareil civil qui vient de survoler le camp ?... Vous avez eu de la chance de ne pas vous faire descendre : les rombiers voulaient vous tirer dessus.

– Pourquoi avez-vous fait sauter la bicoque ?

– Les Viêts l'avaient piégée. Mais ça m'dit pas c'que vous foutez là !

– Je suis venu voir des copains, le lieutenant Thévenet et l'adjudant Maréchal ; ils sont de la Légion.

– On va vous conduire au Q.G. du commandant Guiraud, du 1er B.E.P. Vous vous expliquerez avec lui.

Tavernier écarta le soldat en faction devant l'entrée du Q.G. et pénétra dans un édifice couvert de sacs de terre où un adjudant fumait tout en lisant son journal. À ses côtés, près d'une ouverture, deux grands diables de sous-offs jargonnaient un français rauque mêlé d'expressions germaniques. L'adjudant redressa la tête, de mauvaise humeur contre l'intrus, et grogna :

– Ah ça ! Que fiche le planton de garde ?... Et vous, monsieur, que voulez-vous ?

– Du service.

Les deux sous-officiers eurent un rire niais. François les regarda de travers.

– En deux mots, vous voulez vous engager dans la Légion ? demanda l'adjudant.

– Oui, je le veux. Mais à une condition.

– Des conditions, fichtre ! Qu'est-ce à dire ?

– De ne pas moisir ici. Il y a une compagnie qui part à l'assaut, j'en suis.

L'un des sous-offs ricana de nouveau et on l'entendit dire :

– Les Viêts vont passer un fichu quart d'heure : môssieur s'engage !

– Silence ! s'écria François. Je n'aime pas trop qu'on se moque de moi.

Le ton était sec et autoritaire. Le sous-of, un géant, l'air d'une brute, riposta :

– Hé, la bleusaille, faudrait me parler autrement... sans quoi...

– Sans quoi ?

– On verrait comment je m'appelle.

François s'approcha de lui, le saisit par la taille, le fit basculer sur le rebord de l'ouverture et le précipita au-dehors. Puis il dit à l'autre :

– À ton tour de déguerpir.

L'autre s'en fut.

Lui-même revint aussitôt vers l'adjudant et lui dit :

– Je vous prie de prévenir le commandant que monsieur François Tavernier désire prendre du service dans la Légion étrangère. Allez, mon ami.

L'autre, confondu, ne bougeait toujours pas.

– Allez, mon ami, et tout de suite ! Je n'ai pas de temps à perdre.

L'adjudant se leva, considéra d'un œil ahuri ce stupéfiant personnage, et, le plus docilement du monde, sortit. Alors, François prit une cigarette, l'alluma et, à haute voix, tout en s'asseyant à la place de l'adjudant, il explicita sa pensée.

– Puisque je n'ai pas le courage de me tuer, nous allons voir si les balles des Viêts seront plus compatissantes. Et puis, tout de même, ce sera plus chic... face à l'ennemi et pour la France !

Il n'attendit pas longtemps. Venue de l'extérieur, une voix s'écria :

– Bordel de merde ! Qu'est-ce que vous me racontez là ?... Un civil qui vous fiche à la porte !

Une silhouette massive se découpa dans l'entrée.

– Ben, merde alors !... Qu'est-ce que tu fous là ? lança Thévenet.

– Je t'attendais.

– Ça alors ! Pour une surprise, c'est une surprise ! Et une bonne, encore...

François se leva et les deux hommes se serrèrent la main. L'adjudant les regardait, de plus en plus abasourdi.

– Mon lieutenant, vous le connaissez ?

– C'est un pote ! On a été ensemble sur la R.C.4. et en bien d'autres coins encore. Laisse, je m'en occupe.

– Bien, mon lieutenant.

L'adjudant sorti, ils éclatèrent de rire en se tapant dans les mains.

– J'suis content d'te r'voir, ma vieille ! Même si j'aurais préféré ne plus jamais entendre parler de toi... Comment t'as fait ton compte pour arriver jusqu'ici ?

– Je leur ai fait le coup d'Arsène Lupin.

– Arsène Lupin ?...

– Ce n'est pas grave, je t'expliquerai. Où est Maréchal ?

– Le beau Roger est à « Béatrice ». Qu'est-ce qu'on dit de nous, à l'arrière ?

– Pas grand-chose.

– Tout le monde s'en fout, c'est ça ?... Tu peux l'dire... Tu crois que la visite de Pleven va changer quelque chose ?

– Tu veux que je te dise ? C'est le cadet de mes soucis ! Et à un point... La seule chose qui m'intéresse, c'est : à quand l'assaut ?

Thévenet alluma sa pipe, regarda longuement son copain puis désigna les collines qui les entouraient.

– Ils sont partout, ils creusent des tunnels tout autour. Je les connais bien, ils ont amené à dos d'homme de quoi nous faire danser. L'assaut ? Ce sera quand ils voudront, à leur heure. On est piégés.

– Vous êtes nombreux à penser comme toi ?

– Les anciens, ceux qui ont déjà combattu les Viêts à Cao Bang, à Thât Kê et ailleurs. Ce sont de bons soldats. C'est pourquoi on n'est pas d'accord quand Castries fait lâcher alentour des tracts les traitant de lâches. Ça ne peut que les exciter. Je les entends déjà gueuler comme à la corrida. Ils sont là, tout autour, attendant la mort du taureau. L'estocade, c'est eux qui vont la donner, mais avant, ils vont jouir du spectacle. Il a raison, ce journaliste du *Monde* qui a comparé Diên Biên Phu à une fosse aux lions.

– C'est excitant, tout cela ! Je sens que je vais enfin m'amuser...

– Déconne pas, vieux. Toi, peut-être, ou moi. Mais tous les gaziers qu'ont pas demandé à venir, ceux qui attendent une lettre de leur maman ou de leur bonne amie...

– Arrête, tu vas me faire pleurer !

– C'est ce que tu fais. Mais toi, tu chiales en-d'dans...

François lança un bref regard à Thévenet : l'autre était plus fin psychologue qu'il ne l'aurait cru.

Le soir, il partagea le dîner des légionnaires et but pour la première fois du *Vinogel* qu'ils avalaient pur et qui leur donnait des crampes d'estomac. Même coupé de deux volumes d'eau ainsi qu'il était indiqué sur la boîte, c'était infect et seulement propre à déboucher les éviers...

Puis il dormit dans l'abri du lieutenant Thévenet. Entre les montagnes, un gigantesque incendie illuminait la nuit de Diên Biên Phu.

C'est Thévenet qui le tira du sommeil !

– Debout, là-dedans ! T'es affecté à la 4e Compagnie du B.E.P. On part pour « Béatrice » ; grouille-toi ! C'est Domingo, un type bien, qui la commande... Avant, tu passeras avec le caporal à l'équipement. Le lieutenant-colonel Gaucher te verra à ton retour. Tiens, bois ça.

Le café était bon.

Chaque jour, des accrochages de plus en plus violents avaient lieu, apportant leur lot de morts et de blessés. Le médecin-commandant Grauwin, venu pour un remplacement de quinze jours, commençait à craindre que les quarante-deux lits de l'hôpital souterrain ne fussent pas suffisants. Et aurait-on assez d'avions pour évacuer les blessés sur Hanoi ? Les tirs viêts sur l'aérodrome étaient de plus en plus précis, et trois appareils avaient déjà été détruits.

Au pied de « Béatrice », quelques civils thaï erraient dans ce qui avait été leur village. En trois mois, une végétation dense avait recouvert leurs cultures. Les pauvres gens ne subsistaient que grâce aux rations distribuées par l'armée. Chassés, ils revenaient, de moins en moins nombreux. Les autres avaient été enrôlés de force par les Viêts : on les envoyait rejoindre les milliers de coolies qui acheminaient, à pied ou à bicyclette, les armes et le riz jusqu'aux combattants dissimulés sur tout le pourtour de la cuvette.

À mi-pente, une fusillade éclata, fauchant trois hommes. Les légionnaires et les supplétifs thaï se jetèrent à plat ventre. De la broussaille, le casque couvert de branchages pour se rendre invisibles aux avions, des Viêts surgirent en poussant des hurlements. Les légionnaires s'étaient repris et abattirent les premiers assaillants. Les Thaï se jetèrent sur les suivants, poignards brandis, vociférant des insultes, donnant libre cours à la haine ancestrale entre les deux peuples. Les Thaï eurent le dessus, mais y laissèrent cinq des leurs. Sautant de rocher en rocher, François fonça vers le piton.

– Attention !

Thévenet le bouscula, le forçant à s'allonger.

– Fais gaffe, vieux. J'ai pas envie de te perdre maintenant !

Ils se relevèrent sous le feu ennemi sans cesser de faire usage de leur arme.

Soudain, le tir cessa. Tout parut terriblement silencieux.

– Ramassez les blessés, ordonna Thévenet.

Le bilan était lourd : sept morts, un blessé grave et huit autres légers. Le médecin-chef Auber, descendu de « Béatrice », prodigua les premiers soins au plus sérieusement atteint. Ce n'était pas beau à voir : la poitrine était ouverte ; à travers les côtes cassées on distinguait la masse rose des poumons ; le bras droit, mi-arraché à hauteur de l'épaule, tressaillait nerveusement.

– C'est pas grave, docteur ? C'est pas grave ? ne cessait de répéter le blessé, un garçon d'une vingtaine d'années.

– Sois courageux, petit. La quille, c'est pour bientôt.

À gestes précis, il pansa l'horrible blessure, et fit une piqûre.

– Il faut le descendre de toute urgence à Grauwin, dit Auber à Thévenet.

Les Thaï déployèrent un brancard. Malgré les précautions prises, le blessé cria quand on l'y déposa.

– Tu vas avec eux, ordonna Thévenet à François ; tu les couvriras sur la droite, et Ludwig sur la gauche.

La petite colonne s'ébranla, les blessés se soutenant les uns les autres. Ils arrivèrent en bas de la colline. Sur la route provinciale 41, des ambulances venaient au-devant d'eux. Là-haut, tout autour du point d'appui, la fusillade avait repris ; on entendait même le canon.

– Bof... On ne risque rien, ils n'ont pas d'armement. Ils croient nous impressionner avec un ou deux malheureux obusiers... Et, même s'ils en avaient davantage, les Viêts sont les plus mauvais artilleurs du monde, lâcha un des ambulanciers, lorgnant malgré tout avec inquiétude en direction des explosions.

À la tente de triage, de nombreux blessés attendaient.

– Les ventres en priorité ! cria un infirmier noir.

– Salut, N'Diaye ! On t'amène du travail, lança un des légionnaires touché à la tête.

– Chacun son tour : le patron a dit *les ventres*. Personne, aujourd'hui ?... Tant mieux !

– Sergent, cet homme est grièvement atteint, on vient de « Béatrice »...

N'Diaye se pencha et écarta délicatement le pansement, puis tout aussi doucement, il le remit en place.

– T'inquiète pas, mon p'tit vieux... Vite, au bloc !

Les brancardiers le soulevèrent et s'engouffrèrent dans le boyau conduisant à la salle d'opération. Les autres furent soignés sur place, puis renvoyés dans leurs quartiers.

Tavernier ne remonta pas à « Béatrice » ; sur ordre de Castries en personne, il fut affecté à l'entretien de la piste d'aviation, des routes et des blockhaus, des tranchées et des locaux d'hospitalisation. C'était certes dangereux, mais ce n'était pas se battre, et ça le rendait fou de rage.

– À ta place, lui avait dit l'Allemand Ludwig, je me ferais tout petit. Tu ne fais pas encore officiellement partie de la Légion...

Tous les soirs, à cinq heures, un canon tirait en direction du camp comme pour les narguer, tandis que les *Bearcat* pilonnaient la colline d'où provenaient les tirs. Insaisissable, le canon changeait de position tous les jours. L'air était rempli de bruits : Dakotas, chasseurs, batteries, tanks, Jeeps, camions, groupes électrogènes, haut-parleurs diffusant les programmes de *Radio-Hirondelle*, la *voix des forces de l'Union française*, ou bien crachotant les ordres dans une poussière ocre qui ne retombait jamais.

Maintenant, on entendait chaque nuit les tirs de mortiers et de mitrailleuses en provenance de « Gabrielle », tenue par des tirailleurs algériens. Encerclant complètement « Béatrice », les Viêts creusaient des galeries. Mais les légionnaires étaient calmes, confiants : leur position était bonne, la vue dégagée. Si les Viêts se montraient, ils se feraient hacher menu.

– Tavernier, un télégramme pour vous. C'est probablement le dernier télégramme privé qu'on recevra de Saigon...

Telle une statue de boue, François sortit de la tranchée où il faisait une pause.

L'orage grondait, il faisait lourd. La pluie se remit à tomber. Un obus explosa à quelques mètres de l'abri, faisant trembler les murs de terre et de rondins.

Il fourra le télégramme dans la poche de sa chemise, grimpa d'un bond sur le talus et courut en zigzaguant vers un rempart fait de plaques de tôle. Il entendit crier :

– « Anne-Marie » est tombé ! Les Thaï ont déserté...

24.

... Comme des nuées de sauterelles, ils ont surgi des boyaux qu'ils creusaient depuis des semaines... Les premières vagues d'assaut viêt tombent sous les feux conjugués... Ils tombent... d'autres et d'autres encore les suivent... Les hurlement des « orgues de Staline » font frissonner de peur les plus courageux... Leurs rafales formidables déchirent le ciel... Quel est le con qui a dit qu'ils n'avaient pas d'artillerie ?... Un dépôt de munitions saute... Les chars du capitaine Hervouët ont tous été détruits... La colonne Crèvecœur ne viendra plus... Les lance-flammes crachent leurs longues traînées de feu dans un sifflement d'épouvante... des silhouettes s'embrasent... courent aveuglément, bouche ouverte... basculent, agitées de soubresauts... La fumée de l'holocauste est-elle agréable aux dieux ?...

Bigeard a fait du bon boulot, mais ça n'a servi à rien... Les haut-parleurs viêt-minh, invitant la garnison à se rendre, ont cessé d'émettre... Ils n'ont plus besoin de susurrer leurs messages d'abandon et de menaces... Des spectres d'argile sortent des abris, éblouis par la lumière... Il fait beau... les pluies torrentielles ont enfin cessé... Les blessés se traînent devant l'entrée du souterrain où opère le médecin-commandant Grauwin... Les infirmiers les repoussent... il n'y a plus de place, ils sont entassés les uns sur les autres... Des véhicules continuent de flamber... Un aumônier passe, son calice de campagne à la main... il pleure... Des pillards s'abattent sur les caisses du dernier parachutage... ils ne craignent plus le feu des Viêts... Les petits hommes verts ont déferlé sur le camp avec des cris de joie et des hurlements de triomphe... Des cadavres glissent doucement au long de la rivière Nam Youm... Ça pue la poudre, le caoutchouc brûlé, la merde, le sang, la charogne... Les toiles de parachutes laissées sur les collines ressemblent à des linceuls... Les « Éliane » n'en finissent pas de se consumer...

– C'est cuit, dit Castries. Il ne faut rien laisser intact.

Le drapeau à l'étoile d'or ondule doucement... Appuyé contre un muret de sacs de terre, un parachutiste regarde la plaie de sa jambe où grouillent déjà les asticots... Des appels enfantins montent : « Maman... maman... J'ai mal... » Des supplétifs thaï et vietnamiens ont jeté leurs armes, arraché leurs uniformes... Ils essaient d'échapper aux Viêts : « Nous, coolies... pas soldats... coolies... » Thévenet a rampé jusqu'à Tavernier ; une balle lui a traversé l'épaule.

– T'as pas vu Maréchal ?

– Il était à « Isabelle »...

La mort n'a pas voulu de François... Pourtant, cent fois il a risqué sa vie... Pourquoi pas lui, alors que tous ces pauvres bougres... ?

– Il te reste une cigarette ? demande Thévenet.

François fouille dans la poche de sa chemise et ramène un bout de papier froissé ainsi qu'un paquet écrasé qu'il tend à son camarade.

– Tiens, j'avais oublié, marmonne-t-il en ouvrant le télégramme.

Le temps s'est arrêté... Les larmes laissent des traces blanches sur ses joues sales. Gêné, Thévenet baisse la tête en s'emparant du télégramme que lui tend son copain...

Léa vivante – stop – Reçu lettre d'elle – stop – Est à Hong Kong avec Kien – stop – Baisers – stop – Lien – stop.

Le bonheur est trop grand... Il faut le cacher...

Ils allument une cigarette... Après tous ces jours passés à soigner sans relâche les blessés, à consoler les mourants dans l'hôpital souterrain, Geneviève de Galard cligne des yeux dans la lumière... Par vagues, les Viêts continuent à dévaler les collines... Dans la « cour des miracles », les déserteurs pullulent, se battent pour une ration avant de regagner leur trou dans la falaise qui surplombe la rive gauche de la rivière... Ils sont sales et couverts de vermine... il y en a des centaines... des centaines... Un photographe brise son appareil... Le colonel Langlais a brûlé son béret rouge de para... Des lambeaux sanglants s'accrochent aux barbelés... Voici qu'ils remettent *Le Chant des Partisans*[1]...

Ami, entends-tu le vol noir des corbeaux sur la plaine ?
Ami, entends-tu ces cris sourds du pays qu'on enchaîne ?...

Le disque doit être usé à force d'avoir été passé et repassé... Les grésillements couvrent parfois la voix de la chanteuse... François serre les poings... Les salauds, ils savaient ce qu'ils faisaient en choisissant cet air !...

Encadré de *bô dôi*, le général de Castries passe, blême, regardant droit devant lui... son grand nez paraît plus long, ses épais sourcils plus noirs, sa bouche plus molle... il porte un pantalon impeccable et une chemise propre, sur laquelle est accrochée la barrette de ses décorations... Beaucoup détournent la tête... cet aristocrate, amateur de jolies femmes, ce cavalier, ex-champion du monde, s'en va, cigarette aux lèvres, son calot rouge sur la tête, faire l'apprentissage de l'humiliation...

1. Écrit en 1944 par Maurice Druon et Joseph Kessel pour les paroles, par Anna Marly pour la musique.

Ohé ! partisans, ouvriers et paysans, c'est l'alarme !
Ce soir, l'ennemi connaîtra le prix du sang et des larmes...

L'ancien aide de camp du général Navarre, le capitaine Jean Pouget, qui a sauté quelques jours plus tôt n'en pouvant plus d'être « planqué » à Saigon alors que ses camarades se faisaient tuer dans cette putain de cuvette, laisse tomber sa grande carcasse près de Thévenet.

– T'as pas une cigarette ? demande-t-il.

Il fume en silence... Là-bas, en France, on doit fêter la victoire, et lui est là, piégé comme un con... il ne regrette pas sa planque dorée... s'il n'était pas venu, il aurait eu trop honte... Le docteur Grauwin sort de son hôpital, visiblement épuisé... Ses cheveux grisonnants sont devenus blancs... il a vu trop de souffrances, trop de morts... son torse rassurant et velu déborde de son treillis... il essuie ses lunettes rondes de myope... lui aussi cligne des yeux dans la lumière... Bigeard, que tous ici appellent Bruno, s'approche de lui :

– Alors, nous voici prisonniers de ces petits Vietnamiens dont nous pensions jadis qu'ils étaient tout juste bons à faire des infirmiers ou des chauffeurs, quelle leçon !...

Montez de la mine, descendez des collines, camarades,
Sortez de la paille les fusils, la mitraille, les grenades...

– J'aurais pas voulu manquer ça... Je suis arrivé juste à temps ! dit un jeune Vietnamien, soutenant son bras déchiqueté.

Il fait partie de ces quatre-vingt-quatorze fous, parachutés dans l'enfer le 6 mai à cinq heures vingt du matin... c'était son premier saut... il étudie la littérature française à Saigon... Un légionnaire allemand pleure... il s'est battu à Stalingrad... il s'est battu à Diên Biên Phu... encore une fois vaincu... après les prisons françaises, les prisons viêts... Un petit homme vert se penche :

– Vous êtes prisonnier de l'Armée démocratique du Viêtnam.

Le colonel Lalande n'a pas réussi sa sortie... « Isabelle » ne répond plus... Une cinquantaine d'hommes, tous barbus, hâves et déguenillés, suivent des soldats viêts en agitant de petits drapeaux blancs... Thévenet crache sur leur passage...

C'est nous qui brisons les barreaux des prisons pour nos frères,
La haine à nos trousses et la faim qui nous pousse, la misère...

À demi nus, des tirailleurs africains tachetés de boue ressemblent à des léopards serrés les uns contre les autres... Un camion n'en finit plus de se calciner...

– À bouffer ! lance une voix.

– À bouffer ! répètent des centaines d'autres.

Des grenades jetées dans la rivière explosent... Une odeur atroce monte des tranchées... On pellette de la terre sur les corps, enlacés dans un ultime combat, des guerriers des deux camps...

– *Mau lên ! Mau lên !* crient les Viêts en poussant des prisonniers devant eux.

Combien de fois le peuple vietnamien n'a-t-il pas entendu ce mot ?... À croire que c'était le seul de leur langue que pouvaient retenir les Français... *Vite !... Vite !...* Dépêchez-vous !...

Le lieutenant-colonel Trancart repense à l'attaque où il a perdu « Gabrielle », puis « Anne-Marie »... Le commandant Brechignac, dit « Brèche », réfléchit déjà aux moyens de s'évader... Un légionnaire à la barbe grisâtre n'arrête pas de dire à un jeune, imberbe comme une jouvencelle :

– Ça me fait chier que ces salauds aient gagné... Ils respectent rien. Quand je songe à ce qu'ils ont osé nous dire à travers leurs putains de haut-parleurs, le jour de la fête de la Légion : « Légionnaires, cessez le combat si vous ne voulez pas vous faire massacrer jusqu'au dernier, comme à Camerone... »

– On leur a dit « merde », et envoyé un *Boudin* du tonnerre de Dieu ! précise celui qui ressemble à une fille.

Au Tonkin, la Légion immortelle
À Tuyen Quan illustrera notre drapeau.
Héros de Camerone, frères modèles,
Dormez en paix, dormez dans vos tombeaux !

Tiens ! Voilà du boudin
Pour les Alsaciens, les Suisses et les Lorrains,
Pour les Belges, y en a plus...

– Vos gueules ! Ils sont crevés, vos copains... Ils dormiront pas en paix... J'ai vu leurs âmes errant, cette nuit, hurle un homme devenu subitement fou, que des infirmiers tentent de calmer.

De rudes soldats tressaillent en l'entendant... Les âmes errantes, la grande peur des Vietnamiens... et s'ils avaient raison d'avoir peur ?... peur de tous ces morts de Diên Biên Phu, qu'ils aient été de France ou du Tonkin, du Maroc ou de Cochinchine, d'Algérie ou de l'Annam, Allemands, Sénégalais, Thaï, Camerounais, Méo, hommes des villes, des champs ou des rizières, officiers ou simples soldats, lâches ou courageux, qu'importe puisqu'ils sont là, ensevelis dans la boue, engraissant une terre qui, pour beaucoup, n'était pas la leur, mais pour laquelle ils ont versé leur sang, la plupart sans trop savoir pourquoi...

Sur les centaines de brancards alignés, des blessés bavardent, fument ou gémissent.

– Ça va, mon vieux ? lance Bigeard quand il reconnaît un de ses hommes.

À lui, ils tentent de sourire... il s'est battu comme eux, malgré sa jambe abîmée... Les Viêts séparent les combattants : les Vietnamiens par ici, les autres par là... Frères d'armes, ils savent qu'ils ne se reverront plus... Ah, si les Américains avaient accepté de nous donner un coup de main... Pourquoi pas la bombe atomique ?... On en avait parlé... Pauvres cons !... Un avion survole le désastre... en bas, ça n'inquiète plus personne... D'où vient-il ? Hanoi ou Saigon ?... Quelle importance ?...

Le général Giap peut être fier de sa victoire... après cinquante-cinq jours de combats incessants, l'ennemi du peuple vietnamien a été vaincu... À la conférence de Genève, s'ouvre la discussion sur le problème de l'Indochine, en présence des délégués viêt-minh... À travers le monde, les téléscripteurs crépitent : « DIÊN BIÊN PHU EST TOMBÉ... »

Des files de prisonniers se mettent en marche... sur les dix mille, il n'en reviendra qu'un sur quatre.

Épilogue

Les quinze jours précédant la naissance, Léa avait, comme tous les habitants de la colonie, suivi le déroulement de la bataille de Diên Biên Phu, priant pour que Jean Lefèvre et Franck Lagarde ne se trouvent pas parmi les combattants. Et François, où était-il ? Il était bien capable de s'être fait parachuter, comme des centaines d'autres volontaires, pour venir au secours des assiégés. Les causes désespérées, c'était assez son style ! Alors une nouvelle peur s'installa.

L'annonce de la reddition, au moment de la naissance de sa fille, la laissa sans forces et inquiéta le médecin. Léa s'était confiée à lui, il avait promis de l'aider et d'alerter le consulat de France ; mais il ne ferait rien tant qu'elle ne serait pas remise. On lui mit le nouveau-né entre les bras et des couleurs revinrent sur ses joues.

– A-t-on d'autres nouvelles de Diên Biên Phu ? demanda-t-elle.

Kien, qui n'avait pas quitté son chevet, lui prit la main.

– La dernière colline s'est rendue ce matin à une heure.

Le visage enfoui dans les cheveux du bébé, Léa laissa couler ses larmes.

– Le 8 mai ? Le jour de la fin de l'Allemagne nazie ?... Ce n'est pas juste ! Comment s'appelait cette colline ?

– Isabelle.

– Isabelle... C'était le prénom de Maman ; c'est celui de la fille de ma sœur... J'aurais aimé le donner à la mienne... Maman s'appelait aussi Claire...

Tout à sa joie d'être père, Kien s'exclama :

– Claire Rivière ! C'est très beau. Chez nous, c'est le nom d'une rivière...

Léa ne pouvant nourrir son enfant, on lui livrait chaque jour du lait frais en provenance de la laiterie des trappistes du monastère de l'île de Lantau. Elle avait appris à la nourrice engagée par Kien à stériliser les biberons. Le lait devait être d'excellente qualité car le bébé se portait très bien. Quant à Léa, après le désarroi dans lequel l'avait plongée la chute de Diên Biên Phu, elle avait retrouvé ce vieux réflexe de survie : chasser de son esprit ce contre quoi elle ne pouvait rien. Avec application et méthode, elle entreprit de se remettre sur pied et d'organiser son départ. Trois semaines après l'accouchement, elle avait repris ses promenades à travers l'île, seule ou en compagnie de Chin-hua ; souvent, quand elle se rendait dans les jardins du pic Victoria, elle emmenait sa fille.

Le médecin anglais qui avait accouché Léa avait tenu sa promesse et plaidé sa cause auprès du consulat de France. Mais le consul, débordé par l'« affaire de Diên Biên Phu », ne l'avait écouté que d'une oreille distraite.

– Je verrai ce que je peux faire, lui avait-il dit. Mais, en l'absence de papiers prouvant l'identité de cette personne, ce sera difficile.

– Je me débrouillerai seule, avait rétorqué Léa quand elle avait appris le résultat de cette entrevue.

Après bien des discussions, elle avait obtenu de Chin-hua qu'elle se mît en rapport avec un fabricant de faux papiers.

– Pour une Blanche, ce sera cher, avait-il dit. Encore plus si elle est accompagnée d'un enfant.

La quasi-totalité des bijoux offerts par Kien et de l'argent qu'elle avait économisé servirent à payer le passeport, l'autorisation de quitter la colonie et le visa pour Saigon ; ils étaient établis aux noms de Mrs Kennedy et de sa fille Joyce. Ils avaient coûté une fortune, mais le travail était impeccable.

Tôt le matin, pour profiter de la relative fraîcheur, Léa allait à Kowloon faire des courses dans la partie la plus européenne de la ville. Peu à peu, elle prit l'habitude d'emmener la petite Claire pour lui acheter jouets et vêtements. Au retour de ses sorties, elle paraissait si gaie, se révélait si tendre que Kien relâcha sa surveillance. Depuis la naissance, elle se refusait à lui sous prétexte de « problèmes féminins » qu'elle feignait, en rougissant, de ne pouvoir évoquer. Par chance, il ne se montrait point trop pressant ; il avait une maîtresse, une ravissante Chinoise, qui lui permettait de patienter. Et puis, n'était-elle pas la mère de son enfant ? À ce titre, elle avait droit à des égards. Sa fille, il en était fou et restait longuement penché sur son berceau.

Sous la présidence d'Anthony Eden, ministre des Affaires étrangères de Grande-Bretagne, la conférence de Genève tint sa dernière séance le 28 juillet 1954 et décida du cessez-le-feu en Indochine. Pierre Mendès France avait gagné son pari ; sous la pression des Chinois et des Soviétiques, Pham Van Dong dut s'incliner, la mort dans l'âme.

Léa ne reçut jamais de réponse aux lettres qu'elle avait écrites à Françoise et à Lien. Leur étaient-elles parvenues ? Les réponses avaient-elles été interceptées ?

La chaleur était accablante, le typhon menaçait. Enfin, un jour, Chin-hua lui dit :

– C'est pour demain.

Une peur animale la paralysa quelques instants : saurait-elle donner le change ?

Exceptionnellement, ce soir-là, Kien dînait à la maison. Léa demanda à la cuisinière indienne de préparer un repas de son pays. La première chose qu'il fit en rentrant fut d'aller voir Claire. « Regarde-la bien, pensa Léa. C'est la dernière fois que tu la vois. »

Après son bain, détendu, vêtu d'une longue robe chinoise, installé confortablement, Kien mangeait avec un évident plaisir les mets finement relevés.

– C'est une bonne idée d'avoir demandé un *thali*[1], je ne m'en lasse pas. Tu ne manges rien ?

– Je n'ai pas très faim... J'ai mal à la tête depuis ce matin.

– Qu'as-tu fait aujourd'hui ?

– Pas grand-chose ; il faisait si chaud que je n'ai pas eu le courage de sortir.

– Chin-hua est passée ?

– Oui, elle m'a apporté ce livre sur les bouquets japonais. C'est très beau, n'est-ce pas ? Elle va m'apprendre...

– Ta robe pour la soirée chez le gouverneur est-elle prête ?

– J'ai encore un essayage, demain. Elle sera superbe, tu pourras être fier de moi.

– Je suis sûr que tu seras la plus belle.

Elle leva son verre en signe de remerciement.

Il la regardait en proie à des sentiments inexplicables. Il avait envie d'elle, mais préférait attendre qu'elle fût complètement rétablie. Ils passèrent le reste de la soirée à parler du bébé, comme tous les parents du monde. Puis Kien sortit au jardin pour fumer un cigare. Quand il rentra, Léa s'était retirée dans sa chambre ; il entrouvrit la porte et murmura :

– Bonne nuit.

– Bonne nuit, à demain.

Après s'être assurée qu'elle n'était pas suivie, Léa poussa le landau sous un porche de Nathan Road, l'abandonna et prit un taxi pour l'aéroport où l'attendait Chin-hua avec le billet, le passeport et une valise contenant quelques vêtements pour elle et le bébé.

1. Plats indiens différents et présentés ensemble.

– Jamais je n'oublierai ce que tu as fait pour moi, lui dit Léa en l'embrassant.

Chin-hua l'accompagna devant la douane et resta jusqu'au départ de l'avion.

Ce n'est qu'au bout d'une heure de vol que Léa cessa de trembler.

Il pleuvait quand l'avion atterrit à Saigon ; il faisait lourd. Un fonctionnaire vietnamien examina attentivement le passeport de la jeune femme ; elle crut qu'elle allait défaillir. Avec application, il donna néanmoins deux coups de tampon.

– Vous pouvez passer.

Le hall était encombré de réfugiés fuyant le Tonkin ; beaucoup portaient une croix suspendue à leur cou.

Indécise, Léa regardait à la ronde : peu de Français, à part quelques militaires désœuvrés ; les combats avaient cessé le 11 août en Cochinchine.

Où aller ?... Elle redoutait le regard de Lien sur l'enfant et, cependant, elle était la seule à pouvoir lui donner des nouvelles de François.

François... Elle eut froid, soudain. Non, elle ne devait pas penser à cela. Bien sûr qu'il était vivant ! Il fallait qu'il soit vivant.

– Madame Tavernier !... Tout le monde vous croyait morte !... Je suis bien content de vous revoir... Vous avez l'air perdue, personne ne vous attend ?... C'est à vous, ce charmant bébé ?

Le patron du *Continental* la dévisageait avec des yeux exorbités, brillant dans sa figure rougeaude. Il semblait fatigué ; son costume blanc, froissé, paraissait trop étroit pour son corps obèse. Peut-être les derniers événements l'avaient-ils fait grossir ?

– Bonjour, monsieur Franchini. Comme vous voyez, je vais bien... Puis-je vous demander un service ?

– Tout ce que vous voudrez, chère madame.

– Savez-vous où habite M. Müller ?

– Bien évidemment.

– Pourriez-vous m'y conduire ?

Cachant son étonnement, il répondit :

– Avec plaisir, venez... Thanh ! *mau lên*... prends la valise de madame.

Bien installée dans la confortable limousine, Léa ferma les yeux, serrant contre elle la petite Claire. Franchini toussa pour s'éclaircir la voix, puis dit avec son fort accent corse :

– Vous avez de la chance que M. Müller soit là : il voulait se faire parachuter sur Diên Biên Phu... comme votre mari ! Heureusement, sa famille l'a enfermé.

– Qu'est-ce que vous dites ? Mon mari était à Diên Biên Phu ?

– Pauvre madame, vous ne le saviez pas ? C'est cet ivrogne de Samuel Irving qui l'a balancé au-dessus de la cuvette.

– Qu'est-il devenu ?... Est-il blessé ?...

– Non, il a été fait prisonnier.

– Dieu soit loué !

– Attendez de l'avoir retrouvé pour remercier Dieu ; les camps viêts, c'est pas de la rigolade ! Ceux qui en sont revenus disent que c'est pire que chez les Allemands.

– Ça, je ne peux pas le croire...

– Chère madame, ce n'est pas moi qui le dis, ce sont eux.

– Monsieur Franchini, aidez-moi à le retrouver !

– Melle Rivière sait peut-être où il se trouve...

– J'irai la voir après avoir rencontré M. Müller ; c'est encore loin ?

– À Cholon... Nous arrivons bientôt.

La voiture s'arrêta boulevard Gallieni, devant une bâtisse à l'aspect rébarbatif. Le chauffeur alla frapper à la porte. Un serviteur chinois, courbé par l'âge, ouvrit.

– C'est une dame pour monsieur Philippe.

– Léa !... Pardon... madame Tavernier !

Léa passa une partie de la nuit à raconter ce qui lui était arrivé. Souvent, elle dut interrompre son récit, étouffée par les sanglots. Dans une pièce voisine, une jeune servante s'occupait de l'enfant. Philippe l'écoutait, bouleversé et épouvanté.

– Vous ne pouvez rester à Saigon ; ici, Kien est trop puissant. Je connais Samuel Irving, il sera heureux de vous aider. Je vais l'appeler. Il vous faut partir pour Hanoi dans les heures qui viennent. En attendant, reposez-vous. Vous êtes en sécurité dans cette maison.

Le vieux *Morane* d'Irving décolla de Tan Son Nhut en début d'après-midi et atterrit à Hanoi trois heures plus tard. Il faisait moins chaud qu'à Saigon. Soutenue par Philippe Müller, Léa descendit de l'appareil. Tous trois furent aussitôt entourés de soldats viêts. Sur l'aéroport de Gia Lam flottait le drapeau vietnamien.

Ils furent conduits dans une petite pièce encombrée de marchandises de toutes sortes, et interrogés par un responsable viêt-minh. Celui-ci mit une évidente mauvaise volonté à ne pas vouloir comprendre les explications de Samuel Irving qui, pourtant, parlait remarquablement bien le vietnamien. Après deux heures de palabres, peut-être aussi à cause des pleurs du bébé, il consentit à faire venir son « collègue » français ; la discussion reprit. L'enfant s'était mis de plus belle à pleurer et Léa, qui était restée calme, sachant qu'on n'obtenait jamais rien dans ce pays en se mettant en colère, finit par exploser :

– J'en ai assez de vos discours ! Ma fille a faim ! Je veux aller à Hanoi, vous entendez ? Conduisez-moi à Hanoi !

– Calmez-vous, madame. Mon frère, qui fait le taxi, va vous conduire où vous voulez. Mais comprenez que nous devons prendre quelques précautions face à des étrangers, fit le soldat viêt.

– Pourquoi ne pas m'avoir répondu tout de suite en français alors que vous le parlez parfaitement ? demanda l'Américain.

– Je n'aime pas parler le français, c'est la langue des oppresseurs du peuple vietnamien. Madame, si vous voulez me suivre... Dong ! appela-t-il. *Dua nhung nguōi naȳ di Hà Nôi*[1].

La nuit était tombée, très noire. Avant le pont Paul-Doumer, ils furent arrêtés et contrôlés à quatre ou cinq reprises. Léa ferma les yeux, revivant ses retrouvailles avec François sur ce même pont. Il lui semblait qu'une éternité s'était écoulée depuis lors. Fatiguée de pleurer, Claire s'était endormie.

Par mesure de sécurité, Philippe Müller n'avait pas retenu de chambre à l'hôtel *Métropole*. Il avait obtenu de sa famille l'autorisation d'occuper une maison qu'elle possédait près de la Citadelle : l'étage seulement, car le rez-de-chaussée était loué. Quand ils arrivèrent, Léa eut la joie de trouver de quoi nourrir et changer l'enfant.

– Merci, dit-elle simplement à Philippe.

– Demain, une *assam* recommandée par l'une de mes tantes viendra ; on m'a assuré que c'est une personne de confiance. Cela vous donnera le temps de faire les démarches nécessaires. Je vous conseille la plus grande prudence : à l'heure qu'il est, Kien Rivière est à vos trousses. Il faut que vous soyez en sûreté auprès des autorités françaises avant qu'il ne vous retrouve.

– Y a-t-il encore ici une quelconque autorité française, après les accords de Genève ?

– Oui, c'est le général Ely qui est commandant en chef et commissaire général. En fait, c'est Salan...

1. Conduis ces gens à Hanoi.

– Le général Salan est à Hanoi ?

– En ce moment, je n'en sais rien ; nous le saurons demain.

– Je dois absolument le rencontrer. En attendant, il faut remettre la main sur Giau.

– Giau ?

– Le chef des mendiants... Lui pourra nous aider. C'est quelqu'un de sûr.

– Où peut-on le trouver ?

– Dans le quartier chinois, du côté de la rue des Voiles ou de la rue de la Soie. Vous le reconnaîtrez facilement : il est monstrueux.

– C'est le cas de beaucoup de mendiants ici...

– Je sais... Mais lui est pire que tout : il marche à quatre pattes, on dirait un crabe avec une tête de tortue... Il est vraiment très vilain !

– En admettant que je le trouve, rien n'est moins sûr qu'il veuille me suivre...

– Donnez-lui ceci, il comprendra.

Philippe prit le bouddha de jade offert naguère par Giau et le fourra dans sa poche.

– J'irai demain.

– Non, allez-y maintenant, je vous en prie... Vous m'avez dit vous-même que Kien était à ma recherche. Il n'y a pas une minute à perdre !

– Je vais avec vous, fit Irving.

– Je préfère que vous restiez auprès de madame Tavernier, on ne sait jamais. Mes cousins m'ont promis deux gardes du corps, mais ils ne seront pas là avant l'aube.

« On se croirait dans un mauvais roman d'aventures ! » pensa Léa.

– Allez dormir, reprit Müller. Si je trouve ce Giau, je viendrai vous réveiller.

Contre toute attente, Léa dormit parfaitement.

Ce n'est qu'au matin que Philippe Müller trouva Giau ; il était encore plus laid qu'il ne s'y attendait. Le monstre se mit à trembler comme une feuille quand il reconnut le bouddha, et des larmes coulèrent dans les sillons de la hideuse figure dressée comme celle d'un serpent.

– C'est elle qui t'envoie ? balbutia-t-il.

– Oui, fit Philippe en détournant la tête.

– Où est-elle ?

– Suis-moi.

Le mendiant se souleva et lança un appel. Aussitôt, le sol alentour bougea ; des créatures couleur de poussière répondaient à son signal. Bien qu'habitué depuis son enfance aux misérables de Cholon, Müller eut un sentiment de dégoût et de crainte mêlés. Il s'éloigna, mais seul Giau se traîna derrière lui. Du moins, le crut-il...

– Elle dort, dit Irving en se levant du fauteuil dans lequel il s'était affalé, sans paraître lui-même remarquer le mendiant.

– Ne la réveillons pas... Allez plutôt vous reposer.

Il offrit une cigarette et du thé à Giau et lui conta ce qu'il savait. Giau l'écouta sans l'interrompre, puis, au nom de Kien :

– Je le tuerai, dit-il sans autre commentaire.

Léa les rejoignit peu après, portant la petite Claire. Elle s'accroupit devant Giau ; ils se regardèrent longuement.

– Je suis si heureuse de te revoir, murmura-t-elle enfin.

– Je lui ai fait part de ce que vous m'aviez confié, dit Philippe.

– Vous avez bien fait. Toi, Giau, qu'as-tu à m'apprendre ?

Il lui fit le récit de leurs recherches à travers la jungle et la montagne, de la façon dont il avait été laissé pour mort par un des hommes de Kien. Quelques semaines plus tard, rétabli, il s'était trouvé face à la bande, à Thâp Mieu où Kien avait assassiné deux sentinelles, entraînant en guise de représailles l'exécution de prisonniers viêts. Il avait commis une grave erreur en tuant les sentinelles et le chauffeur qui devait les conduire à Hanoi : c'étaient des Blancs. Ordre avait été donné à la gendarmerie comme à l'armée de le retrouver. Son signalement et celui de ses complices avaient été affichés partout et, malgré la fin de la guerre, il serait fort imprudent pour lui de revenir par ici.

– Je le connais, ce n'est pas cela qui l'arrêtera, objecta Léa.

Giau raconta aussi comment François l'avait soigné, lors de son retour à Hanoi, et combien il avait été malheureux quand on lui avait dit qu'elle était morte.

Léa était accablée par tant de haine et tant d'amour à la fois. Elle était comme prise dans la toile d'une monstrueuse araignée et se sentait faiblir.

Le bébé qu'elle tenait toujours entre ses bras gémit dans son sommeil. Elle se redressa, regarda devant elle : il faut que je sois forte, je sortirai de ce cauchemar !

– Sais-tu, Giau, si François est revenu ?

– Il n'a pas fait partie des premiers convois.

– Comment es-tu au courant ? demanda Philippe Müller.

– J'ai des espions à Viêt Tri et dans l'état-major de Cogny. Ils m'informeront dès qu'ils verront le nom de ton mari sur les listes fournies par les Viêts.

– Pourquoi fais-tu cela ? questionna Irving.

– Parce qu'ils m'ont traité comme un être humain.

Il y eut un silence.

– Quand sauras-tu quelque chose ? demanda Léa en lui souriant.

– En fin de matinée. Maintenant, je dois m'en aller. Je reviendrai dès que j'aurai appris du nouveau.

Philippe se rendit au Q.G. du général Cogny.

Les deux nouvelles furent connues en même temps : François serait libéré le lendemain, et Kien se trouvait à Hanoi.

Sur ordre de Cogny, un officier était venu saluer Léa et lui demander de se tenir prête à répondre à quelques questions. Il fut gentiment mais fermement éconduit par la jeune femme.

Giau revint muni d'un laissez-passer. Irving et Müller avaient acheté une Jeep de l'armée.

– Je crois qu'il vaut mieux partir cette nuit, dit Philippe.

– Oui, confirma Giau. Kien est sur ta trace. Tu devrais laisser l'enfant.

– Jamais !

– Comme tu veux. Partez, je vais l'attirer ici.

– Comment t'y prendras-tu ?

– J'ai mon plan. Au revoir, répondit-il en lui restituant le bouddha de jade.

Léa sut dès cet instant qu'elle ne le reverrait plus.

La Jeep démarra, conduite par Samuel Irving. Tous trois avaient revêtu des tenues militaires ; l'enfant était dissimulée dans un sac avec ses biberons. Si tout allait bien, ils seraient d'ici trois ou quatre heures à Viêt Tri.

Sous la menace, les locataires du rez-de-chaussée avaient été enfermés et bâillonnés à l'étage. Par la porte arrière, les acolytes du monstre venaient régulièrement le tenir au courant des faits et gestes de Kien et de ses gardes du corps. Pour qu'ils soient certains de la présence de Léa et de l'enfant dans la demeure, Giau avait fait venir des femmes réputées comme nourrices, ainsi que le livreur de lait matin et soir.

À la nuit tombée, Kien se présenta en compagnie de Fred et Vinh. La porte s'ouvrit sans résistance.

– Léa ! appela Kien, je sais que tu es là... Réponds !... Où est ma fille ?

Le silence se prolongea.

– J'aime pas ça, patron, murmura Fred en sortant son pistolet.

– Tu es sûr qu'elle est là ? demanda Kien à Vinh.

– Je l'ai vue rentrer hier soir avec l'enfant.

– Et depuis ?

– Elle n'a pas bougé. Des militaires français sont venus, ils sont repartis en Jeep. Ta femme n'était pas avec eux.

– Elle aurait pu fuir par-derrière...

– Non, un gars à nous y monte la garde. C'est une impasse où se réfugient des mendiants.

– Des mendiants ? firent ensemble Kien et Fred tout en se regardant.

Il leur sembla qu'un courant froid traversait la maison.

Une lueur tremblota dans une des pièces du fond ; un parfum d'encens monta jusqu'à eux. Armes au poing, ils s'avancèrent. Devant l'autel des ancêtres, brûlait une veilleuse et se consumaient des bâtonnets d'encens.

Le grand bouddha de porcelaine semblait sourire. La pièce paraissait vide, mais tout le pourtour restait dans l'ombre.

– Léa, tu es là ? questionna Kien... Trouve la lumière ! cria-t-il à Vinh.

On entendait le tâtonnement de sa main sur les murs.

– Dépêche-toi !

Soudain, la pièce fut illuminée. Quelques coffres laqués contre les cloisons, un tapis roulé.

– Il n'y a personne, patron, dit Fred en se détendant. Allons voir dans les autres pièces.

Il sortit, suivi de Vinh, et tous deux s'étalèrent soudain de tout leur long : ils n'avaient pas vu la corde tendue au ras du sol. Ils n'eurent pas le temps de faire usage de leurs armes ; une nuée d'êtres difformes et puants les enveloppèrent et les frappèrent à coups de couteaux. Kien tira dans le tas, en atteignant plusieurs, sans que cesse la boucherie. Un rire éclata dans la pièce éclairée. Kien se retourna. Juché sur un coffre, Giau le regardait.

– Je t'attendais.

– Où sont ma femme et mon enfant, vermine ?

– À l'heure qu'il est, Léa a retrouvé son mari. Tu ne la reverras jamais.

– Je les retrouverai !

– Non, rappelle-toi... Je t'ai dit que je te tuerai.

– Toi, l'avorton ? Tu n'as même pas d'arme... C'est moi qui vais t'abattre. Mais auparavant, tu vas me dire où elles sont.

Tel un crapaud, Giau sauta sur un autre coffre.

– C'est fini pour toi. Tu vas mourir !

– Non, c'est toi ! hurla Kien en appuyant sur la détente.

« Clic... »

– Tu as tiré toutes les balles, je les ai comptées... *Tiêp tay voi tôi ! Anh em*[1] !

Les mendiants, couverts de sang, abandonnèrent leurs proies et se jetèrent sur Kien. Longtemps, le jeune homme lutta, avant de succomber.

– Je vais te faire mourir comme on sait le faire chez nous, lentement, dit Giau en s'avançant vers le prisonnier, armé d'une longue lame.

Kien, blessé à la tête, un œil à demi fermé, le regardait fixement.

– Je n'ai pas assez de force ni de temps pour te couper en cent morceaux, comme font nos camarades chinois, mais tu vas avoir le temps de regretter le mal que tu as fait à cette femme. Ensuite, je mangerai ton cœur.

Kien se mit à rire. C'était si surprenant que les mendiants relâchèrent un bref instant leur étreinte. Il se dégagea et, se saisissant de Giau, le projeta contre le mur. L'infirme heurta violemment le coin de l'autel qui lui lacéra le visage. Il resta quelques instants étourdi sur le sol tandis que ses compagnons maîtrisaient son adversaire.

– *Buông tôi ra,* criait Kien, *tôi se cho các anh tât ca tiên các anh muôn*[2]. Ah !...

1. À moi, vous autres !

2. Laissez-moi ! Je vous donnerai tout l'argent que vous voudrez. Ah !...

Giau venait de lui ouvrir le ventre. Les intestins glissèrent, mauves, brillants. Les mendiants le lâchèrent. Les yeux affolés du métis allaient de Giau à la masse chaude qui s'écoulait entre ses jambes. Il tomba à genoux, cherchant à la retenir.

– Je voudrais qu'elle te voit comme ça, fit le monstre, le visage à la hauteur de celui de sa victime.

Où Kien trouva-t-il l'énergie de faire glisser de sa manche un minuscule revolver qui ne le quittait jamais, de lever le cran de sûreté et de tirer en plein dans l'immonde figure ?... Une balle de petit calibre fracassa le nez ; une autre entra dans l'œil. Giau s'effondra contre Kien qui hurla.

Dehors retentit la sirène d'une voiture de police.

– *Chúng ta chuôn di, bon linh*[1] *!...*

Quand la police militaire pénétra dans la maison, elle ne trouva que deux corps suppliciés, embrassés dans la mort.

Les soixante-dix kilomètres séparant Hanoi de Viêt Tri parurent à tous interminables. Par endroits, la route encombrée de véhicules militaires, d'ambulances, de vélos et de piétons était à peine praticable. Ils franchirent la rivière Cà Lô sur un pont de bateaux. Vinh Yen, où l'on s'était tant battu, n'était que ruines. Cependant, sur ces décombres, la vie asiatique renaissait déjà avec ses marchandes de soupe et de légumes... Enfin ils arrivèrent à Viêt Tri, au confluent de la rivière Claire et du fleuve Rouge. Là, Léa se changea, enfilant une simple robe de coton blanc.

Ils durent descendre du véhicule et furent portés par une marée humaine qui agitait des drapeaux rouges frappés de l'étoile jaune. Autour d'eux, ce n'étaient que danses, chants et farandoles.... *Bô dôi* et jeunes filles allaient, se tenant par la main, leurs visages souriants levés vers des jours nouveaux. Flottaient des banderoles sur lesquelles était inscrit en fran-

1. Sauvons-nous... Les flics !...

çais et en vietnamien : « Vive la paix ! » On entendait : « Vive le président Hô Chi Minh ! », « Vive la France ! » Dans un état second, Léa avançait, protégeant la tête de son enfant. Autour d'elles, Samuel Irving et Philippe Müller repoussaient doucement cette multitude bienveillante mais où l'on sentait parfois comme des frissons de haine. Arrivés au débarcadère, ils se mêlèrent aux militaires français et viêt-minh venus accueillir les prisonniers libérés. Un orchestre féminin se mit à jouer quand le chaland de débarquement accosta. La passerelle s'abattit. De chaque côté, des *bô dôi* sans armes s'alignèrent, tandis que des jeunes filles en tuniques claires se portaient au-devant des passagers. Un bref instant, quand les premiers descendirent, il y eut un changement d'attitude parmi la foule, une brusque tension, comme un désir de silence face à ces hommes hâves, harassés, vêtus de bleu, et qui avançaient d'un pas hésitant, tête baissée, bras ballants. L'euphorie de commande repartit de plus belle quand les jeunes filles accrochèrent sur leur poitrine de petites broches représentant la *Colombe* de Picasso. Les prisonniers libérés marchaient sans entrain, sans manifester le moindre plaisir d'être libres.

– On dirait des fantômes, murmura Samuel Irving

D'autres jeunes filles leur offraient des bananes, du riz enveloppé de feuilles, des carottes de tabac sous les applaudissements des *bô dôi* désarmés. Sur les berges, des fonctionnaires des deux camps échangeaient signatures et papiers. Des ordres furent lancés, les prisonniers se mirent en rangs, les bras chargés des cadeaux du peuple vietnamien, et passèrent sous les vivats entre des arcs de triomphe fleuris. La brise venant du fleuve faisait claquer les milliers de drapeaux rouges...

Léa s'agrippait à son enfant pour ne pas tomber tout en cherchant François des yeux. Comment le reconnaître parmi ce triste troupeau ? Elle revivait l'humiliation de la défaite, et la colère montait en elle. Pourquoi ne redressaient-ils pas la tête ?

Toutefois, à mesure qu'ils s'éloignaient du bateau et se rapprochaient des autorités françaises installées sur une petite estrade, certains levaient les yeux.

Ce fut le regard de l'un d'eux qui accrocha celui de Léa. Immobile, elle regardait venir à elle cet homme, son homme tant cherché, tant trahi. Comme il avait changé !... Et, cependant, elle l'aurait reconnu entre mille. Il allait, abandonnant, malgré les cris des *bô dôi*, les présents des jeunes filles. Il s'arrêta devant elle et sourit. Dans ce sourire, il y avait toutes les promesses, tous les bonheurs à venir. Elle sourit à son tour.

– Comment s'appelle-t-elle ? demanda-t-il en posant la main sur la tête de l'enfant.

Remerciements

L'auteur tient à remercier pour leur collaboration le plus souvent involontaire, les personnes et publications suivantes :

Joseph ALGARY ; Jean ARRIGHI ; Vincent AURIOL ; Édouard AXELRAD ; Henri AZEAU ; Henry BABIAUB ; René BAIL ; S.M. BAO DAI ; Raymond BARKAN ; Jean-Luc BARRE ; Claude BAYLÉ ; Jacques BÉAL ; général BEAUFRE ; Patrice de BEER ; Erwan BERGOT ; Jean BERTOLINO ; Jean-Jacques BEUCLER ; général Marcel BIGEARD ; Mag BODARD ; commandant Gilbert BODINIER ; Robert BONNAFOUS ; Paul BONNECARRÈRE ; Gabriel BONNET ; Georges BORNET ; Georges BOUDAREL ; Paul BOURDET ; Yves BRÉHERET ; François BROCHE ; Marc BRUYNINX ; BUI Lam ; Wilfred BURCHETT ; Mme CAMARA, Centre des Archives d'Outre-mer ; Thomas CAPITAINE ; Georges CHAFFARD ; Guy de CHAUMONT ; Georges CONDOMIDAS ; Pierre CROIDY ; Jacques DALLOZ ; Charles DANEY ; DANG Van Viêt ; Jean-Paul DANNAUD ; Adrien DANSARRE ; Pierre DARCOURT ; Roger DELPEY ; Jean-Claude DEMARIAUX ; Hélie DENOIX DE SAINT-MARC ; Eric & Gabrille DEROO ; Jacques DESPUECH ; Philippe DEVILLERS ; Jacques DINFREVILLE ; DOAN Trong Truyên ; Jacques DOURNES ; Jacques DOYON ; Michel DROIT ; DU'OND Dinh Khuê ; Claude DULONG ; Georgette ELGEY ; Isabelle ESHRAGHI ; Bernard FALL ; J.-N. FAURE-BIGUET ; Pierre-Richard FERAY ; Pierre FERRARI ; Georges FLEURY ; général Jean-Julien FONDE ; François FONVIEILLE-ALQUIER ; Charles FOURNIAU ; Christiane FOURNIER ; Philippe FRANCHINI ; Brigitte FRIANG ; Robert GARRIC ; Alain GAUCHY ; André GAUDEL ; Max GAUDRON ; Georges GAUTIER ; Alfred GEORGES ; Fernand GIGON ; Claude GLAYMAN ; Henri GOURDON ; général Yves GRAS ; médecin-commandant Paul GRAUWIN ; Maurice GRONIER ; Louis GROS ; Lydie HAMMEL ; Jacques HÉBERT ; Philippe HÉDUY ; Daniel HEMERY ; Jean-Michel HERTRICH ; HO Dac Diem ; HÔ CHI MINH ; HOANG Thieu Son ; Hans Johannes

HOEFER et son équipe franco-britannique ; Roger HOLEINDRE ; Georges IOVLEFF ; Paul ISOART ; Madeleine & Antoine JAY ; Paul JEANDEL ; Félix JÉGO ; George Amstrong KELLY ; Jean LACOUTURE ; P.-J. LAFONT ; Christian LAIGRET ; Joseph LANIEL ; Roger LARROQUE ; Jean LARTÉGUY ; maréchal Jean de LATTRE DE TASSIGNY ; Henri-Jean LAUSTAU ; LE Duan ; LE Khan Chi ; LE Thi Nham Tuyet ; LE Van Luong ; LE Van Vien ; Jacques LE BOURGEOIS ; Georges LE FÈVRE ; général Alain LE RAY ; Roger LE SAGE ; Maurice LEBLANC ; maréchal Philippe LECLERC ; Colette LEDANNOIS ; J. LEGRAND ; Henri LERNER ; Léon LEROY ; Arnoud de LIEDEKERKE ; George W. LONG ; Peter MAC DONALD ; Tom MANGOLD ; colonel MARCHAND ; Marcel MARSAL ; René MARY ; François MAURIAC ; José MAYAN ; Tibor MENDE ; Pierre MENDÈS FRANCE ; André-François MERCIER ; Pierre MESSMER ; Marc MEULEAU ; Charles MEYER ; Pierre MIQUEL ; François MITTERRAND ; Bernard MOINET ; Vincent MONTEIL ; Jacques MORDAL ; René MOREAU ; Paul MUS ; général Henri NAVARRE ; NGUYEN Co Thach ; NGUYEN Liong Bang ; NGUYEN Quoc Viet ; NGUYEN Thanh Vinh ; Christiane PASQUEL-RAGEAU ; John PENYCATE ; Maurice PERCHERON ; Mme PHAM Ngoc Thach ; PHAM Ngoc Thach ; PHAM Van Dông ; PHAM Thanh Vinh ; Roger PIC ; Philippe de PIREZ ; Jean-Pierre PISSARDY ; Jean PLANCHAIS ; Jean POUGET ; Élisabeth RABUT, Centre des Archives d'Outre-mer ; Raoul RAVON ; René RÉMOND ; Jean RENALD ; Jean REY ; Madeleine RIFFAUD ; Louis ROUBAUD ; Jules ROY ; Stanislas RULLIER ; Alain RUSCIO ; S.E. TRINH Ngoc Thai ; SAINT-AUBERT ; Albert de SAINT-JULIEN ; Jean SAINTENY ; Philippe SAINTENY ; général Raoul SALAN ; Raymond SALLE ; A. SALLET ; Albert SARRAUT ; Pierre SCHOENDOERFFER ; Pierre SERGENT ; STANISLAS ; Roger STÉPHANE ; Jacques SUANT ; André TEULIÈRES ; THU Trang-Gaspard ; TRAN Thi Thuc ; TRUONG Dinh Hoé ; TRUONG My Hoa ; TRUONG Nhu Tang ; Jacques VALETTE ; VAN GEIRT ; Roger VANDENBERGHE ; Jacques M. VERNET ; général A. VÉZINET ; P. VIEILLARD ; général VO NGUYEN Giap ; VU CAN ; Irwin M. WALL ; Léa WIAZEMSKY ; Pierre WIAZEMSKY ; Archives d'histoire contemporaine ; *L'Année politique ;* Croix-Rouge française ; *Paris Match ;* Les guides Madrolle ; *Historia*.

Cet ouvrage, composé par
Paris PhotoComposition
36, avenue des Ternes, 75017 PARIS

a été achevé d'imprimer par
BRODARD ET TAUPIN
à La Flèche

pour le compte des Éditions Fayard
en avril 1996